엄마를
부탁해

엄마를 부탁해

신경숙

장편소설

창비

사랑할 수 있는 한 사랑하라

—리스트

— 차
례 —

1장 •
아무도 모른다 009

2장 •
미안하다, 형철아 079

3장 •
나, 왔네 139

4장 •
또다른 여인 199

에필로그 •
장미 묵주 255

해설 | 정홍수 283
작가의 말 295

1장

아무도 모른다

엄마를 잃어버린 지 일주일째다.

오빠 집에 모여 있던 너의 가족들은 궁리 끝에 전단지를 만들어 엄마를 잃어버린 장소 근처에 돌리기로 했다. 일단 전단지 초안을 짜보기로 했다. 옛날 방식이다. 가족을 잃어버렸는데, 그것도 엄마를 잃어버렸는데, 남은 가족들이 할 수 있는 일은 몇가지 되지 않았다. 실종신고를 내는 것, 주변을 뒤지는 것, 아무나 붙잡고 이런 사람 보았느냐 묻는 것, 의류 쇼핑몰을 운영하는 남동생이 인터넷에 엄마를 잃어버리게 된 이유와 잃어버린 장소와 엄마의 사진을 올리고 비슷한 분을 보게 되면 연락해달라고 게시하는 것. 엄마가 갈 만한 곳이라도 찾아다니고 싶었으나 이 도시에서 엄마 혼자 갈 수 있는 곳은 없다는 것을 너는 알고 있었다. 글을 쓰는 사람이니 문안 작성은 네가 해라, 오빠가 너를 지명했다. 글을 쓰는 사람. 너는 해서는 안될 일을 하다가 들킨 것처럼 귀밑이 붉어졌다. 과연 네가 구사하는 어느 문장이 잃어버린 엄마를 찾는 데 도움이 될지.

1938년 7월 24일생이라고 엄마의 생년월일을 적는데 아버지가 엄마는 1936년생이라고 했다. 주민등록상에만 38년으로 되어 있을 뿐 실제로는 36년생이라는 것이다. 너는 처음 듣는 얘기였다. 아버지는 그 시절엔 다 그렇게 했다고 했다. 태어나서 백일을 넘기지 못하고 죽는 아이들이 많아서 이삼년 키워본 다음 호적에 올렸다는 것이다. 38이라는 숫자를 36이라고 고쳐 적으려는데 오빠가 신상명세서이니 38년생으로 적어야 한다고 했다. 이건 우리가 만드는 전단지이고 여기가 동사무소나 구청도 아닌데 사실보다 등록된 것을 적어야 하나? 의문이 들었지만 너는 묵묵히 36이라 적은 숫자를 다시 38로 고쳤다. 그러면 7월 24일이라는 엄마의 생일은 제대로 된 것일까? 생각하면서.

너의 엄마는 몇해 전부터 내 생일은 따로 챙기지 마라, 했다. 아버지의 생일이 엄마의 생일 한달 전이었다. 예전엔 생일이나 다른 기념할 일이 생기면 너를 비롯한 도시의 식구들이 J시의 엄마 집으로 이동하곤 했다. 다 모이면 직계만 스물둘이었다. 엄마는 식구들이 모이는 왁자한 상태를 좋아했다. 식구들이 모이게 되면 며칠 전에 새 김치를 담그고, 시장에 나가 고기를 끊어오고, 치약과 칫솔

들을 준비했다. 돌아갈 때 한병씩 나눠주려고 참기름을 짜고 참깨 들깨를 따로 볶아 찧었다. 가족들을 기다릴 즈음의 너의 엄마는 동네 사람들이나 시장통에서 만나는 사람들과 얘기할 때 단연 활기를 띠었고 은근히 자부심이 배어나는 몸짓과 말투를 보였다. 헛간에는 엄마가 철따라 담가놓은 매실즙이며 산딸기즙이 담긴 크고작은 유리병들이 즐비했다. 도시의 식구들에게 퍼줄 황석어젓이며 멸치속젓이며 조개젓갈 들이 엄마의 항아리들을 가득 채우고 있었다. 양파가 좋다는 말이 들리면 양파즙을 만들어서, 겨울을 앞두고는 감초를 넣은 늙은호박즙을 짜서, 도시의 식구들에게 보냈다. 너의 엄마 집은 도시의 식구들을 위해 사시사철 뭔가 제조하는 공장과도 같았다. 장이 담가지고 청국장이 발효되고 쌀이 찧어지는. 언제부턴가 도시 식구들이 J시에 가는 일보다 엄마가 아버지와 함께 도시로 오는 일이 많아졌다. 그러다가 아버지와 엄마의 생일도 도시의 식당에서 밥을 먹는 걸로 대신하기 시작했다. 그래야 움직임이 단출하긴 했다. 급기야 엄마는 내 생일은 아버지와 함께 쇠자, 했다. 한여름이라 날도 더운데다 이틀 사이로 지내야 하는 여름제사가 두번이나 있는데 그 틈에 언제 생일을 다 챙기겠느냐고 했다. 처음에 너의 가족들은 엄마가 그리 주장해도 그게 무슨 소리냐며 엄마가 도시에 오지 않으려 하면 몇몇이라도 시골집에 내려가 엄마 생일을 챙기곤 했다. 그러다가 아버지 생일에 엄마의 선물까지 함께 사기 시작했고 엄마 생일 당일은 슬그머니 지나가게 되었다.

식구들 숫자대로 양말 사기를 좋아하던 엄마의 장롱엔 가져가지 않은 양말들이 수북이 쌓이기 시작했다.

이름: 박소녀
생년월일: 1938년 7월 24일생(만 69세)
용모: 흰머리가 많이 섞인 짧은 퍼머머리, 광대뼈 튀어나옴. 하늘색 셔츠에
　　흰 재킷, 베이지색 주름치마를 입었음.
잃어버린 장소: 지하철 서울역

엄마의 사진을 어느 걸 쓰느냐를 두고 의견이 갈라졌다. 최근 사진을 붙여야 한다는 데에는 모두 동의했지만 누구도 엄마의 최근 사진을 가지고 있지 않았다. 너는 언제부턴가 엄마가 사진 찍히는 걸 매우 싫어했다는 걸 생각해냈다. 가족사진을 찍을 때도 엄마는 어느 틈에 빠져나가, 사진에는 엄마 모습만 보이지 않았다. 아버지 칠순 때 찍은 가족사진 속의 엄마 얼굴이 사진으로 남은 가장 최근 모습이었다. 그때의 엄마는 물빛 한복을 입고 미장원에 가 업스타일로 머리를 손질하고 입술에 붉은빛이 도는 루주를 바른, 한껏 멋을 낸 모습이었다. 사진 속 엄마는 실종되기 전의 모습과는 너무 달라 그 사진을 따로 확대해 붙여본들 사람들이 그 사람이 이 사람이라는 걸 알아보지 못하리라는 것이 네 남동생의 의견이었다. 인터넷에 그 사진을 올렸더니 어머님이 예쁘시네요, 길을 잃어버릴 분

같지 않은데요,라는 댓글이 올라온다고 했다. 너희는 각자 엄마의 다른 사진을 가지고 있는지 다시 찾아보기로 했다. 큰오빠는 너에게 문구를 더 보충해보라고 했다. 네가 큰오빠를 물끄러미 바라보자 좀더 호소력 있는 문구를 생각해보라고 했다. 호소력 있는 문구. 어머니를 찾아주세요,라고 쓰니 너무 평범하다고 했다. 어머니를 찾습니다,라고 쓰니 그게 그거고 어머니라는 말이 너무 정중하니 엄마,로 바꿔보라고 했다. 우리 엄마를 찾습니다,라고 쓰니 어린애스럽다고 했다. 윗분을 보면 꼭 연락 바랍니다,라고 쓰자 큰오빠가 넌 대체 작가라는 사람이 그런 말밖에 쓸 수 없냐! 버럭 소리를 질렀다. 큰오빠가 원하는 호소력 있는 문구가 무엇인지 너는 생각해낼 수가 없었다. 호소력이 따로 있어? 사례를 한다고 쓰는 것이 호소력이야, 작은오빠가 말했다. 사례를 섭섭지 않게 하겠습니다,라고 쓰자 사례를 섭섭지 않게? 이번엔 올케가 그렇게 적으면 안된다고 했다. 분명한 액수를 적어야 사람들이 관심을 갖는다고.

— 그럼 얼마를 적을까요?

— 백만원?

— 그건 너무 적어요.

— 삼백만원?

— 그것도 적은 것 같은데?

— 그럼 오백만원.

오백만원 앞에서는 누구도 토를 달지 않았다. 너는 오백만원의

사례금을 드리겠습니다,라고 적고 마침표를 찍었다. 작은오빠가
'사례금:오백만원'으로 고치라고 했다. 남동생이 오백만원을 다른
글자보다 키우라고 했다. 각자 집으로 돌아가 엄마의 사진을 찾아
보고 적당한 게 있으면 바로 네 이메일로 보내주기로 했다. 전단지
문안을 더 보충해서 인쇄하는 일은 네가, 그것을 각자에게 배송하
는 일은 남동생이 맡기로 했다. 전단지 나눠주는 아르바이트생을
따로 구할 수도 있어, 네가 말하자, 그건 우리가 해야지, 큰오빠가
말을 받았다. 평일엔 각자 일을 하는 틈틈이, 주말엔 모두 다함께.
그렇게 언제 엄마를 찾아? 네가 투덜거리자, 큰오빠는 해볼 수 있
는 일은 다 하고 있어, 이건 가만있을 수 없으니까 하는 일이다,고
했다. 해볼 수 있는 일 뭐? 신문광고. 신문광고가 해볼 수 있는 일
의 다야? 그럼 어떻게 할까? 내일부터 모두 일을 그만두고 이 동네
저 동네 무조건 헤매고 다닐까? 그렇게 해서 엄말 찾을 수 있다고
보장만 되면 그리해보겠다. 너는 큰오빠와의 실랑이를 그만두었
다. 지금까지의 습성. 오빠니까 오빠가 어떻게 해봐라!고 늘 미루
는 마음이던 습성이 이런 상황에도 작동하고 있음을 깨달았기 때
문이다. 너의 가족들은 큰오빠 집에 아버지를 두고 서둘러 헤어졌
다. 헤어지지 않으면 또 싸우게 될 것이다. 지난 일주일 동안 줄곧
그래왔다. 엄마의 실종을 어떻게 풀어나가야 할지 상의하러 모였
다가 너의 가족들은 예기치 않게 지난날 서로가 엄마에게 잘못한
행동들을 들춰내었다. 순간순간 모면하듯 봉합해온 일들이 툭툭

불거지고 결국은 소리를 지르고 담배를 피우고 문을 박차고 나갔다. 너는 엄마를 잃어버렸다는 얘길 처음 듣자마자 어떻게 이렇게 많은 식구들 중에서 서울역에 마중나간 사람이 한 사람도 없느냐고 성질을 부렸다.

　─ 그러는 너는?

　나? 너는 입을 다물었다. 너는 엄마를 잃어버린 것조차 나흘 후에나 알았으니까. 너의 가족들은 서로에게 엄마를 잃어버린 책임을 물으며 스스로들 상처를 입었다.

　오빠 집에서 나온 너는 지하철을 타고 집으로 가다가 엄마가 사라진 지하철 서울역에서 내렸다. 엄마를 잃어버린 장소로 가는 사이 수많은 사람들이 네 어깨를 치고 지나갔다. 아버지가 엄마 손을 놓친 자리에 서 있는 동안에도 사람들은 네 어깨를 앞에서 뒤에서 치고 지나갔다. 누구도 미안하다고 말하지 않았다. 너의 엄마가 어쩔 줄 모르고 있던 그때도 사람들은 그렇게 지나갔을 것이다. 네가 도시로 가기 위해 엄마 곁을 떠나기 며칠 전 엄마는 너의 손을 잡고 시장통 옷가게로 갔다. 네가 아무 장식이 없는 민짜 원피스를 고르자 엄마는 어깨와 치마 끝단에 프릴이 달린 것을 네 앞에 내밀었다. 이거 어떠냐! 너는 에이…… 하며 밀쳤다. 왜? 입어보렴. 그때만 해도 젊었던 엄마가 눈을 동그랗게 떴다. 프릴 달린 원피스와 엄마가 머리에 쓴 때에 전 수건은 서로 다른 세상처럼 대조적이었다. 유치

해요. 내 말에 엄마는 그러냐? 하면서도 아쉬움이 남는지 자꾸만 원피스를 앞뒤로 살폈다. 내가 너라믄 이걸 입어보겠구만. 유치하다고 말한 게 미안해서 그건 엄마 취향도 아니잖아, 했을 때 너의 엄마는 아니다, 엄만 이런 옷이 좋아, 입을 수 없었을 뿐이다, 했다.

한 인간에 대한 기억은 어디까지일까. 엄마에 대한 기억은?

엄마가 곁에 있을 땐 까마득히 잊고 있던 일들이 아무데서나 불쑥불쑥 튀어나오는 통에 너는 엄마 소식을 들은 뒤 지금까지 어떤 생각에도 일분 이상 집중할 수가 없었다. 기억 끝에 어김없이 찾아드는 후회들. 그때 그 옷을 입어라도 볼걸, 너는 어쩌면 엄마가 쭈그리고 앉아 있었을지도 모를 자리에 무릎을 접고 앉아보았다. 기어이 네가 원하는 민짜 원피스를 고른 며칠 뒤에 너는 이 서울역에 도착했다. 너를 서울에 데려다주러 온 엄마는 위압적으로 내려다보는 빌딩도 무찌를 듯한 걸음걸이로, 오가는 인파 속에서도 너의 손을 꼭 잡고 광장을 걸어가 시계탑 밑에서 오빠를 기다렸다. 그 엄마가 길을 잃다니. 지하철이 들어오는 불빛이 보이자 사람들이 몰려들다가 앉아 있는 네가 거치적거리는지 힐끔거렸다.

너의 엄마가 지하철 서울역에서 아버지의 손을 놓친 그때 너는 중국에 있었다. 북경에서 열린 북페어에 동료 작가들과 함께 있었다. 나중에 생각해보니 너의 엄마를 지하철 서울역에서 잃어버린 그 시간은 네가 북페어의 한 부스에서 중국어로 번역된 네 책을 들여다보고 있던 때이기도 했다.

— 아버지는 왜 택시를 타지 않고 지하철을 탔어요! 지하철만 안 탔어도!

아버지는 기차역이 지하철역과 연결되어 있어 굳이 택시를 타러 나가야 하는가 하는 생각이 들었다고 했다. 모든 일은, 특히 나쁜 일은 발생하고 나면 되짚어지는 게 있다. 그때 그러지 말아야 했는데 싶은 것. 가족들은 왜 다른 때와 달리 아버지 엄마가 둘이서 작은오빠 집에 찾아갈 수 있다는 말을 따랐을까. 가족 중 누군가 서울역이나 고속버스터미널로 아버지 엄마를 마중나가는 것은 늘 해오던 당연한 일이었는데. 도시에서 어딘가로 이동할 때면 가족들의 승용차나 택시를 이용하던 아버지는 왜 그때 지하철 탈 생각을 했을까. 엄마는 아버지와 함께 막 도착한 지하철을 타려 했다고 했다. 아버지가 지하철을 타고 보니 엄마가 없었다고 했다. 하필 번잡한 토요일 오후였다. 엄마는 인파에 떠밀려 아버지 손을 놓쳤고 허둥지둥하는 사이에 지하철이 출발해버린 것이다. 엄마의 가방은 아버지가 들고 있었으므로 너의 엄마가 빈손으로 지하철역에 혼자 남았을 때 너는 북페어에서 나와서 천안문광장으로 가고 있었다. 북경엔 세번째 걸음인데도 천안문광장에 발을 디뎌본 적이 없었다. 버스 안에서 승용차 안에서 물끄러미 바라보기만 한 곳이었다.

안내를 맡은 학생은 저녁때까지 시간이 남으니 천안문광장에 가보겠느냐고 했고 너의 일행들은 그에 따랐다. 네가 택시를 타고 자금성 앞에서 내렸을 때, 지하철 서울역에 혼자 남은 너의 엄마는 무엇을 하고 있었을까. 자금성으로 걸어들어가다가 너의 일행은 되나왔다. 북경은 온 도시가 공사중이었다. 이듬해에 있을 올림픽을 치르기 위해서라고 했다. 자금성도 일부분만 개방하고 공사중인데다 곧 문닫을 시간이었다. 영화 「마지막 황제」의 늙은 푸이가 어린 시절을 보낸 자금성에 돌아와 어린 관광객에게 보여줄 것이 있다며 옥좌에 숨겨놓은 귀뚜라미 상자를 꺼내 보이던 장면이 떠올랐다. 뚜껑을 여니 그때까지도 살아 있던, 푸이가 어린 시절 가지고 놀던 귀뚜라미. 네가 천안문광장으로 건너가려던 그때에 너의 엄마는 어깨를 치고 지나가는 인파 속에 우두커니 서 있었을까. 누군가 데리러 오기를 기다렸을지도 모른다. 자금성과 천안문광장을 이어주는 길도 공사중이었다. 광장은 바로 앞에 보였지만, 복잡한 미로를 통과하고 또 통과한 뒤에야 그곳에 설 수 있었다. 네가 천안문광장 하늘에 떠 있는 연들을 보고 있을 때, 너의 엄마는 지하도에서 체념한 듯 주저앉으며 네 이름을 불렀을지도 모른다. 천안문의 철문이 열리고 일개분대는 될 듯한 공안원들이 다리를 높이 들며 행진해서 오성홍기를 내리는 걸 구경하고 있을 때, 너의 엄마는 지하철 서울역 구내의 미로를 헤매고 다닌 듯하다. 그때의 너의 엄마를 보았다는 역 구내 사람들의 증언이 그것을 뒷받침한다. 그들은 너의 엄

마로 추정되는 한 늙은 여인이 아주 천천히 걷고 있는 걸, 간혹 주
저앉아 있는 걸, 에스컬레이터 앞에 하염없이 서 있는 걸 보았다고
했다. 너의 엄마인 듯한 한 늙은 여인이 오래 역에 앉아 있다가 도
착하는 지하철을 타는 걸 봤다는 이도 있었다. 너의 엄마가 어디론
가 사라진 그 밤에 너는 일행들과 밤택시를 타고 북경의 휘황한 먹
자거리에 나가 붉은 불빛 아래서 오십육도쯤 되는 중국술을 맛보
며 붉은 기름에 볶은 뜨거운 게요리를 먹고 있었던 거다.

　아버지가 다음 정거장에서 내려 엄마와 헤어진 지하철 서울역으
로 다시 가보았으나 엄마는 없었다고 했다.
　— 아무리 지하철을 못 탔기로 어떻게 길을 잃을 수 있어요? 안
내판이 다 붙어 있는데. 어머닌 전화 걸 줄도 모르시나? 공중전화
로 전화 한통만 걸면 되는데.
　올케는 지하철을 타지 못했다고 아들 집도 찾지 못하느냐며 엄
마에게 다른 일이 생긴 거라고 했다. 다른 일? 그것은 엄마를 어떻
게든 예전의 엄마로 여기고 싶은 사람의 마음이었다. 엄마는 길을
잃을 수 있어, 네 말에 올케는 눈을 빤히 떴다. 언니도 알잖아, 엄마
가 어떤 상탠지? 올케가 나는 모르는데요? 하는 표정을 지었다. 너
의 가족은 알았다. 엄마가 어떤 상태인지. 엄마가 이대로 돌아오지
못할 수도 있다는 것도.

엄마가 글을 읽을 줄 모른다는 것을 너는 언제 알았을까.

네가 처음 쓴 편지는 엄마가 도시로 나간 큰오빠에게 전하고 싶은 말을 받아적는 것에서부터 비롯되었다. 너의 오빠는 너희가 태어난 마을이 속한 소읍에서 정규 고등학교를 마치고 일년 동안 혼자서 공무원시험 공부를 한 뒤에 발령을 받아 도시로 나갔다. 자신이 낳은 자식과 엄마의 첫 작별이었다. 전화가 없던 그때의 유일한 통신수단은 편지를 쓰는 것이었다. 도시로 간 오빠는 편지지에 큼직큼직한 글씨로 엄마에게 편지를 써보내곤 했다. 너의 엄마는 오빠의 편지가 도착하는 날을 귀신같이 알았다. 그 마을엔 오전 열한시쯤 우편집배원이 커다란 가방을 자전거 앞에 매달고 오곤 했다. 오빠의 편지가 오는 날엔 엄마는 밭에 있다가도 도랑에서 빨래를 하다가도 집에 들어와 우편집배원이 전해주는 오빠의 편지를 직접 받곤 했다. 그러고는 네가 학교에서 돌아오기를 기다렸다. 네가 학교에서 돌아오면 엄마는 너를 뒷마루로 데리고 가서 오빠의 편지를 꺼내 내밀었다. 큰 소리로 읽어보라, 했다. 집을 떠난 너의 오빠의 편지는 "어머님 전 상서"로 시작되었다. 편지쓰기의 방식을 교과서에서 배운 듯이 오빠는 시골집의 안부를 묻고 도시에 있는 자신의 안부를 전했다. 빨래는 일주일에 한번 당숙모에게 갖다주면 빨아준다고 씌어 있었다. 엄마가 당숙모에게 간곡히 당부한 일이었다. 밥은 잘 사먹고 있고, 동사무소 숙직실에서 당번을 서주는 일로 숙소도 얻었으니 염려하지 말라고 했다. 오빠는 이 도시에 나오니 무엇이든 다 이룰 수 있을 것 같고 하고 싶은 일도 많다고 썼다. 꼭 성공해서 언젠가는 엄마를 편하게 해줄 것이라는 포부를 밝히기도 했다. 스무살이던 오빠는 능청스럽고 늠름하게도, 그러니 어머님, 제 걱정은 마시고 아무쪼록 어머님 건강을 챙기셔야 합니다, 라고도 썼다. 오빠의 편지를 큰 소리로 읽다가 네가 편지지 너머로 엄마를 넘겨다보면 너의 엄마는 뒤란의 토란대나 장항아리를 눈 하나 깜짝 않고 응시하고 있었다. 편지를 읽어주는 너의 목소리를 한마디라도 놓칠세라 엄마의 귀는 토끼처럼 쫑긋 세워져 있었다. 편지를 다 읽고 나면 너의 엄마는 너에게 엄마가 부르는 말을 편지지에 적으라고 했다. 엄마가 불러주는 첫마디는 형철이에게였다. 형철은 너의 큰오빠 이름이다. 너는 엄마가 불러주는 대로 형철이에게,라고 오빠 이름을 적었다. 엄마가 마침표를 찍으라고 하지 않았지만 이름 뒤에 점 하나를 찍었다. 엄마가 형철아라고 부르면 너는 형철아!라고 적었다. 할말을 잊은 듯이 엄마가 형철아 부른 뒤에 침묵을 지키면 너는 쏟아지는 단발머리를 귀 뒤로 넘기고 볼펜을 든 채로 귀를 쫑긋 세우고 편지지를 들여다보며 엄마의 다음 말을 기다렸다. 날씨가 차졌구나,라고 불러주면 너는 날씨가 차가워졌구나,라고 썼다. 형철이에게라고 불러준 뒤 엄마의 다음 말은 날씨에 관한 것이었다. 여긴 봄이 와서 꽃이 피었구나. 여름이 시작되어 논바닥이 갈라지기 시작했다. 추수철이라 논두둑에 콩이 가

22

득이다. 엄마가 사투리를 쓰지 않을 때는 오빠에게 전할 말을 불러줄 때뿐이었다. 아무쪼록 여기 걱정은 말고 네 한몸 건사 잘하길 바란다. 어미가 바라는 것은 그것 하나뿐이다. 형철이에게로 시작한 엄마의 말은 네게 아무 도움도 되지 못해서 어미가 미안하다,로 감정의 급물살을 탔다. 네가 편지지에 또박또박 엄마의 말을 받아적을 때 너의 엄마의 손등엔 굵은 눈물이 툭, 떨어지곤 했다. 너의 엄마가 불러주는 마지막 말은 늘 똑같았다. 아무쪼록 밥은 굶지 말고 다니거라. 엄마가.

너는 그 집의 셋째였으므로 네 위의 오빠들이 집을 떠날 때마다 엄마가 겪는 작별의 슬픔과 고통과 염려를 지켜보았다. 큰오빠를 보내고선 너의 엄마는 새벽마다 장독대의 장항아리를 닦았다. 우물이 앞마당에 있어서 물을 길어오기만도 힘든 일이었는데 뒤꼍을 가득 채운 항아리들을 하나하나 다 닦았다. 뚜껑도 열어 앞뒤로 윤이 나도록 닦았다. 행주질을 하는 너의 엄마의 입에서는 노래가 흘러나왔다. 당신과 나 사이에 저 바다가 없었다면 쓰라린 이별만은 없었을 것을… 손은 연방 찬물에 행주를 담갔다가 꺼내고 비틀어 짜고 항아리 사이를 오가느라 바쁜데 엄마 입에서는 어느날 당신이 나를 버리지 않겠지요,가 흘러나왔다. 그때 네가 엄마! 하고 부르면 뒤돌아보는 너의 엄마의 우직한 소 같은 눈엔 눈물이 그렁그렁 고여 있었다. 어느 항아리 앞에서 엄마가 형철아! 오빠 이름을 부르며 힘이 빠진 듯 주저앉았을 때 너는 슬그머니 엄마에게서 행주를 빼내고 엄마의 팔을 높이 들어 너의 어깨를 안게 했다. 엄마가 너의 큰오빠를 사랑하는 방식은 학교에서 야간자습을 마치고 돌아온 오빠에게만 라면을 끓여주는 일이었다. 네가 가끔 그에게 그때 이야기를 하면 라면 가지고 뭘 그래?라고 응수했다. 라면 가지고라니? 그땐 라면이 최고 맛있었는데? 숨겨놓고 먹는 것이었다니까! 해도 도시에서 자란 그는 뭐 그렇게까지! 싶은 모양이었다. 새로 등장한 라면은 그동안 너의 엄마가 만들어준 모든 음식의 맛을 무력화시켰다. 엄마는 새로 나온 라면을 사다 장독의 빈 항아리에 숨겨놓고 늦은 밤에 큰오빠에게만 끓여주고 싶어했다. 라면 끓이는 냄새 때문에 너를 비롯한 다른 형제들이 일제히 눈을 떴다. 그 밤에 라면냄새 때문에 잠을 깬 너와 너의 형제들에게 엄마가 니들은 그냥 자거라— 엄하게 말하면 너와 너의 형제들은 막 라면을 입에 넣으려는 큰오빠를 일제히 바라보았다. 미안해진 그가 라면 한 젓가락씩을 먹게 하면 그제야 엄마는, 먹을 것은 어찌 그리 금세 안다 냐들! 하면서 솥에 물을 가득 붓고 라면 한개를 다시 끓여와 너와 너의 형제들에게 나눠주곤 했다. 라면가닥보다 국물이 더 많은 그릇을 받아들고 흐뭇해하던 그런 때가 있었다. 너의 엄마는 수많은 항아리들을 닦다가 라면을 숨겨놓던 항아리 앞에서 결국 오빠를 향한 마음을 어쩌지 못하고 철철 울곤 했다.

오빠들이 집을 떠날 때마다 슬픔에 빠지는 엄마에게 네가 해줄 수 있는 일은 그들이 보내온 편지를 소리내 읽어준 뒤 엄마의 말을 받아적은 편지를 학교 가는 길에 우체통에 넣어주는 일뿐이었다. 그랬으면서도 왜 너는 엄마가 문자의 세계에 단 한번도 발을 들여놓지 못한 존재라는 것을 까마득히 모르고 지냈을까. 엄마에게 편지를 읽어주고 엄마의 말을 대신 써주면서도 엄마가 글을 몰라서 어린 너에게 의지하는 것이라고 왜 생각해본 적이 없을까. 너는 엄마의 부탁들을 텃밭에 나가 아욱을 뜯어오라거나 기름집에 가서 석유를 사오라는 것과 같은 심부름으로 받아들였다. 너마저 엄마 집을 떠난 뒤에 엄마가 그 일을 다른 이에게 맡긴 것 같지는 않다. 너는 발신인이 엄마로 된 편지를 단 한통도 받아본 적이 없으니까. 어쩌면 네가 편지를 쓰지 않아서일까? 전화 때문이었을 것이다. 네가 집을 떠나올 무렵엔 마을 이장 집에 공동전화가 놓였다. 그 마을에 처음 생긴 전화였다. 아침마다 아아, 하며 마이크를 시험하는 소리 뒤에는 누구네 집 서울서 전화왔으니 어서 와서 받으라는 안내방송이 흘러나오곤 했다. 편지로 안부를 전하던 형제들도 마을의 공동전화로 전화를 걸어왔다. 마을에 공동전화가 생긴 뒤부터는 식구를 타지로 내보낸 이들은 논에 있거나 밭에 있거나 아아, 마이크 소리가 들리면 모두들 누구를 찾나? 귀를 기울이곤 했다.

모녀관계는 서로 아주 잘 알거나 타인보다도 더 모르거나 둘 중 하나다.

지난가을까지만 해도 너는 너의 엄마를 잘 안다고 생각했다. 엄마가 무엇을 좋아하는지, 엄마가 화났을 때 어떻게 해야 누그러지는지, 엄마가 무슨 말을 듣고 싶어하는지. 누가 지금 엄마가 뭘 하고 있는지 아느냐고 물으면 고사리를 말리고 있을걸요, 일요일이니 성당에 가셨겠는데, 십초 내에 대답할 수 있었다. 그러나 너의 생각은 지난가을에 조각이 났다. 엄마에게 너란 존재가 딸이 아니라 손님이 된 듯한 기분을 느낀 것은 엄마가 네 앞에서 집을 치울 때였다. 어느날부턴가 엄마는 방에 떨어진 수건을 집어 걸었고, 식탁에 음식이 떨어지면 얼른 집어냈다. 예고 없이 엄마 집에 갈 때 엄마는 너저분한 마당을, 깨끗하지 못한 이불을 연방 미안해했다. 냉장고를 살피다가 네가 말려도 반찬거리를 사러 시장엘 나갔다. 가족이란 밥을 다 먹은 밥상을 치우지 않고 앞에 둔 채로도 아무렇지 않게 다른 일을 할 수 있는 관계다. 어질러진 일상을 보여주기 싫어하는 엄마 앞에서 네가 엄마에게 손님이 되어버린 것을 깨달았다.

어쩌면 너는 그보다 더 오래전 엄마가 너를 도시로 데려다준 뒤부터 엄마에게 손님이 되었는지도 모른다. 너의 엄마는 너를 도시로 보낸 뒤로는 너를 혼내지 않았다. 그전의 너의 엄마는 어땠는가. 네가 조금만 무엇을 잘못해도 세차게 꾸지람했다. 아주 오래전 엄마의 입에 붙어산 말들 중 하나는 "계집애가"였다. 대부분 오빠들과 너를 구별할 때 그 말을 쓰곤 했는데 사과나 포도 같은 것을 집어먹을 때는 물론이고 걸음걸이, 옷매무새, 말투에 대해서도 엄마는 "계집애"를 내세우며 너의 본성들을 수정할 것을 요구했다. 그러다가 엄마는 간혹 수심에 잠기며 네 얼굴을 이윽히 들여다보았다. 풀먹인 이불홑청을 판판하게 하기 위해 양끝을 맞잡아당겨야 하는데 상대가 없어 어린 너를 마주앉힐 때나 밥을 뜸 들이기 위해 너에게 재래식 부엌의 아궁이에 불쏘시개를 집어넣게 할 때, 엄마는 어두운 얼굴로 너를 바라보곤 했다. 어느 해 추운 겨울날 우물에서 제사상에 오를 홍어 껍질을 벗기다가 엄마는 칼을 든 채로 "너는 공부를 많이 해야 한다" 했다. "그래야 다른 세상으로 갈 수 있다." 그때 엄마의 말을 너는 알아들었을까. 엄마가 스스럼없이 너를 혼낼 때는 네가 엄마, 엄마를 더 자주 불렀던 것 같다. 엄마라는 말에는 친근감만이 아니라 나 좀 돌봐줘,라는 호소가 배어 있다. 혼만 내지 말고 머리를 쓰다듬어줘, 옳고 그름을 떠나 내 편이 되어줘,라는. 너는 어머니 대신 엄마라는 말을 포기하지 않았다. 엄마를 잃어버린 지금까지도. 엄마라고 부를 때의 너의 마음에는 엄마가 건강하다고 믿고 싶은 마음도 섞여 있었다. 엄마는 힘이 세다고, 엄마는 무엇이든 거칠 게 없으며 엄마는 이 도시에서 네가 무언가에 좌절을 겪을 때마다 수화기 저편에 있는 존재라고.

  지난가을 네가 엄마 집에 간다는 말을 하지 않은 것은 이제는 네가 집에 간다고 하면 할일이 많아질 엄마를 편하게 해주기 위해서가 아니었다. 엄마 집은 네가 그날 이른 아침에 비행기를 타고 갔던 P시에서는 먼 거리였다. 이른 아침 비행기를 타기 위해 첫새벽에 머리를 감고 집을 나설 때만 해도 너는 J시로 엄마를 보러 갈 생각을 하지 않았다. P시에서 J시로 가는 길은 너의 오피스텔이 있는 도시에서 바로 가는 것보다 교통이 더 불편하고 길도 멀었다. 너도 예기치 않은 일이었던 거다.

네가 집에 다다랐을 땐 대문이 열려 있었다. 현관문도 열려 있었다. 도시에서 다음날 그와 점심약속이 있었기 때문에 너는 밤기차를 타고 돌아갈 생각이었다. 네가 태어난 곳이지만 엄마의 집이 있는 마을은 이제 네게 낯선 곳이다. 어린 시절을 보낸 흔적이래야 도랑의 팽나무들 몇그루 남아 있는 게 전부이다. 세 그루의 팽나무는 고목이 되어 아직도 그 자리에 서 있다. 그래서였을 것이다. 너는 엄마 집에 갈 적이면 큰 도로가 있는 길을 두고 팽나무가 있는 도랑 쪽으로 길을 잡곤 했다. 거기로 가면 집으로 들어가는 뒷문이 나왔다. 오래전엔 작은 문 바로 앞에 마을 공동우물이 있었다. 집집마다 상수도가 설치되면서 우물은 자연스럽게 메워졌으나 그 우물을 기억하는 너는 작은 문으로 들어서기 전에 문득 우물이 있던 자리에 잠깐 서 있었다. 완강한 시멘트를 발로 툭툭거려보기도 했다. 예전에 그곳에 마르지 않는 우물이 있었던 것이 사실일까? 마음이

야릇해졌다. 이 골목의 사람들을 다 먹여살리고도 항상 찰랑찰랑 물이 고여 있던 그 우물은 저 캄캄한 속에서 어쩌고 있을까? 너는 그 우물이 메워지는 걸 보지 못했다. 어느날 모처럼 엄마의 집에 가보니 우물은 사라지고 시멘트길이 나 있었다. 아직도 시멘트 저 아래 우물에 물이 찰랑찰랑 고여 있으리란 상상을 거두지 못하는 것은 우물이 메워지는 걸 너의 눈으로 보지 못해서일 것이다.

메워진 우물 위에서 잠시 서성이다가 작은 문 안으로 들어서며 엄마! 하고 불렀으나 아무 대답이 없었다. 막 기울기 시작한 가을볕이 서향집 마당에 가득 차 있었다. 집 안으로 들어가 살폈지만 거실에도 방에도 엄마는 없었다. 집 안은 어수선했다. 식탁 위 물병 뚜껑은 열려 있고 물컵은 개수대에 놓여 있었다. 거실 바닥에 깔린 돗자리엔 걸레바구니가 엎어져 있고 소파엔 아버지가 벗어놓은 듯 때묻은 셔츠가 팔을 벌리고 걸려 있었다. 서향집인 탓에 사위어가는 중인데도 강한 빛이 빈 공간에 스며 있었다. 엄마! 텅 비었다는 걸 알면서도 너는 엄마! 하고 한번 더 불러보았다. 그러곤 현관문을 열고 되나오다가 옆마당의 문이 달리지 않은 헛간에 놓인 평상 위의 엄마를 발견했다. 엄마는 평상에 누워 있었다. 엄마! 불렀으나 대답이 없었다. 신발을 고쳐신고 엄마를 바라보며 헛간 쪽으로 걸어갔다. 헛간에선 마당을 내다볼 수 있었다. 오래전 그곳에서 엄마는 누룩을 빚곤 했다. 헛간 옆의 돼지막을 터놓아서 헛간은 제법 쓸모있게 변했다. 벽에 선반을 달아 이제 사용하지 않는 부엌살림을 쌓아놓았고 그 아랜 엄마가 담근 것들이 유리병에 담겨 놓여 있었다. 오래된 평상을 헛간에 옮겨놓은 건 엄마였다. 옛집이 허물리고 양옥집이 지어지면서 입식부엌에서는 편하게 하지 못하는 부엌일들을 그곳에서 하곤 했다. 김치를 담그기 위해 붉은 고추를 틀에 넣고 간다든지, 들쑥날쑥한 콩대를 베어와 앞뒤로 뒤져가며 찾아낸 콩을 깐다든지, 고추장을 담근다든지, 김장배추들을 간한다든지, 메주콩을 말린다든지.

헛간 옆의 개집이 텅 비어 있었다. 개줄이 풀린 채 땅바닥에 널려 있었다. 그제야 엄마 집에 들어섰을 때 개의 기척이 없었다는 것도 깨달았다. 눈으로는 개를 찾으며 엄마 곁에 갔는데 엄마는 기척이 없었다. 엄마는 방금 전까지 볕에 말릴 호박을 썰고 있었는가보았다. 도마와 칼과 호박이 밀쳐져 있고 낡은 대바구니엔 고만고만하게 썰린 호박이 담겨 있었다. 처음에 너는 엄마가 잠이 들었나? 생각했다. 엄마는 낮잠을 자는 분이 아니었다는 생각에 엄마의 얼굴을 들여다보았다. 엄마는 이마에 손등을 얹고서 무언가를 참기 위해 안간힘을 쓰고 있었다. 엄마의 입술은 벌어져 있고 어찌나 이마를 강하게 찌푸렸는지 미간에 굵은 철사 같은 주름이 져 있었다.

— 엄마!

네가 불러도 엄마는 눈을 뜨지 않았다.

— 엄마! 엄마!

네가 엄마 앞에 무릎을 꿇고 엄마를 마구 흔들자 너의 엄마가 실

눈을 떴다. 눈이 붉게 충혈되고 이마에 땀방울이 송골송골 맺혀 있었다. 너의 엄마는 네가 누군지 모르는 것 같았다. 고통에 짓눌린 채 엄마의 얼굴이 처참하게 일그러져 있었다. 보이지 않는 어떤 음흉한 것이 엄마의 머리를 찍어내리고 있지 않음에야 지을 수 없는 표정이었다. 너의 엄마는 다시 눈을 감았다.

― 엄마!

너는 너도 모르게 평상에 올라 엄마의 비참한 얼굴을 너의 무릎에 올려놓았다. 엄마의 얼굴이 무릎에서 미끄러져내리지 않도록 겨드랑이에 팔을 넣었다. 어떻게 엄마를 이렇게 혼자 두는가. 누가 엄마를 거기 헛간에 내버리고 간 듯 너의 의식에 분한 생각이 순간 스쳐갔다. 인간이란 그렇게 이기적이다. 그 순간 너는 엄마를 헛간에 내버린 사람이 따로 있기라도 한 듯 노여움을 느끼며 분개했으니 말이다. 너의 엄마를 헛간에 혼자 둔 건 다름아닌 너이기도 한데. 지나치게 놀라면 아무것도 할 수 없는 법이다. 앰뷸런스를 불러야 하나, 엄마를 방으로라도 옮겨야 하나, 아버진 어디 갔나? 생각들이 두서없이 오갔으나 너는 정작 아무것도 하지 못한 채 엄마를 무릎에 누이고 내려다보았다. 그토록 고통에 일그러진 엄마의 비참한 얼굴을 본 적이 없었다. 이마를 찍어누르는 듯한 엄마의 손이 바닥으로 툭 떨어졌다. 엄마는 맥이 빠진 채 숨을 몰아쉬었다. 고통이 짓누를 때 안간힘을 쓰며 거기에서 벗어나보려고 했던 긴장이 한순간에 풀린 듯 엄마의 팔다리가 축 늘어졌다. 엄마! 엄마의 육체를 끌어안으려 하는 너의 심장이 뛰었다. 너는 처음으로 엄마가 이렇게 죽을 수도 있겠다고 생각했다. 가만히 눈을 뜬 엄마의 동공이 네게서 멎었다. 왜 네가 눈앞에 있는지 놀랄 만도 한데 너의 엄마의 동공은 동요가 없었다. 무엇에 반응하기에는 힘이 달려 보였다. 얼마 뒤에야 엄마는 생기를 잃은 무감각한 얼굴로 너의 이름을 불렀다. 그리고 희미하게 중얼거렸다. 너는 귀를 기울였다.

— 나는 니 이모가 죽었을 때 울 수조차 없었단다.

핏기를 잃은 엄마의 얼굴이 너무나 공허해서 너는 뭐라 위로조차 할 수 없었다.

이모의 장례식은 봄에 있었다. 너는 장례식에 가지 못했다. 장례식은커녕 이모가 일년 가까이 투병생활을 하는 동안 병문안도 한번 가지 못했다. 그러고서 너는 무엇을 했을까? 어린 시절 이모는 네게 또다른 엄마였다. 여름방학이 시작되면 산을 하나 넘어 있던 이모 집에 가서 살았다. 이모는 너의 형제 중 유독 너를 친근해했다. 네가 엄마를 닮아서였을 것이다. 이모는 넌 네 에미랑 국화빵이다! 했다. 엄마와 함께 보낸 어린 시절을 재현하듯 이모는 너와 함께 토끼밥을 주었고 너의 머리를 세 갈래로 땋아주었다. 보리쌀에 쌀을 얹고 밥을 지어 너에게만 쌀밥을 담아주었다. 밤이면 너를 무릎에 누이고 옛날이야기를 해주었다. 네 머리 밑에 넣어주던 이모의 팔. 이모는 이 세상을 떠났어도 아직도 너에겐 젊은 이모의 체취가 기억날 정도다. 이모는 빵집을 하는 이종사촌의 아이를 돌봐주며 노후를 보냈다. 너의 이모가 아이를 업은 채 계단에서 넘어져 병원에 실려가 알게 된 것은 암이 온몸에 퍼져 손을 쓸 수조차 없다는 사실이었다. 너의 엄마는 너에게 그 소식을 전하며 불쌍한 언니! 라고 했다.

— 왜 여태 그걸 몰랐대요?

— 건강진단을 한번도 받은 적이 없었다는구나.

너의 엄마는 이따금 죽을 끓여 가서 이모의 입속에 떠넣어주고 돌아오곤 했다. 너의 엄마가 가끔 전화를 걸어 어제는 이모에게 다녀왔단다, 깨죽을 쑤어갔는데 맛나게 먹드라, 하는 얘기를 너는 조용히 들었다. 너의 이모가 죽었다는 얘기를 엄마는 맨 먼저 너에게 전화로 알렸다.

— 언니가 죽었다.

— ⋯⋯⋯

— 너는 오지 마라 바쁘니까.

너의 엄마의 그 말 때문이 아니라 원고마감에 매여 있어 너는 이모의 장례식에 갈 수도 없었다. 이모의 장례식에 다녀온 오빠가 너에게 엄마 얘길 했다. 엄마가 너무 많이 슬퍼할까봐 걱정했는데 정작 엄마는 울지도 않고 장지에도 가지 않겠다고 했다는 것이다. 엄마가? 오빠는 이상한 일이었지만 엄마 뜻대로 해드렸다고 했다. 그런데 그 헛간에서 고통으로 얼룩진 비참한 얼굴에서 겨우 깨어난

엄마가 나는 네 이모가 죽었을 때 울 수조차 없었단다,라고 말하고
있었다.

  — 왜 그랬어? 울고 싶으면 울지.

  무감각해 보이긴 하지만 점점 네가 알고 있는 엄마의 얼굴로 돌
아오는 것에 조금은 마음이 놓인 네가 물었다. 너의 엄만 눈을 무심
하게 껌벅였다.

  — 나는 이제 울 수조차 없어.

  — ………

  — 머리가 터질 것같이 아퍼.

  너는 석양빛을 받으며 너의 무릎에 얹힌 엄마의 얼굴을 마치 처
음 보는 사람처럼 응시했다. 엄마가 두통을 앓았었나? 울 수조차
없을 정도로? 곧 송아지를 낳을 암소처럼 빛나고 둥글던 엄마의 검
은 눈은 주름 속에 거의 감춰져 작아져 있었다. 붉은 기가 사라진
두툼한 입술은 건조한 채 부르터 있었다. 너는 이모의 죽음 앞에서
도 울 수 없을 만큼 엄마가 극심한 두통을 앓고 있다는 것을 알지
못했다. 너는 평상에 홀로 떨어져 있는 엄마의 외로운 팔을 들어 배
에 얹어주었다. 일생을 노동에 찌든 엄마의 손등에 퍼진 검버섯을
물끄러미 바라보았다. 너는 더이상 엄마를 안다고 말할 수 없게 되
었다는 생각을 했다.

  너의 외삼촌이 살아 있을 때다.

타지에서 떠돌다가 J시로 돌아온 너의 외삼촌은 수요일이면 엄마를 찾아왔다. 특별히 볼일이 있었던 게 아니라 자전거를 타고 왔다가 엄마의 얼굴이나 보고 가는 게 다였다. 어느 때는 방으로 들어오지도 않고 대문에서 동생! 하고 불러서 잘 있었는가? 묻고는 너의 엄마가 마당으로 나가볼 새도 없이 그럼, 나 가네! 하고서 자전거를 돌려세워 돌아가기도 했다. 네가 아는 한 엄마와 외삼촌은 그리 다정한 사이는 아니었다. 네가 모르는 시절, 어쩌면 네가 태어나기도 전에 외삼촌이 아버지에게 꽤 많은 돈을 꿔갔는데 그걸 갚지 않았던 것 같다. 너의 엄마는 이따금 그 이야기를 꺼내며 외삼촌을 원망하곤 했다. 외삼촌이 진 빚 때문에 고모나 아버지 얼굴을 바로 보지 못하겠다고 했다. 빚은 외삼촌이 졌지만 빚을 갚지 못한 게 너의 엄마를 힘들게 했던 것 같다. 외삼촌에게서 사오년간 소식이 끊겼을 때 엄마는 니 외삼촌은 대체 어디서 뭘 하는지!를 입에 달고 살았다. 너는 엄마가 외삼촌을 걱정하는 건지 원망하는 건지 알 수 없었다. 지금의 엄마 집이 새로 지어지기 전의 일이다. 지금은 지상에 없는 그 집의 마루는 마당과 대문을 향해 놓여 있었다. 네가 엄마 집에 가 있을 때인데 누군가 대문을 밀고 들어오는 소리가 나고 연이어 동생 있는가? 하는 소리가 들렸다. 너와 방 안에서 귤을 까먹고 있던 엄마가 그 목소리를 듣고 화닥닥 방문을 열고 나갔다. 어찌나 빨랐는지 모른다. 누구이기에 저리 반가운 걸까? 궁금해 너도 뒤따랐다. 잠시 마루에 서서 대문 쪽을 살피던 엄마가 대문간에서 있는 존재를 향해 오빠! 소리를 치며 내달았다. 신발을 신는 둥 마는 둥 하고. 외삼촌이었다. 바람같이 달려간 너의 엄마는 외삼촌의 가슴팍에 주먹을 내지르며 오빠! 오빠!를 불렀다. 너는 마루에 선 채로 엄마의 모습을 바라보았다. 너의 엄마가 누군가를 향해 오빠! 하고 부르는 소리를 처음 들었다. 외삼촌을 말해야 할 때는 늘 너의 외삼촌이라고 했다. 잠시 너를 멍하게 한 것의 정체를 너는 곧 알아차렸다. 외삼촌이 갑자기 생긴 것도 아닌데 엄마가 외삼촌을 향해 오빠! 반가운 콧소리를 내며 달려가는 것을 목격했을 때 왜 그렇게 놀랐는지를. 아, 엄마에게도 오빠가 있었구나! 새삼스럽게 깨달았던 것이다. 네가 엄마를 생각하며 혼자 웃을 때가 있는데, 그날의 엄마, 늙은 엄마가 어리광 섞인 목소리로 오빠! 외치며 마루를 뛰어내리고 마당을 가로질러 대문간의 외삼촌에게 달려가던 그 모습이 연상될 때이다. 그때의 엄마는 너보다도 더 어린 소녀였다. 엄마의 그 모습은 너의 뇌리에 박혔다. 엄마에게도……라는 상상을 하게 했다. 당연한 일을 왜 그제야 깨달았는지. 너에게 엄마는 처음부터 엄마였다. 너의 엄마에게도 첫걸음을 뗄 때가 있었다거나 세살 때가 있었다거나 열두살 혹은 스무살이 있었다는 것을 상상해본 적이 없었다. 너는 처음부터 엄마를 엄마로만 여겼다. 처음부터 엄마로 태어난 인간으로. 엄마가 너의 외삼촌을 두고 오빠! 부르며 달려가는 그 순간의 엄마를 보기 전까지는. 엄마도 네가 오빠들에게 갖는 감정을 마음속에 지니고 사는 인간이란 깨달음은 곧 엄마에게도 어린 시절이 있었겠구나,로 전환되었다. 그때부터인 것 같다. 간혹 너는 실제로는 1936년에 태어났으나 호적에는 1938년으로 기록된 엄마의 유년을, 소녀시절을, 처녀시절을, 신혼이었을 때를, 너를 낳았을 때를 생각해보곤 했다.

헛간에 쓰러져 있는 엄마를 두고 도시로 돌아갈 수는 없었다. 아버지는 국악원 사람들과 속초에 갔다고 했다. 이틀 뒤에나 돌아온다고. 극심한 고통에서만 벗어났을 뿐 엄마는 입을 벌리고 웃지도 못할 만큼 두통에서 해방되지 못했다. 웃을 수만 없는 게 아니라 울지도 못할 정도였다. 엄마는 병원에 가보자는 너의 말도 알아듣지 못했다. 엄마를 헛간에서 방으로 데리고 오는 동안에도 너의 엄마는 머리가 울리는지 가만가만 걸었다. 엄마와 얘기할 수 있을 때까지는 한참이 더 걸렸다. 엄마는 늘 머리가 아프지만 지독하게 아픈 경우는 "이따금"이라고 했다. 그 순간이 지나면 견딜 만하다고.
엄마의 두통을 오빠들은 알까? 아버지는?
너는 도시로 돌아가면 오빠들에게 엄마의 두통을 알리고 엄마를 큰 병원으로 데리고 가야겠다고 생각했다. 엄마는 움직일 만해지자 너에게 돌아가지 않아도 되느냐고 물었다. 너는 언제부턴가 엄마 집에 가도 서너 시간 머물다가 곧 도시로 돌아오곤 했다. 너는 다음날 그와의 약속을 떠올렸지만 엄마에게 오늘은 자고 갈 거야, 라고 대답했다. 그때 엄마의 입가에 번지던 미소.

네가 P시의 어시장에서 사가지고 온 살아 있는 문어를 엄마와 너는 어떻게 해야 할지 몰라 그냥 둔 채 아주 오래전처럼 음식을 애써서 만들지 않은 소박한 밥상 앞에 마주앉았다. 물김치와 두부조림과 멸치볶음 그리고 구운 김을 반찬으로 조용히 밥을 먹었다. 이따금 엄마가 밥을 김에 싸서 내밀면 너는 어릴 때처럼 가만히 받아먹었다. 밥을 다 먹고 소화를 시키기 위해 엄마와 너는 집을 사이에 두고 빙빙 돌았다. 어린 시절을 보낸 그 집이 아니지만 예전처럼 마당과 옆마당과 뒷마당이 통해 있었다. 뒤란의 장독대엔 항아리들이 즐비했다. 어린 시절에는 간장과 고추장과 소금과 된장 들이 가득 차 있었지만 이제는 빈 항아리들이. 엄마와 네가 앞서거나 뒤따르며 집의 앞뒤를 몇바퀴 도는 어느 사이에야 엄마는 생각난 듯이 너에게 왜 갑자기 집에 왔는지를 물었다.

— P시에 갔다가……

— P시는 여기서 멀잖여.

— 응.

— 서울서 오는 거보다 더 멀 틴디.

— 그랬어.

— 그리 집에 한번 올 틈이 없는 거 같더니 어찌 P시에 갔다가 여길 올 생각을 다 했냐?

너는 대답 대신 어둠속에서 떨어진 끈을 붙잡듯 엄마의 두툼한 손을 찾아 잡았다. 너도 너의 마음을 어떻게 설명해야 할지 몰라서였다. 너는 엄마에게 이른 아침에 P시의 점자도서관에 강연을 하러 갔었다고 말했다. 점자도서관? 엄마가 물었다. 앞을 보지 못하는 이들이 손으로 짚어가며 읽는 글자, 그게 점자야. 엄마는 고갤 끄덕였다. 뒤란과 앞마당과 옆마당을 다시 몇바퀴 도는 사이 너는 엄마에게 P시에 다녀온 얘기를 해주었다. 몇해 전부터 그곳 점자도서관의 사서는 네가 와주길 청했지만 공교롭게도 그때마다 다른 일과 겹쳐서 응하지 못했다고. 초봄에 또다시 전화가 걸려왔다고도. 막 너의 신간이 출간된 때였다. 점자도서관 사서는 너의 신간을 가지고 점자책을 만들고 싶다고 했다. 점자. 너는 점자에 대해 문외한이었다. 엄마에게 설명해준 대로 앞을 보지 못하는 사람들의 문자라는 상식적인 수준에 머물러 있었다. 점자책을 만들고 싶다,라는 말을 네가 아직 읽지 못하고 있는 책을 생각할 때처럼 막연히 듣고 있을 때 사서가 점자로 책을 만드는 걸 허락해주었으면 한다고 했다. 사서가 '허락'이라는 말을 쓰지 않았다면 네가 점자도서관에 가는 일은 이번에도 성사되지 않았을지 모른다. 사서가 발음한 '허락'이라는 말이 너의 마음을 움직였다. 앞이 보이지 않는 사람들이 내가 쓴 글을 읽겠다고, 그들끼리 통하는 문자로 책을 다시 만드는 걸 허락해달라고 한다…… 너의 생각이 거기에 미치자 너는 무기력해지며 그러지요,라고 대답했다. 사서는 점자책이 완성될 무렵이 11월이고 11월은 '점자의 날'이 있는 달이라고 했다. 그날 도서관에 와서 책 기증식을 했으면 한다고 했다. 일이 왜 이렇게 되어가지? 싶었으나 그러지요, 한 말을 번복할 수는 없었다. 초봄의 일이라 11월이면 먼 날이라고 여긴 것도 한몫했을 것이다. 시간은 어김없이 흘러 봄 여름이 가고 가을이 왔으며 11월도 왔다. 그리고 그날이었다.

세상의 대부분의 일들은 생각을 깊이 해보면 예상할 수 있는 일이다. 뜻밖이라고 말하는 일들도 곰곰 생각해보면 일어날 일이 일어난 것이다. 뜻밖의 일과 자주 마주치는 것은 그 일의 앞뒤를 깊이 생각하지 않았다는 증거일 뿐. 점자도서관에 간 일도 거기에서 마주친 일들도 네가 점자도서관이라는 곳에 관심을 가지고 생각할 여유가 있었다면 예측할 수 있는 일이었다. 그런데 너는 봄과 여름 가을 동안 늘 분주했다. 점자도서관으로 향하는 그날조차도 네가 만나야 할 사람들을 생각하기보다는 오전 열시의 약속시간에 늦을까봐 전전긍긍했다. 여덟시에 출발하는 비행기 시간에 겨우 맞추어 P시에 도착해 택시를 타고 점자도서관에 다다라 대기실로 들어가니 점자도서관 관장이 자원봉사자의 안내를 받으며 네 앞에 앉았다. 여기까지 와주셔서 감사합니다, 정중하게 인사를 하며 손을 내밀었다. 너는 긴장을 숨기려고 안녕하세요, 쾌활하게 말하며 도서관장의 내민 손을 잡았다. 그의 손은 부드러웠다. 행사가 시작되기 전까지 도서관장은 네가 쓴 책 이야기를 했다. 앞이 보이지 않는다는데 네가 쓴 작품을 읽었다는 그에게 너는 미소를 띤 채 고개만 끄덕였다. 너의 미소도 고개를 끄덕거리는 것도 그는 보지 못할 텐데도. 그날은 점자의 날. 그들의 축일이었다. 강당에 들어서니 사백여명은 될 듯싶은 사람들이 자리에 앉아 있었고 자원봉사자들의 안내를 받으며 막 강당에 들어서는 사람들도 보였다. 중년의 여자와 남자, 노인과 청년 들이 뒤섞여 있었다. 어린아이들은 보이지 않았다. 행사가 시작되고 몇사람이 차례로 나와서 인사말을 했다. 그리고 몇사람에게 감사장이 전달되었다. 점자로 만들어진 너의 책이 호명되고 너는 그 책을 받으러 앞으로 나갔다. 도서관장의 손을 통해 네게 전달된 책은 판형이 기존의 책보다 두배는 큰데 가벼웠다. 박수소리가 들리고 너는 네 손에 들린 책을 가지고 자리로 돌아왔다. 행사가 계속 이어졌다. 책을 많이 읽은 사람들에게 상패가 수여될 때 너는 점자로 된 책을 펼쳐보았다. 순간 눈앞이 아득해졌다. 하얀 백지에 무수히 많은 점들이 찍혀 있었다. 블랙홀에 빠진 듯한 느낌이었다. 잘 알고 있는 계단이라 생각해 보지도 않고 딴생각을 하며 내려가다가 헛디뎌 저 아래로 데굴데굴 굴러떨어진 느낌. 하얀 백지 위의 너는 한 문장도 해독할 수 없는 바늘구멍만한 점자들의 난무. 첫장을 넘겨보고 둘째 장을 넘겨보고 셋째 장을 넘겨보다가 너는 책을 덮었다고 엄마에게 말해주었다. 너의 엄마가 너의 얘기를 귀기울여 듣고 있었기 때문에 너는 다음 이야기도 해주었다. 행사의 마지막은 네가 그들 앞에 서서 작품 얘기를 하는 것이었다. 점자책을 무릎에 얹은 채 앉아 있던 너는 이름이 호명되자 책을 그대로 들고 나갔다. 점자책을 단상에 내려놓고 그들을 바라보았을 때 너의 등은 곧추세워졌다. 앞이 보이지 않는 사백여명의 사람들 앞에 서자 어디에다 눈을 둬야 할지 막막해졌다.

— 그래서 어쨌냐?

너의 엄마가 물었다.

너에게 주어진 오십분이 너무나 길게 느껴졌다고 대답했다. 너는 누군가의 눈을 보면서 얘기하는 타입이다. 너는 얘기를 할 때 상대방의 눈의 분위기에 따라서 얘기를 다 하기도 하고 반만 하기도 하는 사람이다. 어떤 눈앞에서는 너도 처음 해보는 이야기들이 끌려나오기도 했다. 네가 그렇다는 것을 너의 엄마는 알고 있을까? 사백여명의 앞을 보지 못하는 사람들 앞에서 너는 어떤 눈을 응시하고 말을 시작해야 할지 난감했다. 어떤 눈은 감겨 있고 반쯤 뜬 눈도 있었으며 어떤 눈 위엔 색안경이 씌워져 있고 주름진 어떤 눈은 긴장하고 있는 너를 빤히 보고 있는 것같이 여겨지기도 했다. 일제히 너를 향해 있으나 너를 보지는 못할 눈들 앞에서 너는 고독해졌다. 그 눈들 앞에서 작품 이야기를 한다는 것이 무슨 의미가 있을까, 싶었다. 그렇다고 다른 이야기—이를테면 세상 살아가는 이야기—를 하기에도 적절치 않았다. 인생 이야기는 네가 그들에게 해주기보다 그들이 네게 해주는 게 옳다고 너는 생각했다. 막막해진 네가 마이크에 대고 내뱉은 첫마디는 무슨 얘기를 해드릴까요?였다. 그들이 와아, 웃었다. 어떤 이야기라도 다 할 수 있다는 뜻으로 받아들인 것이었을까. 아니면 초청되어 와서 바짝 긴장하고 있는 너를 풀어주기 위한 웃음이었을까. 사십대 중반의 남자가 작품 얘기를 하러 왔잖아요,라고 너의 말을 받았다. 그렇게 말하는 남자의 눈은 단상의 너를 향하긴 했으나 감겨 있었다. 너는 그의 감긴 눈을 보며 그들이 만들어준 점자책에 실린 작품 이야기를 시작했다. 그 책을 쓰게 된 동기와 그 책을 쓰는 도중에 너의 마음이 겪은 일들과 다 쓴 뒤에 그 책에 대해 네가 가지게 된 소망들을. 너는 놀랐다. 그들은 그동안 네가 만난 어떤 사람들보다 너의 말에 귀를 기울이고 있었다. 그들이 너의 이야기를 집중해서 듣고 있다는 것이 그들의 몸짓에서 느껴졌다. 누군가는 고개를 끄덕였고 누군가는 한발을 앞으로 내밀고 누군가는 상체를 앞사람 쪽으로 바싹 당겨놓고 듣고 있었다. 너는 그들의 문자를 단 한 문장도 해독할 수 없는데 그들은 네가 쓴 책을 읽고 질문을 하고 소감을 말했다. 그 책에 대해 그들처럼 우호적인 감정을 내비치는 사람들을 그때껏 만나본 적이 없었던 것 같다고 엄마에게 말해주었다. 너의 얘기를 가만 듣고 있던 엄마는 그 사람들은 그래도 네가 쓴 책을 읽었구나,라고 말했다. 엄마와 너 사이에 잠깐 침묵이 흘렀다. 엄마가 더 말해보라고 했다. 너의 이야기가 끝났을 때 그들 중 어떤 이가 손을 들고 질문을 해도 되느냐 말했다. 너는 그러라고 했다. 앞을 보지 못하는 이인데도 그는 여행 다니는 게 취미라고 했어, 엄마. 엄마는 너의 얘기에 다시 귀를 기울였다. 아무것도 보이지 않는 그가 여행을 하는 곳은 어디일까? 너는 순간 멍해졌다. 그는 네가 아주 오래전에 쓴 글중에 페루가 배경인 작품이 있다고 했다. 그 작품 속의 화자가 마추 픽추라는 곳으로 가는데 거기 기차가 뒤로 가는 얘기가 나온다고 했다. 자기는 그 작품을 읽고 페루에 가서 그 기차를 타보고 싶은 꿈이 생겼다고 했다. 그는 네가 직접 그 기차를 타보았는가? 물었다. 네가 십여년도 전에 쓴 작품을 두고 하는 얘기였다. 냉장고 문을 열었다가 무엇을 꺼내려 했는지 잊어버려 안에서 흘러나오는 찬 공기에 얼굴을 내맡긴 채 한참을 서 있다가 도로 닫기 일쑤인 네가 십여년 전 그 작품을 쓰기 직전에 여행한 페루 이야기를 술술 하고 있었다. 페루의 수도 리마, 우주의 배꼽이라 불리던 쿠스코, 첫 새벽에 마추픽추 행 기차를 타러 갔던 산 페드로 역. 후진했다 전진했다를 십수번 반복하다가 마추픽추를 향해 출발하던 기차에 대해서. 잊고 있던 지명과 나라 이름과 산맥 이름이 생생히 발음되어 나왔어,라고 엄마에게 얘기해주었다. 너는 여태 본 적이 없는 눈, 너의 어떤 결핍이라도 다 이해해주고 받아들여줄 것 같은 그런 눈들의 호의를 느끼며 너도 모르게 그 작품에 대해 여태 단 한번도 해보지 않은 말까지 하게 되었다고 했다. 엄마가 그게 무슨 말이었느냐? 물었다. 너는 다시 쓰면 그렇게 쓰지 않을 것 같다고 했어,라고 대답했다. 그게 그리 중한 얘기냐? 엄마가 다시 물었다. 그건 나 스스로 지금 있는 것을 부정하는 것이기도 하잖아요, 엄마! 너는 외로워져서 엄마의 손을 찾아 쥐었다. 엄마는 어둠속에서 너를 물끄러미 보더니 그런 말을 왜 숨기고 사느냐? 느끼는 대로 내뱉고 살아라,며 너에게 잡힌 손을 빼내 너의 등짝을 쓸어내렸다. 엄마가 커다란 손바닥으로 어린 너의 얼굴을 씻겨주던 그때의 손길이었다. 엄마가 너는 얘기를 참 잘하는구나, 칭찬했다. 내가? 엄마는 고갤 끄덕였다. 그래 얘기를 참 재미나게 하는구나, 거듭 말했다. 내 얘기가 재밌었어? 그래…… 재밌었다. 내 얘기가 재미있었다구? 너는 마음이 짠해졌다. 너의 얘기가 재미있는 게 아니라 점자도서관에 다녀오기 전과 후의 네가 엄마에게 얘기하는 방식이 달랐음을 깨달았다. 도시로 나온 뒤의 너는 어땠는가. 너는 엄마에게 늘 화를 내듯 말했다. 엄마가 뭘 아느냐고 대들듯이 말했다. 엄마가 돼서 왜 그래? 책망하듯이 말했다. 엄마가 알아서 뭐 할 건데? 무시하듯 말했다. 엄마가 너를 혼낼 힘이 없어진 걸 안 뒤의 너는, 엄마가 거긴 왜 갔느냐고 물으면 일이 있어서요, 짤막하게 대답했다. 다른 나라에서 책이 번역되었을 때나 혹은 세미나가 있어서 비행기를 타게 됐을 때도 거기 왜 가느냐?고 물으면 그냥 일이 있어요, 사무적으로 대답했다. 엄마는 비행기 좀 그만 타라고 했다. 사고가 나면 이백명씩 죽는다는데 그걸 왜 타느냐고. 일이 있어서 타는 거예요 하면 너는 무슨 일이 그렇게 많은 게냐?고 물었다. 그러네, 엄마, 너는 시무룩하게 대꾸하면 그만이었다. 너는 엄마에게 너에 대해서 말하는 것에 어려움을 느꼈다. 네가 하는 일이 엄마의 삶하고는 아무런 상관이 없는 듯이 여겨졌다. 그런데 엄마는 점자를 보고 네가 느낀 막막함과, 사백여명이나 되는 앞 못 보는 사람들 앞에 서게 되었을 때의 낭패스러움에 대해 얘기하자 남아 있던 두통을 씻어낸 듯이 귀기울여 듣는 것이었다. 엄마에게 너에게 생긴 일에 대해서 길게 얘기해본 적이 언제던가. 언제부턴가 엄마와 너의 대화는 간소해졌다. 그것도 얼굴을 마주보고 하기보다는 전화기를 사이에 두고 이루어졌다. 너의 말은 주로 밥은 먹었는가, 아픈 데는 없는가, 아버지는 어떤가, 감기 조심하라, 돈을 부쳤다,라는 것들이었고 엄마의 말은 김치를 담가 부쳤다, 꿈자리가 사납다, 쌀을 부쳤다, 청국장을 부쳤다, 익모초를 달여 부쳤다, 택배기사가 전화할 테니 전화기 꺼놓지 마라,는 것들이었다.

네가 쓴 한권의 책은 그들의 문자인 점자로 만들어놓으니 네권이 되었다. 그 책이 담긴 종이가방을 한손에 든 채 그들과 작별을 하고 나니 도시로 돌아가는 비행기 시간이 두 시간이나 남았다. 단상에 서서 그들의 눈을 피해 창 쪽으로 눈길을 주었을 때 뜻밖에 크고작은 배들이 정박해 있는 항구가 내다보이던 게 떠올랐다. 항구가 가까이 있으니 어시장도 있겠지, 생각했다. 택시를 타고 어시장엘 데려다달라고 했다. 타지에 가서 시간이 생기면 시장 구경을 다니는 게 너의 취미다. 평일인데도 어시장은 벅적벅적했다. 어시장안으로 들어가지도 않았는데 중형차만한 개복치를 두 사람이 달라붙어 해부하고 있는 모습이 보였다. 하도 커서 참치인가 물었더니 상인이 개복치라고 했다. 제목이 기억나지 않는 어떤 문학작품에서 바닷가 출신인 여주인공이 마음이 괴로울 때마다 도시의 어마어마한 수족관을 찾아가 물속을 헤엄치고 있는 개복치와 대화를 나누던 게 생각났다. 여주인공은 자기가 모아놓은 돈을 가지고 연하의 남자와 함께 다른 도시로 떠나버린 엄마에 대해 원망을 늘어놓고 험담을 하면서도 나중엔 그래도 난 엄마가 보고 싶어, 이 말을 들어줄 사람은 너밖에 없어, 개복치야! 토로하곤 했다. 저게 그 개복치인가? 싶었다. 생선 이름치곤 독특해서 네가 개복치요? 확인하니 맘보라고도 부릅니다 닐리리 맘보요! 했다. 닐리리 맘보라는 말을 듣는 순간에야 점자도서관에 들어서서 그들과 헤어질 때까지 너를 짓누르던 긴장이 풀어졌다. 머리가 사람 얼굴보다 더 큰 살아 있는 문어들, 싱싱한 전복들, 서울보다 세배는 값이 싼 갈치 고등어 꽃게 사이를 오가다가 왜 너는 엄마를 생각했을까. 개복치 때문이었을까. 어시장에서 엄마를 생각해보긴 처음이었다. 섣달에 있는 제사를 준비하느라 엄마와 함께 우물에서 홍어 껍질을 벗기던 일도 떠올랐다. 살점에 딱 달라붙은 거무튀튀한 홍어 껍질을 벗기는 사이 꽁꽁 얼어붙은 엄마의 손. 웬만한 어린애 몸통만한 문어를 삶아서 매달아놓은 가게를 지나다가 너는 만오천원을 주고 살아 있는 문어를 한 마리 샀다. 양식이긴 해도 다시마와 미역을 먹고 자란다는 전복도 샀다. 서울로 가져갈 거라는 말에 상인은 이천원을 더 내면 아이스박스에 담아주겠다고 했다. 살아 있는 문어와 전복이 담긴 아이스박스를 들고 어시장을 나와서도 비행기 시간은 한참

남아 있었다. 너는 한손엔 그들이 만들어준 점자책을, 또다른 손엔 아이스박스를 든 채 다시 택시를 타고 이번엔 바다로 가자 했다. 어시장에서 모래를 밟을 수 있는 바다까지는 삼분밖에 걸리지 않았다. 11월의 바다는 데이트 중인 남녀 두쌍 외에는 텅 비어 있었다. 모래밭이 길어 바닷물이 닿는 곳까지 걸어가다가 두번이나 넘어질 뻔했다. 바닷물이 바로 눈앞에 펼쳐지는 잔모래밭에 엉덩이를 대고 앉았다. 바다를 보고 우두커니 앉아 있다가 뒤를 돌아보니 네가 택시에서 내린 도로 건너편으로 상가와 아파트 들이 즐비하게 바다를 향해 있었다. 이곳 사람들은 무더운 한여름 밤이면 바다로 뛰어들어 해수욕을 하고 집에 가서 샤워를 해도 되겠구나, 생각했다. 바다를 보고 있다가 무심코 종이가방에서 점자책을 한권 꺼내 펼쳐봤다. 페이지마다 무수하게 찍힌 흰 점들이 11월의 햇빛을 받아 반짝거렸다.

너는 바닷가의 햇볕 아래서 해독할 수 없는 점자를 손으로 짚어보다가 너에게 문자를 처음 가르쳐준 이는 누구였나를 생각했다. 작은오빠다. 옛집의 마루에 엎드려 있는 작은오빠와 너. 그 곁의 엄마. 작은오빠는 성품이 온화했다. 엄마의 말을 가장 잘 듣는 이이기도 했다. 너에게 글자를 가르치라는 엄마의 지시를 어기지 못하고 작은오빠는 따분한 표정을 지으며 너에게 아라비아숫자와 우리말의 자음 모음을 반복해서 쓰게 했다. 왼손잡이인 너는 글씨도

왼손으로 쓰려 했다. 그때마다 작은오빠는 너의 왼손등을 대나무
자로 내리쳤다. 그것도 엄마의 지시였다. 너는 왼손과 왼발을 쓰는
게 편한데 엄마는 왼손을 쓰면 인생에 울 일이 많이 생긴다고 했다.
네가 부엌에서 왼손으로 밥을 푸고 있으면 엄마는 주걱을 빼앗아
오른손에 쥐여주었다. 그래도 왼손을 쓰면 이번엔 주걱을 빼앗아
어째 그렇게 말을 안 듣냐! 너의 왼손을 내리쳤다. 너의 왼손은 부
어올랐다. 그런데도 작은오빠가 보지 않는 사이 너는 얼른 연필을
왼손에 옮겨쥐고 8자를 쓰기 위해 동그라미 두개를 그려 붙여놓았
다. 그러곤 얼른 오른손으로 연필을 바꿔쥐었다. 오빠는 네가 8자
를 쓴 게 아니라 동그라미 두개를 붙여놓은 걸 금세 알아보곤 손바
닥을 대라고 하고 대나무자로 맞는 벌을 주었다. 네가 작은오빠에
게 문자를 배울 때마다 엄마는 양말을 깁거나 마늘을 까면서 마루
에 엎드려 글자를 쓰고 있는 너를 건너다보았다는 생각. 네가 학교
에 들어가기 전에 너의 이름을 쓰고 엄마 이름을 쓰고 드디어 더듬
더듬 책을 펼쳐놓고 읽게 되었을 때 박하꽃처럼 되던 엄마의 얼굴
이 네가 읽을 수 없는 점자 위로 겹쳐졌다. 너는 바닷가의 모래밭에
서 일어섰다. 엉덩이에 묻은 모래를 털지도 않고 바다를 등지고 걸
음을 재촉했다. 서울로 가는 비행기를 포기하고 P시에서 L시까지
택시를 타고 와 엄마의 집이 있는 J시로 가는 기차로 갈아탔다. 거
의 두 계절 동안 엄마의 얼굴을 보지 못했다는 생각을 하면서.

아주 오래전 한 교실이 떠오른다.

육십여명의 아이들이 중학교 입학원서를 쓰는 날이었다. 그날 원서를 쓰지 않으면 중학교에 가지 않는다는 뜻이었다. 원서를 쓰지 않는 아이들 중에 너도 속해 있었다. 너는 상급학교에 진학하지 못한다는 것이 무슨 뜻인지 정확히 알지 못했다. 오히려 그 전날밤 아파서 누워 있는 아버지에게 엄마가 소리를 질렀던 게 더 마음에 걸렸다. 엄마는 이 시골딱지에서 가진 것도 없으면서 여자애를 학교까지 보내지 않으면 저애가 앞으로 이 세상을 무슨 힘으로 살아가느냐,고 병석의 아버지에게 고함을 질렀다. 아버지는 몸을 일으켜 대문 밖으로 나가버렸고, 엄마는 마루의 밥상을 들어 마당에 내던졌다. 자식새끼 학교도 보낼 수 없는 살림 살면 뭐 하느냐, 다 부숴버릴란다, 했다. 너는 학교를 가지 않아도 좋으니 엄마가 성질을 좀 가라앉혔으면 좋겠다고 생각했다. 엄마는 밥상을 내던지는 것으로도 분이 풀리지 않아 광문을 열었다가 쾅쾅 닫고 빨랫줄에 걸린 빨래들을 쭈르륵 손으로 훑어 뭉개서 마당에 패대기쳐버렸다. 그러다가 우물가에서 엄마를 바라보고 있는 너에게로 오더니 머리에 쓰고 있던 수건을 벗어 너의 코에 갖다댔다. 코를 풀어라, 했다. 엄마가 늘 머리에 쓰고 다니던 수건에서는 진한 땀냄새가 맡아졌다. 너는 코를 풀고 싶지 않았다. 더구나 냄새나는 그 수건에 대고는. 그런데도 엄마는 자꾸 코를 힘차게 팽! 풀라고 했다. 네가 머뭇거리자, 그래야 눈물이 나지 않는다고 했다. 아마도 네가 거의 울 듯한 표정으로 엄마를 보고 있었던가보았다. 코를 풀라는 것은 울지 말라는 뜻이었다. 너는 엄마의 강요에 못 이겨 엄마가 대준 수건에 코를 팽 하고 풀었다. 엄마의 수건에서 풍겨오던 땀냄새와 너의 코가 뒤섞였다. 네가 코를 푼 수건을 그대로 쓰고 엄마가 교실에 나타났다. 엄마는 담임선생과 무슨 이야기를 주고받았고, 담임선생은 곧 너에게 중학교 입학원서를 갖다 내밀었다. 입학원서에 이름을 쓰면서 네가 고갤 들어보니 엄마가 복도 유리창에서 네 쪽을 바라보고 있었다. 너의 눈과 마주치자 엄마가 머리의 수건을 벗어 흔들며 환하게 웃었다. 엄마의 유일한 패물인 왼손 중지에 끼여 있던 노란 반지. 중학교 입학금을 낼 때쯤 엄마의 왼손 중지엔 반지가 사라지고 너무 오래 껴 깊이 팬 자국만 남아 있었다.

엄마의 두통은 수시로 엄마의 육체를 공격했다.

네가 그날밤 한밤중에 갈증 때문에 잠에서 깨어났을 때 어둠속에서 너의 책들이 이윽히 너를 내려다보고 있었다. 안식년을 맞이한 그를 따라 일본에 일년 동안 나가 있었을 때 짐을 정리하려고 보니 책이 가장 문제였다. 어찌할까 궁리하다가 오랜 세월 너와 함께 있어준 책들 대부분을 엄마의 집으로 내려보냈다. 엄마는 너의 책을 받자 방 하나를 비우고 그곳에 책들을 진열했다. 그후로 다시 가져가지 못했다. 너는 이 집에 오면 언제나 그 방에 옷을 벗어두고 가방을 내려놓았다. 자고 갈 때는 엄마도 그 방에 이부자리를 깔아주곤 했다. 뿌연 어둠속에서 책들을 올려다보다가 부엌으로 나왔다. 물을 마시고 방으로 돌아오다가 엄마는 잘 자는지 궁금해 슬며시 엄마의 방문을 밀어보았다. 이부자리 속이 텅 빈 것 같았다. 너는 엄마! 불러보았다. 대답이 없었다. 벽을 더듬어 형광등 스위치를 올렸다. 엄마는 없었다. 너는 거실의 불을 켜고 세면장 문을 열어보았으나 거기에도 엄마는 없었다. 엄마! 엄마! 연거푸 부르며 현관문을 열고 마당으로 나왔다. 새벽바람이 옷 속으로 파고들었다. 마당의 불을 켜고 얼른 헛간 평상 쪽을 바라보았다. 엄마는 거기 누워 있었다. 마당으로 이어지는 계단을 뛰어내려가 엄마에게 다가갔다. 엄마는 낮에 그랬던 것처럼 양미간을 잔뜩 찌푸리고 손을 이마에 얹고 잠들어 있었다. 맨발이었다. 추운지 열 발가락이 안으로 오므라들어 있었다. 소박한 밥상을 차려 저녁을 먹은 시간과 엄마와 함께 집을 사이에 두고 마당을 돌며 나눈 얘기들이 산산조각나는 느낌이었다. 11월의 새벽이었다. 이불을 가져와 엄마에게 덮어주었다. 양말을 꺼내와 맨발에 신겨주었다. 그리고 엄마가 정신이 들 때까지 엄마 옆에 앉아 있었다.

엄마는 농사일 말고 돈을 벌 방법을 연구하더니 헛간에 누룩틀을 들여놓았다. 밭에서 수확한 통밀을 거칠게 찧어서 물과 섞은 후

누룩틀에 넣고 누룩을 찍어냈다. 누룩이 발효될 때가 되면 온 집안에 누룩 뜬내가 났다. 누룩 뜨는 냄새를 좋아하는 사람은 아무도 없었지만 엄마는 누룩냄새가 돈냄새라고 했다. 마을에 두부를 만드는 집이 있었는데 엄마가 잘 발효된 누룩을 가져가면 대신 양조장에 넘기고 돈을 받아 엄마에게 주었다. 엄마는 그 돈을 하얀 사기중발에 담고 그 위에 중발 예닐곱 개를 더 포갠 뒤 찬장 맨 위에 올려놓았다. 사기중발이 엄마에겐 은행이었다. 누룩 빚은 것만이 아니라 엄마는 돈이 생기면 모두 그곳에 담아두었다. 네가 등록금 고지서를 가져가면 엄마는 사기중발 속에 모아둔 돈을 꺼내 세어 너의 손에 쥐여주었다.

다음날 아침, 눈을 떠보니 너는 헛간의 평상에서 자고 있었다. 엄마는? 싶어 살펴보니 엄마는 없고 부엌 쪽에서 도마 소리가 났다. 얼른 일어나 부엌으로 가보았다. 엄마는 도마에 무를 올려놓고 썰려던 참이었다. 엄마가 쥐고 있는 칼은 위험해 보였다. 생채를 만들 때면 칼을 보지 않고도 무채를 탁탁탁 쳐내던 엄마의 칼질이 아니었다. 칼을 잡은 엄마의 손은 불안정했고 칼은 자꾸만 무에서 비켜나 도마에서 미끄러졌다. 그러다간 무가 아니라 엄마의 엄지를 썰고 말 것 같았다. 엄마! 잠깐! 보다못한 네가 엄마의 칼을 받아쥐었다. 내가 썰게, 엄마. 네가 도마 앞으로 갔다. 엄마는 주춤하는 것 같더니 이내 도마 앞에서 물러났다. 개수대의 쇠바구니 속에는 아이스박스에서 꺼낸 문어가 죽은 채로 뻗어 있었다. 가스레인지에는 스테인리스 찜솥이 올려져 있었다. 엄마는 찜솥 바닥에 무를 깔고 문어를 찔 생각이었던 것 같다. 문어는 찌는 게 아니라 데치는 거 아니냐고 물으려다가 너는 그만두었다. 엄마는 네가 썰어놓은 무를 찜솥 바닥에 깔았다. 그 위에 받침대를 맞추고 문어를 집어 통째로 올려놓고 뚜껑을 닫았다. 오랜 습성. 엄마는 생선에 익숙하지 않았다. 생선의 이름을 제대로 불러주지도 않았다. 엄마에겐 고등어나 꽁치나 갈치나 통틀어 '비린것'으로 통했다. 콩을 부를 때 강낭콩, 메주콩, 흰콩, 검정콩, 일일이 가려 말해주는 것과는 대조적이었다. 엄마는 생선이 생기면 회를 치지도 굽지도 조리지도 않고 무조건 소금에 간했다가 쪄먹었다. 고등어나 갈치도 고춧가루와 마늘과 풋고추를 넣은 간장양념을 해서 밥물에 얹어 쪘다. 예나 지금이나 너의 엄마는 회는 입에 대지 않았다. 회를 먹는 사람들을 보면 생선의 살점을 생으로 먹다니 대체 무슨 짓이람, 하는 표정으로 눈까지 찡그려가며 바라보곤 한다. 열일곱살 적부터 지금까지 홍어를 쪄내야 했던 엄마는 문어도 찔 모양이었다. 곧 부엌엔 무와 문어 익는 냄새가 번졌다. 부엌에서 엄마가 문어를 찌고 있는 모습을 보니 홍어 생각이 났다.

엄마의 집이 있는 고장 사람들의 제사상엔 항상 홍어가 올랐다. 봄제사와 여름제사 두번, 겨울제사 두번을 거쳐야 엄마의 일년이 갔다. 설과 추석 명절 두번까지 합하면 엄마가 우물에 주저앉아 껍질을 벗겨야 하는 홍어는 일곱 마리였다. 보통 엄마가 사오는 홍어는 가마솥 뚜껑만했다. 너의 엄마가 어느날 시장통에서 붉은 홍어를 사와서 우물에 철버덕 내려놓으면 제사가 가까워졌다는 뜻이었다. 겨울제사 때 물만 닿아도 금세 바닥이 쩍 소리를 내며 살얼음판이 되는 날씨에 홍어 껍질을 벗기는 일은 고역이었다. 너의 손은 얇고 엄마의 손은 두툼했다. 엄마가 얼어서 빨개진 손으로 홍어 껍질에 칼집을 내주면 너의 어린 손가락이 그걸 잡아당겼다. 껍질이 쭉 벗겨지면 좋으련만 삼 센티미터도 못되어 끊겨버리곤 했다. 끊어진 자리에 다시 칼집을 내는 일이 반복되었다. 살얼음판이 된 우물가에 엉덩이를 들고 앉아서 홍어 껍질을 벗기고 있는 엄마와 너의 모습은 그 집의 겨울 풍경이기도 하다. 마치 필름을 재생하는 것처럼 해마다 똑같이 반복되던 홍어 껍질 벗기기. 어느 해 겨울 엄마는 맞은편에 앉아 있는 너의 곱은 손을 물끄러미 보더니 이깟 것 안 벗기면 어떠냐!며 홍어 껍질 벗기기를 멈추고는 씩씩하게 칼로 홍어를 탁탁 토막쳤다. 제사상에 껍질이 벗겨지지 않은 홍어가 나오기는 처음이었다. 아버지가 홍어가 왜 이러냐? 물었다. 엄마는 껍질을 벗기지 않았을 뿐 똑같은 홍어요! 대꾸했다. 제사음식은 정성인데…… 고모가 뒤에서 불만을 토로했다. 그럼, 성님이 벗겨보시요, 엄마도 지지 않았다. 그해 껍질이 벗겨지지 않은 채 제상에 오른 홍어는 다음해의 궂은일 앞에서 늘 말거리가 되었다. 감이 열리지 않은 일도, 자치기를 하던 오빠가 날아오는 막대기에 눈이 찔린 일도,

아버지가 병원에 입원한 일도, 사촌들끼리 싸운 일도 모두 엄마가 홍어 껍질을 벗기는 정성도 없이 제사를 지냈기 때문이라고 고모는 구시렁거렸다.

엄마는 찐 문어를 도마에 올려놓고 칼로 썰어보려고 했다. 그러나 여전히 칼이 엇나갔다. 무를 자를 때와 마찬가지였다. 내가 할게, 엄마. 네가 또다시 칼을 받아쥐었다. 무냄새가 밴 뜨거운 문어를 썰어 그중 한점을 집어 초고추장에 찍어 엄마에게 내밀었다. 항상 엄마가 너에게 해주던 일이다. 그럴 때면 너는 젓가락을 내밀어 받으려고 했다. 엄만 그리 먹으면 맛이 덜하다, 그냥 아, 해봐라, 했다. 엄마는 젓가락을 집어 받으려고 했다. 그러면 맛이 덜해 엄마, 그냥 아, 해봐! 벌어진 엄마의 입속으로 찐 문어 한점을 밀어넣었다. 너도 한점 집어 입 안에 넣었다. 찐 문어는 따뜻하고 물컹하고 부드러웠다. 아침부터 웬 문어를? 싶었으나 엄마와 너는 부엌에 선 채로 도마 위의 문어를 손으로 집어먹었다. 문어를 씹으면서 너는 문어를 집으려다가 자꾸만 놓치는 엄마의 손을 보았다. 네가 다시 집어주었다. 나중에 엄마는 스스로 문어를 집어먹는 걸 체념하고 네가 엄마의 입속에 문어를 넣어주기를 기다렸다. 엄마의 손은 집중력이 없어 보였다. 문어를 씹으며 너는 어머니, 하고 불렀다. 엄마를 어머니라고 부르기는 처음이었다. 어머니, 나랑 오늘 서울 가자, 했다. 너의 엄마는 산이나 가자, 했다.

— 산요?

— 그래 산.

— 여기 어디에 산에 다닐 데가 있어요?

— 내가 낸 산길이 있어야.

— 서울 가서 병원 가자.

— 나중에.

— 나중에 언제?

— 큰애 입시시험 끝나면.

엄마가 말한 "큰애"란 큰오빠의 딸이다.

— 오빠네랑 말고 나랑 가면 되지 병원에.

— 괜찮다…… 이러다가 괜찮어. 한의원도 다니고 있고…… 물리치료도 받고.

엄마를 설득할 수가 없었다. 엄마는 한사코 나중에 가겠다고 했다. 엄마는 너를 물끄러미 보더니 이 세상에서 가장 작은 나라가 어디냐고 물었다.

— 작은 나라?

느닷없이 세상에서 가장 작은 나라가 어디냐고 묻는 엄마가 낯설어서 이번엔 네가 물끄러미 엄마를 보았다. 세상에서 가장 작은 나라가 어디지? 생각하면서. 엄마는 곧 무심한 표정이 되더니 너에게 언젠가 그 나라에 가게 되거든 장미 묵주를 하나 구해다달라고 했다.

— 장미 묵주요?

— 장미나무로 만든 묵주 말이다.

엄마는 힘없이 너를 보았다.

— 묵주가 필요해요?

— 아니다…… 그 나라의 그 묵주가 갖고 싶어.

엄마가 말을 멈추고는 깊은 숨을 내쉬었다.

— 혹시 가게 되면 구해다줘어.

— ………

— 너는 어디든 갈 수 있잖어.

엄마와의 대화는 거기서 끊겼다. 너는 어디든 갈 수 있잖어,라고 말한 뒤 엄마는 부엌에서는 단 한마디도 더 하지 않았다. 너희 모녀는 찐 문어로 아침을 먹고 대문을 나섰다. 뒷산의 밭두둑 몇개를 타고 넘어 산길로 접어들었다. 사람들이 다니는 길이 아닌데도 오롯이 길이 나 있었다. 그 길에 떡갈나무며 상수리나무 잎이 떨어져 수북이 쌓여 있어 신발 밑이 푹신푹신했다. 이따금 그 길을 타고 넘어오는 나무줄기들이 얼굴을 때리기도 했다. 앞에 걸어가던 엄마가 나무줄기들을 뒤로 젖혀주기도 했다. 네가 지나가면 엄마는 나무줄기를 내려놓았다. 새가 후드득 저편으로 날아갔다.

— 여길 자주 와?

— 응.

— 누구랑요?

— 누구랑은. 같이 올 사람이 어디 있기나 허냐.

엄마가 혼자서 이 길을? 너는 다시 한번 엄마에 대해서 안다고 말할 수 없게 되었다고 생각했다. 누구라도 혼자 다니기엔 으슥한 길이었다. 이따금 대나무들이 우거져 하늘조차 가렸으니까.

― 왜 이 길을 혼자서 다녀?

― 니 이모가 죽고 난 뒤에 그냥 한번 와본 길인디 한번 와보니 자꾸만 오게 되더라.

얼마나 걸었을까. 산길의 어느 구릉에서 엄마가 걸음을 멈추었다. 엄마 옆으로 가서 엄마가 바라보는 쪽을 함께 보다가 너는 아, 이 길! 소리를 내질렀다. 여기가 그 길이었던가. 까마득히 잊어버린 길이었다. 어렸을 때 외가에 다니던 지름길. 마을을 가로질러가는 큰길이 난 후에도 사람들이 곧잘 이용하던 산길이었다. 외가에 제사가 있던 날, 마당의 닭을 한 마리 새끼줄에 묶어가지고 이 길을 가다가 놓쳐서 헤매며 찾아다니던 그 길이었다. 한번 놓친 닭은 끝내 다시 잡을 수가 없었다. 그때 닭은 어디로 갔을까? 그 길이 이렇게 변했는가. 눈감고도 찾아갈 수 있는 길이었는데 구릉이 없었으면 너는 끝내 그 길이라는 걸 알아채지 못했을 것이다. 구릉에 서서 엄마는 외가 쪽을 바라봤다. 이제 그곳엔 누구도 살지 않았다. 한때 오십호는 되었을 외가 마을 사람들은 모두 타지로 이주했다. 헐지 않은 빈집이 몇채 남아 있으나 인기척이 끊긴 마을이었다. 엄마 혼자 여기 와서 이제는 아무도 살지 않는 태어난 마을을 내려다보곤 했었는가. 너는 엄마의 허리에 팔을 둘렀다. 그러고선 다시 한번 함께 서울에 가자고 했다. 엄마는 너의 말에 대답을 않고 진돗개 이야기를 꺼냈다. 그렇잖아도 개집에 개가 없어서 궁금했는데 물을 새가 없었다. 일년 전 여름에 집에 갔을 때 진돗개 한 마리가 헛간 옆에 매여 있었다. 날은 쨍쨍 더운데 개줄을 어찌나 바투 매어놨는지 숨을 할딱거리는 개가 금방이라도 죽을 것같이 느껴졌다. 너는 엄마에게 개줄을 풀어주라고 했다. 엄마는 줄을 풀면 사람들이 무서워서 그 앞을 지날 수 없다고 했다. 시골에 사는 개한테 저렇게 쇠줄을 채워 묶어놓다니…… 너는 그때 엄마 집에 도착하자마자 엄마와 인사도 제대로 나누기도 전에 개 때문에 실랑이를 벌였다. 개를 왜 묶어놓느냐, 풀어줘라,는 것이 너의 주장이었고 엄마는 이제 시골이라도 개를 풀어 기르는 집은 없다, 어느 집이나 다 묶어 기른다, 개줄을 풀어주면 집을 나간다, 했다. 그렇다면 줄이라도 길게 매줘야지 저렇게 바투 매놓으면 날도 더운데 개가 어떻게 사느냐, 말 못하는 짐승이라고 저렇게 다루는 법이 어디 있느냐고 너는 엄마에게 쏘아붙였다. 엄마는 집에 개줄이 그것밖에 없다고 했다. 아마도 그전에 기르던 개를 묶어놓던 줄인가보았다. 사오면 되잖아요! 너는 오랜만에 엄마 집에 와서 방으로 들어가기도 전에 그길로 차를 몰고 시내로 나가 개를 묶어놓아도 옆마당을 휘돌고 남을 만큼 긴 개줄을 사왔다. 개줄을 사가지고 와서 다시 보니 개집도 너무 작았다. 너는 다시 개집을 사러 가겠다고 나섰다. 엄마가 말렸다. 옆동네에 목수가 있으니 그에게 개집을 지어달라고 부탁해보

60

겠다고 했다. 너의 엄마로서는 짐승이 사는 집을 돈을 주고 산다는
건 생각할 수 없는 일이었다. 널린 게 널빤지인데 고깟 것, 망치질
몇번이면 해결되는 일인데 그걸 돈을 주고 사다니, 돈이 썩었나보
다는 것이 너의 엄마 생각이었다. 너는 도시로 돌아올 때 십만원권
수표 두장을 엄마 앞에 내밀며 틀림없이 커다란 개집을 지어줄 것
을 다짐받았다. 엄마는 그러마고 했다. 서울에 돌아와서도 엄마에
게 개집을 지었는가 몇차례 확인전화를 했다. 거짓말을 해도 되련
마는 엄마는 매번 이제 해야지, 이제 할 것이다,고 했다. 네번째 전
화를 걸었다가 엄마에게서 똑같은 말을 들은 너는 와락 화를 터뜨
렸다.

— 내가 돈도 다 주고 왔잖아요, 시골 사람들이 정말 더한다니까.
개가 불쌍하지도 않아! 그 좁은 데서 어떻게 살아, 더구나 이 더위
에. 안에다 똥을 싸서 다 뭉개져 있던데 그거 치워주지도 않고……
몸집은 그리 큰데 그 좁은 데서 어떻게 사냐구? 아님 마당에 풀어
주든가! 개가 불쌍하지도 않아요?

순간 수화기 저편이 잠잠했다. 시골 사람들이 정말 더한다니까!
라고 쏘아붙여놓고 왜 이런 말까지! 너도 금세 후회가 밀려오던 차
였다. 엄마의 노여운 목소리가 건너왔다.

— 너는 이 에미는 안 보이고 개만 보이냐! 이 에미가 개나 학대
하고 있는 사람으로 보여! 상관 마라이! 내 방식대로 키울 테니께!

엄마가 먼저 전화를 끊어버렸다. 늘 네가 먼저 전화를 끊었다.

엄마, 내가 전화 다시 할게요, 그러고는 다시 하지 않은 적이 여러 번이었다. 너는 너의 엄마가 하는 말을 다 듣고 있을 겨를이 없었다. 그랬는데 엄마가 먼저 전화를 끊은 것이다. 집을 떠난 뒤로 엄마가 너에게 그렇게 화를 낸 것도 처음이었다. 네가 엄마 곁을 떠난 뒤 엄마는 늘 너에게 미안하다,고 했다. 엄마가 모자라서 너를 다 돌보지 못하고 오빠에게 보냈다고 했다. 엄마는 네가 전화를 하면 어떻든 그 통화를 오래 지속하려고 안간힘을 쓰는 쪽이었다. 엄마가 먼저 전화를 끊어버렸는데도 너는 그점에 대해서보다 개를 그렇게 기르는 엄마가 서운했다. 엄마가 왜 저리되었나, 생각했다. 집 안의 그 많은 가축들을 일일이 돌보던 엄마였는데. 좀 오래 머물 생각으로 서울에 왔다가도 사흘을 넘기지 못하고 집에 가겠다고 우기던 엄마의 이유는 집에 가서 개밥을 줘야 한다는 것이었는데. 그런데 어찌 저리 무심할 수가 있나? 너는 무신경해진 엄마에게 짜증이 나려고까지 했다. 사나흘 후에 엄마 쪽에서 먼저 전화를 걸어왔다.

— 예전엔 안 그랬는데 너는 냉정한 사람이 되었구나. 어미가 그리 전화를 끊었으면 뭐라고 다시 전화를 해야 옳지 그리 뻗댈 수가 있냐?

뻗댄 건 아니었다. 그 일을 그리 오래 생각하고 있을 만큼 너는 한가하지 않았다. 문득 노여워하며 먼저 전화를 끊어버린 엄마가 떠올라 전화를 해봐야지, 생각했다가도 또다른 일 때문에 엄마에게 전화를 거는 일은 뒤로 밀리곤 했다.

— 배운 사람은 다 그러냐!

엄마는 너에게 쏴붙이고 전화를 또 끊어버렸다. 추석 무렵에 엄마 집에 다시 내려갔을 때 헛간 옆에 큰 개집이 놓여 있었다. 개집 바닥에 짚도 푹신하게 깔려 있었다.

— 시월에 말이다, 아침밥을 지으려고 부엌의 싱크대에서 쌀을 씻고 있으면 누가 내 등을 툭툭 치곤 했다. 돌아다보면 아무도 없었어야. 꼬박 사흘을 내리 그러더라. 날 부르듯이 툭툭 치는 손길이 분명 느껴지는디 돌아보믄 암도 없었어야. 나흘째 되는 날이었나 보다. 아침에 눈뜨자마자 소변을 보러 변소간으로 가는디 개가 변소 옆에 드러누워 있더라. 너는 내가 개를 학대한다고 성질을 부렸다만 그 개는 철로변에 비루먹은 채 돌아다니던 것이다. 불쌍해서 집에 데려와 묶어놓고 밥을 주었다. 안 묶어놓으믄 또 어디로 갈지 모리고 누가 잡아먹어버릴지도 모리고…… 첨엔 잠을 자는 줄 알았고나. 다가가서 건드려두 움직이질 않어. 죽었더라. 전날까지도 밥도 잘 처먹고 꼬리도 잘 흔들었는디 자는 듯이 죽어 있었어. 쇠줄을 어찌 풀었는지도 모를 일이다. 첨에 집에 올 땐 가슴팍이 뼈뿐이었어. 살도 오르고 털도 윤기가 흐르고 했는디. 총명하기는 또 얼마나 총명했게. 두더지도 잡아놓곤 했는디.

엄마는 잠시 숨을 골랐다.

— 머리 검은 짐승은 거두면 배반을 허고 개는 거두면 보답을 헌

다고 안허디. 아무리도 그 개가 내 대신 갔는가봐아.

이번엔 너가 숨을 골랐다.

— 지난봄에 지나가는 스님헌티 시주를 했드니 올해 식구가 한 사람 줄어들 해라고 안허냐. 그 말 듣고 마음이 뒤숭숭했다. 일년 내내 그 말이 걸렸어야. 저승사자가 날 데리러 왔다가는 그때마다 밥을 먹겠다고 내가 쌀을 씻고 있응게 나 대신 개를 데려간 모양이여.

— 엄마는 그게 무슨 소리야. 성당에 다니는 사람이 그런 말을 믿어?

너는 헛간 옆의 비어 있던 개집을 떠올렸다. 풀려 있던 개줄도. 그러고는 야릇한 기분에 젖어 엄마의 허릴 붙잡았다.

— 개는 마당을 깊이 파고 묻어주었다.

너의 엄마는 이야기꾼. 제사가 있는 밤이면 인근에 사는 고모랑 작은어머니들이 바가지에 쌀을 담아가지고 왔다. 양식이 귀하던 때라 그렇게 부조를 하는 것이었을 것이다. 너의 엄마는 제사를 지낸 후엔 친척들이 쌀을 담아가지고 온 그 바가지에 제사음식을 담아 보냈다. 쌀이 담긴 바가지들을 한쪽에 쭉 늘어세워놓고 제사를 지내고 난 뒤 엄마가 고모와 작은어머니와 당숙모 들이 가져온 바가지 속의 쌀에 새가 날아와 앉았다 갔다고 말했다. 엄마의 말을 믿지 않으면 엄마는 내가 보았다니까! 그랬다. 새가 여섯 마리나 되었어. 그 새들은 제삿밥을 먹으러 온 조상들이라니까! 다른 사람들은 웃고 말았지만 엄마의 얘기를 듣고 나서 쌀바구니를 들여다보면 너의 눈엔 흰쌀에 새발자국 같은 것이 찍혀 있는 게 보이는 듯도 했다. 한번은 엄마가 이른 아침에 새참까지 싸가지고 산밭에 갔는데 누가 먼저 와 엎드려 밭을 매고 있더란다. 누구냐고 물으니 지나가는 사람인데 밭에 풀이 너무 많아서 좀 뽑아주고 가려고 한다고 했단다. 엄마는 모르는 사람과 열심히 밭을 맸단다. 고마워서 싸간 새참도 사이좋게 나누어먹었다고 했다. 이런저런 얘기를 나누며 온종일 그 모르는 사람과 밭을 매고 날이 어두워서야 헤어졌다고 했다. 밭에서 내려와 고모에게 이러저러한 사람하고 온종일 밭을 같이 맸다고 하니 고모의 얼굴이 굳어지며 얼굴의 생김을 묻더니 그이는 오래전 그 밭주인으로 그 밭에서 김을 매다가 일사병으로 죽은 이라 하더라, 했다. 이야기를 듣고 있던 네가, 죽은 사람하고 종일 같이 밭에 있었어? 엄만 안 무서웠어? 물으면 너의 엄마는 무섭긴, 내 혼자 그 밭을 다 매려면 이삼일은 걸렸을 턴디 함께 매줘서 고맙기만 했지, 아무렇지도 않게 말했다.

두통은 너의 엄마를 갉아먹는 듯했다. 너의 엄마는 급속히 활달함과 생기를 잃고 누워 있는 일이 많아졌다. 몇 안되는 즐거움이던 백원짜리 화투치기에도 너의 엄마는 집중할 수가 없는 듯했다. 더불어 너의 엄마는 모든 일에 무감각해졌다. 한번은 행주를 삶기 위해 가스레인지에 올려놓고도 너의 엄마는 부엌 바닥에 주저앉아 일어나지 못했다. 빨래를 삶는 솥이 바짝 눋고 급기야는 행주가 타서 부엌이 연기에 잠기는데도 너의 엄마는 정신을 차리지 못했다. 연기가 치솟는 걸 보고 옆집 사람이 이상하게 여겨 들여다보지 않았다면 집이 불타버렸을지도 모를 일이었다.

아이를 셋 낳은 너의 여동생은 두통 때문에 고통받는 엄마를 두고 너에게 엄마가 진짜 부엌을 좋아했을까 언니? 진지하게 물었다. 네가 왜 그런 생각을 하니?라고 하자 너의 여동생은 어쩐지 엄마가 부엌을 좋아했을 것 같지 않아,라고 말했다. 약사인 여동생은 첫아이를 임신한 채로 약국을 개업했다. 아이를 돌봐주던 올케는 약국과는 멀리 떨어진 곳에 살았다. 태어난 아이는 얼마간 올케 집에서 자랐다. 아이를 좋아하는 너의 여동생은 일주일에 한번씩밖에 아이를 볼 수 없는 상태를 감내하면서까지 약국 운영을 계속했다. 여동생과 아이가 만났다가 헤어지는 장면은 애절했다. 생이별도 그런 이별이 없었다. 아이보다는 엄마인 너의 여동생이 더 문제 같았다. 아이는 그럭저럭 자신의 환경에 적응하는데 엄마는 주말에 아이를 데려왔다가 다시 올케 집에 데려다주고 올 때면 운전대를 잡은 손등이 축축이 젖도록 울어서 월요일엔 눈이 퉁퉁 부은 상태로 약국에 서 있곤 했다. 그러면서까지 약국을 해야 하니? 네가 말릴 정도였다. 너의 여동생이 둘째아이를 낳으면서도 계속 운영하던 약국을 접은 건 너의 제부가 연수를 받기 위해 이년 기한으로 미국으로 건너갈 즈음이었다. 아이들에게 좋은 경험이 될 것 같다면서

서울의 모든 살림을 접고 미국에 간다기에 너는 속으로 그래 미국에 가서 좀 쉬었다가 와라, 했다. 결혼하고 한번도 일을 쉬어본 적이 없는 여동생이었다. 너의 여동생은 미국에서 아이 하나를 더 낳아서 귀국했다. 자신까지 다섯 식구의 밥상차리는 일이 여동생의 손에 달려 있었다. 여동생은 한달 동안에 조기 이백 마리를 먹은 적도 있다고 했다. 이백 마리를 한달 동안? 매일 조기만 먹었니? 물으니 그렇다고 했다. 미국에서 부친 살림이 도착하기 전이고, 새로 이사한 집이 낯설기도 한데다 젖을 먹는 아이가 곁에서 떨어지질 않으니 시장에 갈 틈도 없었다고 했다. 시어머니가 간해서 살짝 말린 조기새끼를 궤짝으로 보내왔는데 열흘도 되지 않아 다 먹어버렸다는 것이었다. 콩나물국 끓여서 조기 구워 내놓고 호박국 끓여서 조기 구워 내놓고 했어, 여동생이 웃었다. 조기를 더 구하고 싶어서 시어머니에게 조기를 파는 데를 알아내고 보니 인터넷으로도 주문이 가능한 곳이었다고 했다. 한 궤짝을 그리 빨리 먹어버려서 두 궤짝을 주문했다고 했다. 배달되어온 조기를 씻으며 세어보니 이백 마리였어, 씻어서 한번씩 구워 먹기 편하게 네댓 마리씩 비닐에 싸서 냉동고에 넣어놓을 요량으로 개수대 앞에서 조기를 씻다가 조기를 집어던져버리고 싶었어, 여동생이 담담히 말했다. 문득 엄마 생각을 했어, 엄만 그 재래식 부엌에서 평생 대식구의 밥을 짓는 동안 어떤 마음이었을까? 궁금했어. 우리가 또 오죽이나 식탐이 많아? 생각나? 밥상을 늘 두개씩 차려야 했잖아. 밥 짓는 솥도 얼마나 컸어? 그 시골 반찬으로 우리들 도시락까지 다 싸야 했으니…… 엄마 그걸 어떻게 매일매일 감당해냈을까? 게다가 큰집이라서 늘 군식구들이 두엇은 붙어 있었잖아. 엄마가 부엌을 좋아했을 것 같지가 않아. 너는 여동생의 말을 듣고 있다가 무연해졌다. 너는 엄마와 부엌을 따로 생각해본 적이 없었다. 엄마는 부엌이었고 부엌은 엄마였다. 엄마가 과연 부엌을 좋아했을까? 하는 의문을 가져본 적이 없었다.

돈을 모으기 위해 너의 엄마는 누에를 치고 누룩을 빚고 두부 만드는 일을 거들었다. 돈을 모을 수 있는 가장 좋은 방법은 돈을 쓰지 않는 것이다. 엄마는 무엇이든 절약했다. 어느날 타지에서 온 사람들에게 너의 엄마는 집 안의 오래된 호롱, 오래된 다듬잇돌, 오래된 항아리를 팔기도 했다. 그들은 엄마가 쓰고 있는 오래된 것들을 탐냈고 엄마는 늘 그것들을 탐탁지 않게 여겼으면서도 그들과 값을 놓고 밀고 당겨가며 상인이라도 된 듯 흥정을 했다. 처음엔 너의 엄마가 지는 듯해도 좀 있다보면 엄마 뜻대로 되었다. 가만 이야기를 듣고 있다가 그럼 얼마만 주구려, 하고 가격을 제시하면 그들은 어이구 이 쓸모없는 걸 그 돈을 주고 살 사람이 어딨냐고 냉소를 했다. 엄마가 그럼 이 물짠 걸 뭐하러 사러 다니냐,며 호롱을 챙겨들고 갈라치면 상인들은 아주머니가 장사를 하면 참 잘하겠소! 투덜거리며 엄마가 제시한 돈을 내놓곤 했다.

너의 엄마가 무엇을 사야 할 때는 제값을 준 적이 없었다. 웬만한 건 엄마의 손으로 해결했다. 그러느라 엄마의 손은 쉴 새가 없었다. 엄마는 재봉질을 했고, 뜨개질을 했으며 쉴새없이 밭을 가꾸었다. 비어 있는 적이 없던 엄마의 밭. 봄이면 밭고랑엔 감자씨를 모종하고 상추와 쑥갓과 아욱과 부추 씨를 뿌리고, 고추를 심고, 옥수수씨를 묻어두었다. 담장 밑엔 호박구덩이를 파고 논두렁엔 콩을 심었다. 엄마 곁엔 언제나 깨가 자라고 뽕잎이 자라고 오이가 자랐다. 엄마는 부엌에 있거나 논에 있거나 밭에 있었다. 감자를 캐고 고구마를 캐고 호박을 따고 배추와 무를 뽑았다. 무엇이든 씨앗을 뿌리지 않으면 거둘 게 없다는 것을 보여주는 듯하던 엄마의 노동. 엄마는 씨앗이 아닌 것들만 돈을 주고 샀다. 봄날에 마당에 놓아먹일 오리나 병아리, 돼지막에서 자랄 새끼돼지 같은 것. 어느 해 마루 밑의 개가 새끼를 아홉 마리 낳았다. 한달쯤 지나 엄마는 두 마리만 남기고 강아지들을 광주리에 담았다. 담을 자리가 없는 한 마리는 너의 품에 안기고, 따라오라, 했다. 엄마와 함께 탄 버스 안은 읍내로 무엇인가를 팔러 가는 사람들로 가득했다. 말린 고추와 참깨와 검은콩이 든 자루들. 겨우 배추 서너 포기 무 몇개가 담긴 광주리들. 읍내의 버스정류장 앞에 쭉 쪼그리고 앉아 있으면 지나가던 사람들이 값을 흥정했다. 엄마를 따라간 너는 품에 안고 있던 따뜻한 강아지를 다른 강아지들이 꿈틀거리고 있는 광주리 속에 내려놓았다. 그러고는 엄마 옆에 쪼그리고 앉아 강아지가 팔리기를 기다렸다. 엄마가 한달 동안 정성들여 기른 강아지들은 통통하고 건강했다. 경계심도 적의도 없이 순했다. 강아지들은 광주리 앞에 모여앉은 사람들을 향해 꼬리를 흔들고 혀를 내밀어 손등을 핥았다. 엄마의 강아지들은 무보다도 배추보다도 콩보다도 먼저 팔렸다. 마지막 한 마리가 팔리자 엄마는 허리를 폈다. 엄마 손을 찾아 쥐는 너에게 무얼 갖고 싶으냐? 물었다. 엄마가 그리 묻는 법은 거의 없어 너는 엄마를 바라봤다.

— 뭘 갖고 싶으냐니까?
— 책!
— 책?
— 응, 책!

책이라는 너의 주문에 엄마는 난감한 얼굴이 되었다. 잠시 너를 보더니 책을 파는 곳이 어디인지 물었다. 너는 앞장서서 오거리 시장통 입구의 서점으로 엄마를 데리고 갔다. 엄마는 서점 안으로 들어오지 않았다. 한권만 고르고 얼마인지 알아오너라, 했다. 고무신 하나를 살 때도 이것저것 신겨보고 벗겨본 뒤 고무신 상점의 주인이 부르는 값에서 조금 덜 주곤 하던 엄마였는데 책은 네가 고르고 돈도 깎을 생각이 없는지 값을 알아오라, 했다. 너는 서점이 갑자기 광야처럼 느껴졌다. 어떤 책을 골라야 할지 도무지 알 수 없었다. 책을 갖고 싶다고 한 것은 오빠가 빌려온 책들을 먼저 읽다가 오빠한테 도로 뺏기기 일쑤인 것이 분해서였다. 학교 도서관엔 오빠가 가져오는 책들과 다른 책들만 있었다. 『사씨남정기』나 『신윤복전』 같은. 서점 문밖에 엄마를 세워두고 네가 고른 책은 『인간적인 너무나 인간적인』이었다. 교과서값 외의 책값을 치르게 된 엄마는 네가 골라가지고 나온 책을 물끄러미 보았다.

— 필요한 책이냐?

너는 엄마의 마음이 달라질까봐 얼른 고개를 끄덕였다. 사실은 무슨 책인지 너도 알지 못했다. 지은이가 니체라고 적혀 있었지만 니체가 누군지 너도 모를 일이었다. 인간적인, 너무나 인간적인,이라는 말이 좋아 선택한 것이었다. 엄마는 한푼도 깎지 않고 책값을 너의 손바닥에 올려놓았다. 너는 집에서 품고 나온 강아지 대신 책을 가슴에 대고 집으로 가는 버스를 타고 창밖을 내다보았다. 허리가 꾸부정한 할머니가 한되쯤 되는 찹쌀을 팔기 위해 오가는 사람들을 애타게 쳐다보고 있는 게 보였다.

외가가 보이는 산길에서 너의 엄마는 금 캐러도 다니고 석탄 캐러도 다니던 외할아버지가 집으로 돌아온 건 엄마가 세살 때라고 했다. 새로 짓는 역사로 일을 나갔다가 사고를 당했다고 했다. 동네 사람들이 외할머니에게 그 사고를 알리러 왔다가 마당에서 뛰어다니며 놀고 있는 엄마를 보고 아비가 죽은 줄도 모르고 웃는구나, 철때기 없는 것아,라고 했다고 했다.

— 세살 적 일이 기억나?

— 난다.

너의 엄마는 엄마가 원망스러울 때가 있다고 했다. 너의 외할머니 말이었다.

— 혼자된 몸으로 안해본 일이 있었겠냐만 그리도 학교는 보내줬어야지. 오빠는 일본 학교 댕겼는디 언니도 댕겼는디 왜 나만 안 보냈을까? 불 꺼진 것만치로 캄캄하게, 평생을 캄캄하게……

너의 엄마는 큰오빠에게 알리지 않으면 너를 따라 서울에 가겠다고 겨우 대답했다. 너를 따라 집을 나서면서도 몇번이나 오빠네에 알리지 않을 것을 다짐받았다. 엄마의 두통의 원인을 찾으러 다니다가 의사로부터 뜻밖의 말을 들었다. 오래전에 너의 엄마가 뇌졸중을 앓았다는 것이다. 뇌졸중이라니? 그런 적이 없다고 했다. 의사는 엄마의 뇌를 촬영한 사진 속의 한점을 가리키며 뇌졸중이 지나간 흔적이라고 했다. 뇌졸중이 어떻게 본인도 모르게 지나갈 수 있단 말인가. 의사는 본인이 모를 수는 없다고 했다. 피가 고여 있는 걸로 보아 본인도 그 충격을 감지했을 거라고 했다. 의사는 엄마의 몸은 항상 아파왔다고 했다. 엄마의 몸은 늘 진통이 함께하는 상태라고 했다.

— 늘 아프다니요? 엄만 건강한 편이었는데요?

— 그렇지 않았을 겁니다.

감춰둔 주머니 속의 송곳이 튀어나와 너의 손등을 찍어내리는 것 같았다. 엄마의 뇌 속에 고여 있는 피를 빼냈지만 엄마의 두통은 좀체 나아지지 않았다. 엄마는 사람들과 이야기를 하다가도 두통이 밀려들면 마치 금방 깨지는 유리항아리를 받쳐들듯 두손으로 머리를 감싸고 대문을 열고 들어와 헛간의 평상에 몸을 뉘었다.

— 엄마는 부엌이 좋아?

언젠가 네가 묻자 너의 엄마는 무슨 말인지 알아듣지 못하는 것 같았다.

— 부엌에 있는 게 좋았냐고. 음식 만들고 밥하고 하는 거 어땠었냐고.

엄마가 너를 물끄러미 보았다.

— 부엌을 좋아하고 말고가 어딨냐? 해야 하는 일이니까 했던 거지. 내가 부엌에 있어야 니들이 밥도 먹고 학교도 가고 그랬으니까. 사람이 태어나서 어떻게 좋아하는 일만 하믄서 사냐? 좋고 싫고 없이 해야 하는 일이 있는 거지.

너의 엄마는 왜 그런 걸 묻느냐? 하는 표정으로 너를 보다가 좋은 일만 하기로 하믄 싫은 일은 누가 헌다냐? 중얼거렸다.

— 그러니까 뭐? 좋다는 거야, 싫다는 거야?

엄마가 무슨 비밀을 말하듯이 잠깐 주위를 살피더니 항아리 뚜껑을 깬 적이 여러번이었단다, 속삭였다.

— 항아리 뚜껑을 깨다니?

— 끝이 보여야 말이지. 그래두 농사일은 봄에 씨앗을 뿌리믄 가을에 거두잖여. 시금치씨를 뿌린 곳에선 시금치가 나고 옥수수씨를 뿌린 디선 옥수수가 나고…… 한디 그놈의 부엌일은 시작도 없고 끝도 없어야. 아침밥 먹음 곧 점심때고 또 금세 저녁때고 날 밝으면 또 아침이고…… 반찬이라도 뭐 다른 것을 만들 여유가 있음 덜했겠는디 밭에 심은 것이 똑같으니 맨 그 나물에 그 반찬. 그걸 끝도 없이 해대고 있으니 화딱증이 날 때가 있었지. 부엌이 감옥 같을 때는 장독대에 나가 못생긴 독 뚜껑을 하나 골라서 담벼락을 향해 힘껏 내던졌단다. 내가 그랬다는 것을 니 고모는 모른다. 알면 미친년이라고 하지 않았겠냐, 멀쩡한 독 뚜껑을 집어던지곤 했으니.

너의 엄마는 이삼일 안에 새 뚜껑을 구해다가 독을 덮어놓았다고 했다.

— 헛돈 좀 썼단다. 새 뚜껑을 사러 갈 적에는 돈이 아까워 쩔쩔 맸는디도 멈출 수는 없더구나. 독 뚜껑 깨지는 소리가 내겐 약이었어. 속이 후련허구 답답증도 가시고.

너의 엄만 누가 들을세라 입꼬리에 오른손 검지를 갖다대며 쉿! 했다.

— 첨 하는 얘기다, 암한테도 말 말어!

엄마 얼굴에 장난기 서린 웃음이 머물렀다.

— 너도 밥하기 싫음 접시라두 하나 던져서 깨보련? 아구, 저 아까운 거 싶은디도 속이 뻥 뚫리기도 헐 것이다. 하긴 결혼도 안했으

74

면서 밥하기 싫고 말고가 있겠냐마는.

너의 엄마는 깊은 숨을 내쉬었다.

— 그래도 니들이 자랄 때가 좋았어야. 머리에 수건을 고쳐쓸 틈 조차 없었어도 니들이 밥상머리에 둘러앉아 숟가락 부딪치며 밥 먹고 있는 거 보믄 세상에 부러울 게 뭐 있냐 싶었재. 다들 소탈했어야. 호박된장 하나 끓여줘도 맛나게들 먹고, 어찌다 비린것 좀 쩌주면 얼굴들이 환해져서는…… 다들 먹성이 좋아서 니들이 한꺼번에 막 자랄 때는 두렵기도 하더라. 학교 갔다오믄 먹으라고 감자를 한솥 삶아놓고 나갔다 오믄 어느새 솥이 텅 비어 있곤 했으니까. 그야말로 광의 쌀독에서 쌀이 줄어드는 게 하루가 다르게 보일 때도 있었고 그 독이 빌 때도 있었어. 저녁밥 지을라고 양석 꺼내려고 광에 갔는디 쌀독 바닥에 바가지가 닿을 때면 아이구 내 새끼들 낼 아침밥은 어쩐디야, 가슴이 철렁 내려앉던 시절이니 부엌일이 싫고 자시고도 없었고나. 큰솥 가득 밥을 짓고 그 옆의 작은 솥 가득 국 끓일 수 있음 그거 하느라 힘들단 생각보다는 이거 내 새끼들 입속으로 다 들어가겠구나 싶어 든든했지야. 니들은 지금 상상도 안될 것이다마는 그르케 양석이 떨어질까봐 노심초사하던 시절이 우리 시절이네. 다들 그러고 살았다. 먹고사는 일이 젤 중했어.

먹고사는 일이 가장 중하던 그때가 인생에서 행복한 때였다고 말하며 웃던 너의 엄마. 두통은 엄마의 그 얼굴에서 웃음을 빼앗아

갔다. 두통은 송곳니를 가진 들쥐처럼 엄마의 영혼을 콕콕 찌르고 슬금슬금 갉아먹었다.

전단지 인쇄를 부탁하기 위해 만난 사람은 오래된 무명옷을 입고 있었다. 누가 봐도 참으로 정성스럽게 바느질한 옷이란 걸 알 수 있었다. 그가 오래된 무명옷만 입고 다닌다는 것을 처음 안 것도 아닌데 유독 옷만이 눈에 들어왔다. 그는 너의 엄마의 상황을 이미 전해들은 참이라 네가 만들어온 전단지를 표본으로 새로 디자인해 거래처의 인쇄소를 통해 바로 인쇄해주겠다고 했다. 엄마의 최근 사진이 없어 결국 남동생이 인터넷에 올린 아버지 칠순 때 찍은 가족사진을 쓰기로 했다. 사진 속의 엄마 얼굴을 보고 있던 그가 어머니가 고우시네요, 했다. 터무니없이 너는 옷이 참 근사하다고 말했다. 너의 말에 그는 미소지었다.

— 어머니가 만들어주신 옷입니다.

— 돌아가셨잖아요?

— 살아 계실 적에.

그는 어려서부터 알레르기가 있어 무명옷이 아니면 입을 수가 없었다고 했다. 다른 옷감이 피부에 닿으면 몸이 간지럽고 부스럼이 났다고. 그는 어머니가 지어준 무명옷만을 입고 자랐다. 그의 기억에 그의 어머니는 늘 바느질을 하고 있었다고 했다. 그의 속옷부터 양말까지 직접 손으로 만들어 입히려면 그래야 했을 것이다.

그의 어머니가 돌아가신 뒤 옷장을 열어보니 거기엔 그가 평생토록 입을 수 있는 무명옷들이 쌓여 있었다고 했다. 지금 입고 있는 옷도 그중 하나라고. 그의 어머니는 어떤 용모를 지녔을까? 그의 말을 듣는 동안 너는 마음이 먹먹해졌다. 사랑하는 어머니를 회상하는 그 앞에서 급기야 너는 어머니께서 기쁘셨을까요? 하고 말았다.

— 우리 어머니는 요즘 여자들과는 다른 분이에요.

그의 말은 정중했지만 네가 그의 어머니를 모독했다고 그의 표정이 말하고 있었다.

2장

미안하다, 형철아

그가 나눠준 전단지를 받아든 한 여자가 잠시 걸음을 멈춘 채 사진을 가만 들여다보았다. 엄마가 그를 기다리곤 하던 서울역 시계탑 아래서다.

그가 도시에 방을 얻은 뒤로 서울역에 도착할 때의 엄마는 전쟁이 터져 피난살이를 온 사람의 행색이었다. 엄마는 그에게 실어나를 것들을 머리에 이고 어깨에 메고 양손에 들고도 모자라 허리에 찬 채 서울역 플랫폼을 걸어나왔다. 그러고도 사람이 걸을 수 있다는 게 신기했다. 엄마는 할 수만 있다면 가지나 호박 같은 것을 다리에 매달고라도 왔을 것이다. 엄마의 주머니에서 풋고추나 알밤, 신문지에 싼 깐마늘 들이 쏟아져나오기도 했으니까. 그가 엄마를 마중나가보면 엄마의 발치 아래엔 젊은 여인 혼자 들고 왔다고는 믿기지 않는 보퉁이들이 수북했다. 엄마는 뺨이 상기된 채 그 보퉁이들 가운데에 서서 고개를 갸웃거리며 그가 나타나기를 기다렸다.

　여자는 주춤주춤 그 앞으로 와서 저기요, 용산2가동 동사무소 앞에서 이분을 본 것 같아요, 전단지 속 그의 엄마를 가리켰다. 여동생이 만든 전단지 속에서 물빛 한복을 입은 그의 엄마가 화사하게 웃고 있었다. 이 옷을 입고 있었던 건 아닌데 눈이 너무 똑같네요. 소눈하고 똑 닮아서 기억에 남아 있어요. 여자는 전단지 속 그의 엄마의 눈을 또 한번 들여다보더니 발등에 상처를 입고 있었어요, 라고 말했다. 파란 슬리퍼를 신고 있었는데 얼마나 많이 걸었는지 슬리퍼가 엄지 쪽 발등을 파고들어갔고 살점이 떨어져나가 패어 있었다고 했다. 고름이 밴 상처 부위에 자꾸 파리가 날아와 앉으니까 귀찮은지 손을 뻗어 쫓곤 했어요. 아플 것 같은데도 상처엔 무심한 듯 동사무소 안을 기웃기웃거리고 있었어요. 일주일 전 일이긴 해요.
　일주일 전이면?
　오늘 아침도 아니고 일주일 전에 동사무소 앞에서 본 것 같다는 여자의 말을, 그것도 전단지 속 엄마의 눈과 용산2가동 동사무소 앞에서 만난 여인의 눈이 서로 닮은 것 같다는 여자의 말을 어떻게 받아들여야 할지 몰라 그는 여자가 총총 사라진 뒤에도 오가는 사람들에게 전단지를 나눠주었다. 가족들이 동원되어 서울역에서 남영동까지 식당이며 옷가게며 서점과 피시방 등에도 전단지를 뿌리고 붙여놓았다. 불법이라고 뜯어내면 그 자리에 다시 붙이기를 반복했다. 그쪽만이 아니었다. 남대문과 중림동, 서대문까지 가족들은 번갈아가며 전단지를 돌리고 붙이고 뿌렸다. 신문광고를 보고는 전화 한통 없더니 전단지를 보고는 전화를 걸어오는 사람들이 있었다. 식당에서 본 것 같다는 제보를 듣고 쏜살같이 가보면 엄마가 아니라 그곳에서 일하는 엄마 또래의 사람이었다. 한번은 자기네 집에서 보살피고 있으니 와보라며 주소를 또박또박 불러주기에 기대를 품고 달려가보았으나 주소 자체가 존재하지 않았다. 전단지에 보상금으로 적힌 오백만원을 먼저 주면 엄마를 찾아주겠다는 이도 있었다. 그러나 그런 일도 보름이 지나자 시들해졌다. 기대를 품고 이리 뛰고 저리 뛰던 그의 가족들은 코가 빠진 채 서울역 시계탑 앞에 앉아 있곤 했다. 사람들이 전단지를 받자마자 구겨서 바닥에 버리면 다시 주워 펼쳐서 다른 사람에게 나눠주는 이는 작가인 여동생이었다.

전단지를 한아름 안고 서울역에 나타난 여동생이 그 옆에 섰다. 여동생의 메마른 눈이 그의 눈을 잠시 일별했다. 그는 여자의 말을 전하며 용산2가동 동사무소를 찾아가 그 주변을 살펴볼까? 물었다. 여동생은 시무룩한 표정으로 엄마가 왜 거길 갔겠어? 어쨌든 이따가 가보자, 짧게 대답하고는 우리 엄마예요, 버리지 말고 한번만 들여다봐주세요, 큰 소리로 말하며 스쳐지나가는 사람들에게 전단지를 나눠주기 시작했다. 책을 출간하면 일간지 문화란에 사진이 실리기도 하는 여동생을 알아보는 이는 없었다. 그냥 나눠주는 것보다 여동생처럼 외치며 나눠주는 게 효과는 있어 보였다. 그가 나눠줄 때처럼 돌아서자마자 전단지를 버리는 사람은 없었다. 그의 집이나 동생들의 집 말고 이 도시에서 엄마가 갈 만한 곳은 없다. 그와 가족들에겐 그것이 고통이었다. 엄마가 찾아갈 만한 곳이 있으면 거기를 중심으로 주변을 뒤져볼 텐데, 갈 만한 곳이 없으니 이 도시 전체에서 엄마를 찾아봐야 했다. 여동생이 엄마가 왜 거길 갔겠어?라고 했을 때만 해도 그는 여자가 말한 용산2가동 동사무소가 자신이 이 도시에서 처음 근무한 일터였다는 것을 깨닫지 못했다. 벌써 삼십년 전의 일이니까.

바람이 제법 선선해졌는데도 그의 얼굴에 땀방울이 묻어났다. 그는 나이 오십줄에 접어든, 아파트 전문 건설회사의 홍보부장이다. 오늘은 토요일이라 휴무지만 엄마를 잃어버리지 않았다면 그는 지금 송도의 모델하우스에 있을 터였다. 송도에는 준공 예정인 그의 회사의 대규모 아파트가 2차 분양중이었다. 100퍼센트 분양을 위해 그동안 그는 밤낮없이 일했다. 얼굴이 알려진 모델이 식상하다 하여 일반주부로 광고모델을 선발하는 일의 실무를 지난봄 내내 맡아했다. 모델하우스를 짓는 일이며 언론사 기자들을 접대하는 일 들에 치여 자정 전에 집에 들어가본 게 언제인지 기억이 나지 않았다. 일요일엔 종종 사장을 비롯한 상무급 간부들을 수행해 속초나 횡성으로 골프를 치러 가기도 했다.

— 형! 엄마를 잃어버렸대!

그런 그에게 한여름 오후에 전해진 다급한 동생의 목소리는 안쪽이 얼지 않은 얼음판을 디뎠을 때처럼 쩡 소리를 내며 그의 일상에 균열을 일으켰다. 아버지가 엄마와 함께 둘째네로 가는 지하철을 타려다가 아버지만 올라탄 지하철이 떠나버리는 통에 엄마 혼자 지하철역에 남게 되었는데 그뒤로 엄마를 찾을 수 없다는 얘길 전해들으면서도 그는 그것이 엄마의 실종으로 이어질 거라고는 생각지 못했다. 둘째가 일단 경찰에 신고했다고 했을 때도 괜한 수선이 아닐까? 생각했다. 일주일이 지나서야 신문광고를 내고 병원 응급실마다 연락을 취했다. 밤마다 편을 나눠 노숙자 보호센터들을 찾아가봤으나 허사였다. 엄마는, 지하철 서울역 구내에 혼자 남겨져 있었다는 엄마는, 꿈처럼 사라졌다. 아버지에게 엄마와 같이 서울에 온 것이 사실인지 되묻고 싶을 정도로 엄마는 흔적이 없었다. 엄마를 잃어버린 지 열흘이 지나고 보름이 지나고 거의 한달이 다 되어가자 그와 그의 가족들은 다들 뇌 한 귀퉁이를 손상당한 사람들처럼 허둥지둥거렸다.

그는 들고 있던 전단지를 여동생에게 넘겼다.

— 내가 가봐야겠다.

— 용산에?

― 그래.

― 뭐 짚이는 거라도 있어?

― 내가 서울 처음 왔을 때 살던 곳이다.

그는 여동생에게 무슨 일이 있으면 전화를 할 테니 휴대폰을 자주자주 확인하라고 주의를 주었다. 이젠 필요없는 말이다. 걸핏하면 전화를 받지 않던 여동생은 이제 벨이 세번 울리기도 전에 받는다. 그는 택시승강장으로 걸음을 옮겼다. 엄마는 삼십대 중반을 넘겨서도 아직 미혼인 여동생 걱정을 많이 했다. 어떨 때는 첫새벽에 전화를 걸어서 형철아! 지헌이네 좀 가봐라, 어째 전화를 안 받는다, 전전긍긍했다. 받지도 않고 하지도 않아…… 한달째 갸 목소리 한번 못 들었다. 글 쓴다고 틀어박혀 있거나 아니면 어딜 갔을 거라고 해도 엄만 그가 여동생의 오피스텔에 다녀오길 청했다. 혼자 아니냐, 어디 아파서 누워 있을 수도 있고 목욕탕에서 넘어져 못 일어날 수도 있고…… 엄마가 열거하는 혼자 사는 사람에게 생길 수 있는 일들을 듣다보니 딴엔 그럴 수도 있을 것 같았다. 엄마의 부탁을 받고 출근시간이나 점심시간에 여동생의 오피스텔에 가보면 여동생의 부재를 알리는 증거로 문 앞에 신문이 수두룩하게 쌓여 있곤 했다. 그는 신문을 정리해 쓰레기통에 밀어넣고 돌아왔다. 신문이나 우유 같은 게 문 앞에 없을 땐 안에 있는 걸 다 안다는 듯이 초인종을 쉼없이 눌러대면 여동생은 부스스한 얼굴을 내밀며 왜 또? 하고 퉁명스럽게 굴었다. 언젠가는 초인종을 누르고 서 있다가 여동생을 찾아온 듯한 남자를 만나기도 했다. 남자는 멋쩍게 안녕하세요,라고 인사까지 했다. 그가 누구냐 묻기도 전에 상대가 여동생의 이름을 대며 닮아서 따로 물어볼 것도 없네요, 했다. 남자도 갑자기 여동생과 연락이 끊겨 찾아와본 거라면서. 엄마에게 여동생이 여행을 떠난 듯하다, 집에 잘 있더라, 같은 소식을 전해주면 엄마는 한숨을 내쉬며 그러다가 갸가 죽어도 우린 모르고 있을 게다. 그러면서 갸가 하는 일이 대체 뭐라냐? 물었다. 여동생이 보름씩, 길게는 한달씩 소식을 끊어버리고 하는 일은 소설을 쓰는 것이었다. 꼭 그렇게까지 하면서 써야 하는 것이냐? 물으면 여동생은 다음부터 엄마한텐 연락할게, 혼잣말하듯 말했다. 그뿐이었다. 아무리 엄마가 그리 나와도 이따금씩 식구들과 여동생의 단절은 계속되었다. 그가 엄마의 말을 두세 번 그냥 지나친 다음부터 엄마는 그에게 여동생 집에 가봐달라는 말을 하지 않았다. 너는 내 말에 귀기울일 새가 없구나, 한마디했을 뿐이었다. 여동생과의 갑작스런 단절은 그치지 않고 계속되었으니 그 대신 가족들 중 누군가가 엄마의 심부름을 하고 있었을 것이다. 엄마를 잃어버린 뒤 여동생은 아무래도 내가 벌을 받나봐…… 중얼거렸다.

서울역에서 숙대입구까지 길이 꽉 막혔다. 그는 눈을 치켜뜨고 차창 밖 거리를 내다보았다. 오가는 사람들을 하나하나 살폈다. 그 인파 속에 혹시 엄마가 있나 해서.

— 손님! 용산2가동 동사무소라고 했지요?

숙대입구에서 용산고등학교 쪽으로 방향을 틀며 택시기사가 묻는 말을 그는 놓쳤다.

　— 손님?

　— 예!

　— 용산2가동 동사무소 앞이라고 했지요?

　— 예.

　스무살이던 그가 하루도 빼놓지 않고 걸어다니던 길이었으나 차창에 스치는 풍경이 낯설기만 했다. 이 길이 맞나? 싶었다. 하긴 삼십년이란 세월이 흘렀는데 변하지 않는 게 오히려 이상한 일이다.

　— 토요일이라 동사무소는 문 닫았을 텐데요.

　— 그렇겠지요.

　택시기사가 그에게 뭐라 더 말을 붙이려다가 그만두려는 참에 그가 주머니에서 전단지를 꺼내 택시기사에게 내밀었다.

　— 운전하시다가 혹시 이런 분을 보면 연락 좀……

　택시기사가 그가 내민 전단지를 훑었다.

　— 어머니신가요?

　— 예.

　— 어쩌다가……

　지난가을 여동생에게서 엄마가 이상하다는 전화를 받고서도 그는 아무 조처를 취하지 않았다. 이제 그 연세면 여기저기 아픈 곳이 많을 때라고 생각했다. 여동생이 침통해하며 엄마가 두통 때문에 기절하기도 하는 모양이라고 전해서 그가 시골집에 전화를 걸어보면 엄마는 형철이냐! 반갑게 전화를 받았다. 별일 없으세요? 물으면 엄마는 수화기 저편에서 별일이라두 있었음 좋겠다! 하며 웃었다. 여그 걱정은 말어라. 두 늙은이 살림에 뭔 일이 있겄냐. 너그들이나 잘 지내라.

— 서울에 한번 오세요.

엄마는 그래…… 그러마, 하며 말끝을 흐렸다. 무심한 그에게 화가 난 여동생이 회사 앞으로 찾아와 엄마의 뇌 사진을 들이민 적도 있었다. 여동생은 엄마도 모르게 엄마 뇌 속으로 뇌졸중이 지나갔다는 의사의 말을 전했다. 그래도 그가 무심히 듣자 여동생은 큰오빠! 윤형철 맞아? 그의 눈을 빤히 들여다보았다.

— 별일 없다고 하시던데 왜?

— 그 말을 믿어? 엄만 늘 그러잖아. 그게 엄마 어법이잖아. 알면서 왜 그래? 오빠한테 미안해서 그러는 거잖아.

— 나한테 뭐가 미안하단 말이냐?

— 그걸 내가 알아? 왜 엄마한테 미안한 마음 들게 해, 오빠는?

— 내가 뭘 말이냐?

— 아주 옛날부터 엄마 입에 붙은 말이잖아. 내가 묻고 싶어, 대체 엄마가 왜 오빠한테 미안한데?

삼십년 전 당시 오급으로 분류되던 공무원시험에 합격한 그가 첫 발령을 받은 곳이 용산2가동 동사무소였다. 시골 고등학생이던 그가 이 도시의 대학에 떨어졌을 때 엄마는 믿을 수 없다는 표정이었다. 엄마로서는 당연한 반응이었다. 그는 초등학교부터 고등학교까지 단 한번도 일등을 놓친 적이 없었다. 그때까지는 무슨 시험을 보아도 그는 일등이었다. 초등학교 육학년 때는 중학교 입학시험에 일등으로 붙어 입학금도 내지 않았다. 삼년 내리 일등이었으므로 그는 학교에 돈을 내본 적이 없었다. 고등학교도 그는 일등으로 합격했다. 아이구, 나는 우리 형철이 입학금 좀 내봤으면 좋겠다, 하는 것이 그를 자랑스러워할 때마다 엄마가 쓰는 말이었다. 고등학교에서도 내내 일등이던 그가 대학시험에 떨어졌다는 것은 엄마로서는 이해하기 힘든 일이었다. 일등으로 합격하지 않았다는 게 아니라 떨어졌다는 소식을 들었을 때 그의 엄마는 아니 니가 안되면 누가 된단 말이냐? 알 수 없다는 표정을 지었다. 그는 대학에 붙으면 공부를 열심히 해서 또 일등을 할 생각이었다. 생각이 아니라 그럴 수밖에 없었다. 어쨌든지 장학금으로 대학을 다녀야 하는 상황이었다. 그런데 떨어져버렸으니 다른 길을 모색해야 했다. 재수는 처음부터 생각지도 못한 일이었다. 그는 곧 자신이 가야 할 길을 찾아냈다. 두 종류의 공무원시험을 보았고 모두 다 합격했다. 먼저 발령이 난 곳을 택해 집을 떠났다. 그리고 몇개월 뒤 이 도시의 야간대학에 자신이 가고 싶어한 법대가 있다는 것을 알고 원서를 내려고 보니 고등학교 졸업증명서가 필요했다. 졸업증명서를 떼어 보내달라는 편지를 보내고 그걸 시골에서 우편으로 부치면 원서마감일이 넘어서야 도착할 터였다. 그래서 아버지에게 고속터미널에서 서울 가는 사람에게 전달해달라고 부탁한 뒤 우체국에 가서 동사무소로 전화를 해달라고 편지를 보냈다. 몇시 차편인지 동사무소 전화로 알려주면 자신이 고속버스터미널에 나가서 그 차편을 기다려서 받겠다고. 내내 기다렸으나 그날 전화가 오지 않았다. 시골집에 전화가 없던 시절이라 어찌 됐는지 알아볼 수도 없었다. 다음날까지는 원서를 내야 하는데 어쩌나 걱정하고 있던 한밤중에 누군가가 동사무소 문을 쾅쾅 두들겼다. 당시 그의 주거지가 저 동사무소였다. 직원들이 돌아가면서 숙직을 서야 했지만 거처가 없던 그가 그 숙직실을 사용하기로 했다. 매일 숙직을 서는 셈이었다. 동사무소 문을 부서져라 두드리는 소리에 나가보니 어둠속에 웬 청년이 서 있었다.

— 이분이 어머니요?

그의 엄마는 추위에 바들바들 떨며 청년의 뒤에 서 있었다. 그가 뭐라 말할 새도 없이 그의 엄마가 형철아! 나다! 엄마다! 앞으로 나섰다. 청년은 시계를 보고는 칠분 후면 통행금지요! 하더니 그의 엄마에게 그럼 안녕히 계세요! 하고는 통행금지 칠분 전의 어둠속으로 내달았다.

아버지는 부재중이었다. 여동생이 편지를 읽어주자 엄마는 안절

부절못하다가 그의 출신 고등학교를 찾아가 졸업증명서를 떼고 그 길로 기차를 탔다. 그의 엄마가 난생처음 타보는 기차였다. 그렇게 서울역에 도착한 엄마가 지나가는 사람들에게 용산동으로 가려면 어떻게 해야 하느냐고 묻고 있을 때 지나가던 청년이 본 모양이었다. 이 밤 안에 아들에게 꼭 전해줘야 할 것이 있다는 그의 엄마 말을 들은 청년은 할 수 없다는 듯이 엄마를 동사무소까지 바래다준 것이었다. 그의 엄마는 한겨울인데도 파란 슬리퍼를 신고 있었다. 가을 추수 때 낫을 잘못 써서 엄지 쪽 발등을 다쳤는데 아물지 않아 앞이 터진 신발을 찾다보니 슬리퍼였다 했다. 그의 엄마는 숙직실 문 앞에 슬리퍼를 벗어놓고 들어와, 늦지나 않았는지 몰르겠다!며 그 앞에 고등학교 졸업증명서를 내밀었다. 엄마의 손은 꽁꽁 얼어 있었다. 그는 얼음장 같은 엄마의 손을 잡았다. 이 손을, 이 손을 가진 여인을 어쩌든 기쁘게 해주어야겠다고 다짐했다. 그러나 그의 입은 잘 알지도 못하는 사람이 따라오란다고 따라다니면 어떻게 하느냐고 엄마를 책망했다. 엄마는 사람이 사람을 믿지 못하면 어떻게 산다냐! 오히려 그를 나무랐다. 이 세상엔 나쁜 사람보다 좋은 사람이 훨씬 많은 법이다!며 엄마 특유의 낙천적인 웃음을 지었다.

그는 닫힌 동사무소 앞에 서서 건물을 위아래로 훑어보았다. 엄마가 여길 찾아왔을 리가 없다. 여길 찾아올 정도면 집을 찾아올 것이다. 여기서 그의 엄마인 듯한 사람을 봤다던 여자는 눈 때문에 기억한다고 했다. 파란 슬리퍼를 신고 있었다고도 했다. 파란 슬리퍼. 그의 엄마는 파란 슬리퍼가 아니라 베이지색 굽 낮은 샌들을 신고 있었다고 아버지는 말했다. 어찌나 많이 걸었는지 슬리퍼가 엄지 쪽 발등을 파고들어갔고 살이 깊이 패어 있었다고 말해준 여자는 분명 파란 슬리퍼라고 했다. 그는 실종된 엄마가 신고 있는 신발이 굽 낮은 베이지색 샌들이었다는 생각을 그제야 떠올렸다. 그는 닫힌 동사무소 안을 기웃거리다가 보성여고 쪽 길과 은성교회로 이어지는 길을 살피며 돌아다녔다.

아직도 동사무소엔 그 숙직실이 있을까.

스무살의 그에게 졸업증명서를 가져다주려고 무작정 서울행 기차를 타고 온 엄마와 이불을 덮고 나란히 누워 잔 그 숙직실. 그가 엄마와 그렇게 나란히 누워본 것은 그때가 마지막이었을 것이다. 거리를 향해 난 바람벽으로 찬바람이 쿨렁쿨렁 새어들어왔다. 나는 벽 쪽에 누워야 잠이 잘 온다, 엄마가 일어나더니 그와 자리를 바꿨다. 바람 들어오는데…… 그가 일어나 벽 쪽으로 가방과 책을 쌓아올렸다. 벗어놓은 옷가지도 쌓아올렸다. 괜찮다니까 그러는구나, 엄마가 그의 손을 잡아끌었다. 어서 자라, 낼 또 일해야 할 틴디.
— 서울 처음 보니 어떠세요?
숙직실 천장을 보고 나란히 누워 그가 묻자 별것 아니구나, 엄마가 웃었다.

　─ 너는 내가 낳은 첫애 아니냐. 니가 나한티 처음 해보게 한 것이 어디 이뿐이간? 너의 모든 게 나한티는 새세상인디. 너는 내게 뭐든 처음 해보게 했잖어. 배가 그리 부른 것도 처음이었구 젖도 처음 물려봤구. 너를 낳았을 때 내 나이가 꼭 지금 너였다. 눈도 안 뜨고 땀에 젖은 붉은 네 얼굴을 첨 봤을 적에…… 넘들은 첫애 낳구선 다들 놀랍구 기뻤다던디 난 슬펐던 것 같어. 이 갓난애를 내가 낳았나…… 이제 어쩌야 하나…… 왈칵 두렵기도 해서 첨엔 고물고물한 네 손가락을 제대로 만져보지도 못했어야. 그렇게나 작은 손을 어찌나 꼭 쥐고 있던지. 하나하나 펴주면 방싯방싯 웃는 것이…… 하두 작아 자꾸 만지면 없어질 것두 같구. 내가 뭘 알았어야 말이지. 열일곱에 시집와 열아홉이 되도록 애가 안 들어서니 니 고모가 애도 못 낳을 모양이라 해쌓서 널 가진 걸 알았을 때 맨 첨에 든 생각이 이제 니 고모한티 그 소리 안 들어도 되네, 그게 젤 좋았다니깐. 난중엔 나날이 니 손가락이 커지고 발가락이 커지는디 참 기뻤어야. 고단헐 때면 방으로 들어가서 누워 있는 니 작은 손가락을 펼쳐보군 했어. 발가락도 맨져보고. 그러구 나면 힘이 나곤 했어. 신발을 처음 신길 때 정말 신바람이 났었다. 니가 아장아장 걸어서 나한티 올 땐 어찌나 웃음이 터지는지 금은보화를 내 앞에 쏟아놔도 그같이 웃진 않았을 게다. 학교 보낼 때는 또 어땠게? 네 이름표를 손수건이랑 함께 니 가슴에 달아주는데 왜 내가 의젓해지는 기분

이었는지. 니 종아리 굵어지는 거 보는 재미를 어디다 비교하겠니. 어서어서 자라라 내 새끼야, 매일 노랠 불렀네. 그러다 언제 보니 이젠 니가 나보다 더 크더구나.

엄마는 그를 향해 등을 세우고 그의 머리카락을 쓸어주었다.

— 어서어서 자라라, 했음서도 막상 니가 나보다 더 커버리니까는 니가 자식인데도 두렵데.

— ………

— 너는 다른 애덜 같지 않게 말이 필요없는 자식이었다. 뭐든 니가 알아서 했잖어. 얼굴은 이리 잘생기구 공부는 또 얼마나 잘했구. 자랑스러워서 난 지금도 가끔 니가 진짜 내 속에서 나왔나 신기하다니까…… 봐라, 너 아니믄 이 서울에 내가 언제 와보겠냐.

그는 엄마가 다시 이 도시를 찾아올 때 따뜻한 곳에서 잠잘 수 있도록 돈을 많이 벌어야겠다고 생각했다. 엄마를 추운 데서 잠들게 하지는 말아야겠다고. 얼마나 지났을까. 엄마가 형철아! 그의 이름을 나직이 불렀다. 잠에 떠밀린 그의 귓가에 엄마의 목소리가 아련히 들렸다. 엄마는 손을 뻗어 그의 머리를 쓰다듬었다. 엄마는 일어나 앉아 잠든 그를 굽어보다 슬며시 손을 뻗어 그의 이마를 쓸어내렸다. 엄마가 미안하다. 엄마는 눈물을 닦기 위해 그의 이마에서 얼른 손을 거뒀지만 벌써 그의 얼굴엔 엄마의 눈물이 톡톡 떨어져 내렸다.

첫새벽에 깨어나보니 그의 엄마는 동사무소 바닥을 비질하고 있었다. 그가 말려도 엄마는 손은 됐다가 뭐 한다니? 마치 손을 놀게 두면 누구한테 벌이라도 받는다는 듯 대걸레에 물을 적셔 바닥을 민 다음 출근 전인 직원들의 책상 하나하나를 구석구석 닦았다. 엄마의 입에서는 입김이 나고 신고 있는 파란 슬리퍼 앞으로 발등은 부은 채로 비어져나와 있었다. 콩나물해장국집이 문 열기를 기다리는 동안 동사무소는 엄마 손으로 인해 반들반들 윤이 났다.

아직도 이 집이 남아 있네, 그의 눈이 커졌다. 엄마를 찾아 골목골목을 기웃거리다보니 삼십년 전에 그가 방을 얻어 살았던 그 집 앞에 서 있다. 대문 위에 화살처럼 뾰족한 쇠가 삼십년 전처럼 그대로 박혀 있다. 한때 그를 사랑했으나 그를 기다릴 수 없었던 여자가 이따금 거기에 호빵을 넣은 비닐봉지 같은 것을 걸어놓고 가곤 했다. 그 집만 빼고는 사방이 연립주택과 원룸으로 바뀌어 있었다.

보증금 1000−10만원

그는 대문에 붙어 있는 글을 읽었다.

보증금 500 내면 15만원에 가능.

8평. 싱크대 기본. 화장실에 샤워시설 있음.

남산이 가까워 운동하기 좋음. 20분 안에 강남 갈 수 있음. 종로 10분. 단점: 화장실이 좁은 편. 화장실에서 살 건 아니잖아요. 아마 용산에서 이만한 가격은 찾기 힘들 것임. 여러 여건이 좋은데 내가 이사를 가는 이유: 차가 생겨 주차장이 필요해서임. 문자 날려주거나 메일 연락 바람. 직접 방을 세놓는 까닭: 복덕방비를 아낄 수 있음.

휴대폰 번호와 이메일 주소까지 읽은 뒤 그는 대문을 빠끔히 밀어보았다. 삼십년 전처럼 대문이 밀렸다. 그는 안을 살펴보았다. 그때나 지금이나 여전히 ㄷ자 형태로 된 집에는 문들이 방방이 바깥으로 나 있다. 한때 그가 살았던 방에는 굳게 자물쇠가 채워져 있었다.

— 누구 없어요?

그가 목청을 돋워 큰 소리를 내자 두세 개의 방문이 열렸다. 짧은 머리의 처녀 둘과 열일곱살이나 되었을까 싶은 남자아이 둘이 얼굴을 내밀고 그를 쳐다보았다. 그는 안으로 들어섰다.

— 혹시 이런 분 본 적이 있는지?

그는 짧은 머리의 처녀들에게 먼저 전단지를 내밀었다. 그냥 문을 닫으려는 남자아이 둘에게도 얼른 전단지를 건넸다. 안에 또래의 여자아이 둘이 또 있었다. 그가 방을 들여다보는 것 같자 사내아이 둘이 거칠게 문을 닫아버렸다. 방의 겉모습은 삼십년 전이나 지금이나 비슷한 듯한데 안의 구조는 원룸 형태로 바뀌어 있었다. 부엌과 방을 합쳐서 개조한 모양이었다. 방 한쪽에 싱크대가 보였다.

— 몰라요!

처녀 둘이 다시 그에게 전단지를 내밀었다. 낮잠 자는 중이었는지 눈에 눈곱이 달라붙어 있었다. 처녀 둘이 다시 몸을 돌려 대문으로 걸어가는 그의 뒷모습을 지켜보았다. 그가 막 대문을 나서려 할 때 닫힌 방문이 다시 열리고 사내아이가 저기요! 그를 불러세웠다.

　─ 이 할머니 며칠 전에 여기 대문 앞에 앉아 있었던 거 같은데……

그가 다가가자 또 한 사내아이가 얼굴을 내밀며 아니라니까! 부정했다.

　─ 이 할머닌 젊잖아. 그 할머닌 아주 쭈그렁쭈그렁했어. 머리도 이렇게 안 생기고…… 거지였잖아.

　─ 그래도 눈이 닮았잖아. 눈만 봐봐. 눈이 이렇게 생겼었잖아…… 찾아주면 진짜 오백만원 줘요?

　─ 찾지 못해도 얘기만 정확히 해주면 사례를 하겠다.

그는 사내아이들을 방 바깥으로 불러내었다. 방문을 닫은 처녀들이 다시 문을 열고 내다보았다.

　─ 그 할머니는 저 아래 호프집 할머니야. 치매 걸려서 집에 가둬놨는데 몰래 나와서 길을 잃었나보던데. 호프집 아저씨가 와서 데려갔어요.

　─ 그 할머니 말구 이 할머니도 봤는데…… 발등이 찍혀서 고름투성이였어요. 자꾸 파리가 달라붙으니까 쫓고 있었는데…… 냄새 나고 더러워서 자세히는 못 봤지만.

　─ 그래서? 어디로 갔는지도 봤냐?

그는 다급히 사내애에게 물었다.

— 아뇨. 난 그냥 들어왔죠. 자꾸 따라들어오려고 해서 대문을
쾅 닫았는데……

사내애 말고는 엄마 같은 사람을 봤다는 이가 없었다. 사내애는
진짜 봤다니까요! 그를 뒤쫓아다녔다. 그보다 앞서서 이 골목 저 골
목을 살피기도 했다. 그는 헤어질 때 사내애에게 십만원짜리 수표
를 한장 주었다. 사내애의 눈이 반짝 빛났다. 그는 사내애에게 혹
시 다시 그 할머니를 보게 되면 붙잡아두고 꼭 연락을 해달라고 했
다. 사내애는 그의 말에는 귀를 기울이지 않고 그럼 오백만원 줘
요? 물었다. 그가 고개를 끄덕였다. 사내애는 전단지를 몇장 더 달
라고 했다. 주유소에서 아르바이트를 하는데 거기에 붙여놓겠다고
했다. 그걸 보고 할머니를 찾으면 자기 때문에 찾은 거니까 그때도
오백만원을 줘야 한다고 했다. 그는 그러마고 했다.

엄마를, 동사무소 숙직실에서 그를 바람벽 앞에 재우지 않으려
고 나는 벽 쪽에 누워야 잠이 잘 온다,며 자리를 바꿔 눕던 엄마를
향해 가졌던 빛바랜 다짐들. 엄마가 다시 이 도시를 찾아오면 따뜻
한 방에서 자게 하겠다던 맹세들.

그는 주머니에서 담배를 꺼내 입에 물었다. 그의 마음은 언제부

턴가 그의 것이 아니었다. 그는 언제부턴가 대체로 엄마를 잊고 지냈다. 엄마가 아버지와 함께 지하철을 타지 못하고 낯선 지하철역에 홀로 남겨진 그 시각에 나는 뭘 했는가? 그는 동사무소를 한번 더 올려다보고 뒤돌아섰다. 나는 뭘 했는가? 그는 고개를 떨구었다. 엄마를 잃어버리기 전날 동료들과 마신 술자리 뒤끝이 좋지 않았다. 술에 취하기 전엔 공손하던 동료 K가 술이 몇잔 들어가자 그에게 머리가 좋은 사람이라며 교묘하게 비꼬았다. 회사에서 그는 인천 송도 쪽 아파트 분양을 맡고 K는 용인 쪽 아파트 분양을 맡고 있었다. K가 그에게 머리가 좋은 사람,이라고 한 것은 그가 모델하우스를 찾는 고객들에게 나눠줄 사은품으로 중년층에게 인기있는 가수의 공연티켓을 준비한 것을 겨냥한 말이었다. 그것은 그의 생각이 아니라 작가인 여동생의 생각이었다. 아내가 집에 찾아온 여동생에게 지난번 아파트 분양 때 사은품으로 쓴 욕실 러그를 가져가라고 주자, 여동생은 왜 회사들은 주부들이 이런 걸 좋아한다고 생각하는지 몰라, 그랬다. 그는 그렇잖아도 사은품을 뭘로 해야 할지 생각하던 중이라 그럼 뭘 주면 인상깊을까? 물었다. 글쎄, 건 모르겠지만 아무튼 이런 건 금방 잊어버려요. 차라리 만년필 같은 게 낫지 않아? 생각해봐. 아내한테 생일날 주방기구 같은 거 선물하면 좋아하겠어? 아파트 분양 사은품이라고 발닦개 같은 걸 주면 그러려니 여기지. 하지만 책이라든가 영화티켓이라든가 그런 거면 어? 하고 가만 들여다볼 것 같은데. 그거 사용하느라 시간 내고 맞추고

어쩌고 하면서 계속 생각할 테고. 나만 그런가? 여동생은 잊어버렸
는지 아내가 챙겨준 러그를 두고 갔다. 회의중에 사은품 이야기가
나와 문화상품으로 하면 어떻겠느냐 했더니 특별히 싫다는 사람이
없었다. 마침 중년층에게 인기있는 가수가 장기공연중이라 그 티
켓을 대량으로 준비했는데 그 덕분에 상무에게 칭찬을 들은 것이
었다. 상무가 좋아하는 가수였는지도 모를 일이다. 설문조사에서
도 사은품인 공연티켓이 회사의 이미지를 높이는 데 영향을 끼쳤
다는 반응이 나왔다. 사은품 때문에 그런 건 아니었겠으나 그가 담
당한 송도의 아파트는 거의 분양이 되었는데 K가 맡은 용인은 분
양률이 60퍼센트에 그쳤다. 미분양 사태가 벌어질 수도 있는 상황
이라 K를 긴장시키기도 했을 것이다. 그는 운이 좋았을 뿐이라며
웃어넘겼으나 술이 몇잔 더 들어가자 K는 그 비상한 머리를 다른
데 썼으면 아마도 검사장은 했을 거라고 했다. K가 하필 검사장이
라고 빈정댄 것은 그가 법대 출신이며 사시공부를 한 적이 있다는
것을 알고 한 소리였다. 회사 내의 주류세력인 Y대도 K대도 아닌
데 무슨 수를 썼기에 승진이 빠른지 모르겠다는 비꼼이 섞인 말이
기도 했다. 결국 막판엔 그는 K가 따라준 술을 쏟아버리고 일어섰
다. 아침에 아내가 서울역에 마중을 나가는 대신 진이에게 다녀와
야겠다고 했을 때 그는 시간 맞춰 자신이 나가봐야지 생각했다. 아
버지는 최근에 이사한 둘째네에 들르고 싶어했다. 마중나가 둘째
네에 모셔다드려야지 생각했는데 출근하고 나니 몸이 으슬으슬하

고 머리가 지끈지끈 아파왔다. 아버지가 잘 찾아가실 수 있다고 하셨다니까…… 싶어 그는 서울역에 마중나가는 대신 회사 근처의 사우나에 갔다. 과음한 다음날이면 들르는 사우나에서 그가 땀을 빼고 있던 그 시각은 아버지가 엄마를 두고 혼자 지하철을 탄 시각이었다.

시골 소년이던 그가 검사가 되어야겠다고 생각한 것은 아버지에게 실망해 집을 나간 엄마를 다시 오게 하기 위해서였다. 아버지가 데려온 여자는 피부가 희고 분냄새를 풍겼다. 여자가 대문을 지나 집으로 들어오자 엄마는 샛문으로 집을 나갔다. 여자는 냉랭한 그의 마음을 사려고 날마다 도시락에 계란프라이를 얹어주었다. 그는 여자가 작은 보자기로 정성껏 싸놓은 도시락을 들고 나와 뒤란의 장독 뚜껑에 올려놓고 학교에 갔다. 동생들은 그의 눈치를 보며 여자가 싸준 도시락을 슬그머니 들고 나갔다. 그는 학교 가는 길의 묘지 앞에 동생들을 불러모았다. 묘지 앞의 땅을 파고 그 속에 도시락을 묻게 했다. 남동생은 말을 듣지 않고 도시락을 들고 내빼려다가 그에게 붙잡혀 언어맞았다. 여동생은 그가 하라는 대로 그가 파놓은 땅에 도시락을 묻었다. 그는 그렇게 하면 여자가 도시락을 싸지 못할 줄 알았다. 그러나 여자는 읍내로 나가 새 도시락을 사왔다. 그것도 누런 도시락이 아니라 밥이 식지 않게 하는 보온도시락을. 그가 여자가 싸준 도시락을 학교에 가져가지도 않고 밥도 굶는다는 말을 누구에게 들었는지 집을 나간 엄마가 학교로 그를 찾아왔다. 여자가 집에 들어온 지 열흘쯤 되는 날이었다.

— 엄마.

그가 왈칵 눈물을 쏟자 엄마는 그를 데리고 학교 뒷산으로 갔다. 그러곤 그의 바지를 걷고 종아리를 드러냈다. 엄마는 품에서 회초리를 꺼내 그의 종아리에 내리쳤다.

— 왜 밥을 안 먹냐! 니가 밥을 안 먹으면 내가 좋아할 중 알았냐!

엄마의 회초리질은 매서웠다. 그렇잖아도 동생들이 말을 들어주지 않아 서러운데 엄마에게 매까지 맞으니 그는 그 상황이 이해되지 않고 분한 마음만 쌓였다. 엄마가 왜 그렇게 화를 내는지도 그는 알 수 없었다.

— 도시락 가지고 다닐 테냐! 안 가지고 다닐 테냐!

— 안 갖고 다녀!

— 이놈이 이래도!

엄마의 회초리질은 더욱 세차졌다. 그는 엄마가 지칠 때까지 아프단 소리를 한마디도 내뱉지 않았다. 도망은커녕 자세조차 흐트러리지 않은 채 입을 꽉 다물고 엄마가 내리치는 회초리를 맞았다.

— 이래도!

매질 자국이 번지다 못해 그의 종아리에 피가 맺혔다.

— 그래도!

그도 소리를 내질렀다. 결국 엄마는 회초리를 내던지고 아이구,

이놈아! 형철아! 그를 끌어안고 울음을 터뜨렸다. 울음을 그친 엄마는 이제 그를 달랬다. 누가 해주든 밥은 먹어야 한다고 했다. 그에게 네가 밥을 잘 먹고 있어야 엄마가 덜 슬프다고 했다. 슬픔. 엄마에게서 슬프다라는 말을 처음 들은 순간이었다. 그는 왜 자신이 밥을 잘 먹고 있어야 엄마가 덜 슬픈지 알 길이 없었다. 그 여자 때문에 엄마가 집을 나갔으니 그 여자가 해주는 밥을 먹으면 엄마가 슬퍼야 맞을 것 같은데 엄마는 반대로 말했다. 그 여자가 해주는 밥인데도 그걸 먹어야 엄마가 덜 슬프다니. 이해는 되지 않았지만 그는 엄마를 슬프게 할 생각은 없었으므로 그제야 먹을게! 퉁명스럽게 말했다. 그래야지. 눈물이 가득 담긴 엄마의 눈에 웃음이 담겼다.

— 대신! 꼭 집에 돌아온다고 약속해!

그가 엄마에게 다짐을 받으려 했다. 엄마의 눈이 흔들렸다.

— 집에 돌아가기는 싫구나.

— 왜, 왜?

— 다시는 니 아버지 안 보고 잪다.

그가 다시 눈물을 왈칵 쏟아냈다. 엄마는 진짜 돌아오지 않을 사람처럼 보였다. 그래서 누가 해주든 밥은 먹어야 한다고 했는가보다. 엄마가 아예 집에 돌아오지 않을까봐 그는 더럭 겁이 났다.

— 엄마, 내가 다 할게. 논일도 하고 밭일도 하고 마당도 내가 쓸고 물도 내가 길어다줄게. 쌀도 내가 찧어다주고 불도 내가 다 때줄게. 쥐도 쫓아주고 제사 때 닭도 내가 잡아줄게. 그러니까 돌아와!

엄마는 제사나 명절 때면 상에 올릴 닭을 잡아달라고 아버지를 비롯한 집안 남자들에게 통사정을 하곤 했다. 장마가 휩쓸고 간 산밭에 나가 온종일 쓰러진 콩대를 일으켜세우기도 하는 엄마가, 술에 취한 아버지를 등에 업다시피 하고 집에 데려오기도 하는 엄마가, 울을 뛰쳐나온 돼지의 엉덩이를 몽둥이로 때려가며 다시 울에 집어넣기도 하는 엄마가 할 줄 모르는 일이 있었으니 그것은 살아 있는 닭을 잡는 일이었다. 엄마는 그가 도랑에서 붕어를 잡아와도 붕어가 살아 있을 땐 손도 대지 못했다. '쥐 잡는 날'이 되면 진짜 잡았는지 확인하려고 학교에서 쥐꼬리를 잘라오라고 했다. 다른 집 엄마들은 쥐를 잡아 꼬리를 탁 잘라서 종이에 둘둘 말아 싸주는데 엄마는 말만 듣고도 에구, 하며 몸을 움츠렸다. 덩치가 커다란 엄마는 쥐를 잡기는커녕 밥을 짓기 위해 쌀을 푸러 광에 갔다가 쥐를 만나면 되레 엄마! 소리치며 뛰쳐나오곤 했다. 저런저런! 고모는 늘 혼비백산한 얼굴로 광에서 뛰어나오는 얼굴이 빨개진 엄마를 못마땅하게 바라보곤 했다. 닭을 잡아준다고 해도 쥐를 쫓아준다고 해도 엄마는 집에 돌아오겠다는 말을 하지 않았다.

— 내가 훌륭한 사람이 될게.

— 뭐가 될 건데?

— 검사!

엄마의 눈이 반짝 빛났다.

— 검사가 되려면 공부를 많이 해야 해. 네가 생각하는 것보다 훨

104

씬 더 많이. 내가 아는 사람은 검사가 되려고 밤낮으로 공부를 했는
디두 못되고 그만 미쳐버린 사람도 있어.

— 엄마만 돌아오믄 난 한다니까……

엄마가 애타는 그의 눈을 가만히 들여다보았다. 그러곤 미소를
지었다.

— 그래, 너는 될 게야. 넌 백일도 안돼서 나보고 엄마—라고 했
어. 글을 가르친 것도 없는데 학교 가자마자 책을 읽고 일등도 하
구. 니가 그 집에 있는데 내가 왜 나와…… 내가 그 생각을 어째 못
했으까. 니가 거기 있는디.

엄마는 회초리질로 피가 맺힌 그의 종아리를 한참 바라보다 업
히라며 등을 돌려 앉았다. 그가 멀거니 엄마의 등을 바라보았다.
엄마가 고갤 돌렸다.

— 언능 업혀라, 집에 가자……

엄마는 그길로 집에 들어와 여자를 부엌에서 밀어내고 밥을 지
었다. 여자와 아버지가 마을의 다른 집을 얻어 살자 엄마는 팔을 걷
어붙이고 그 집으로 달려가 여자가 쌀을 씻어 밥을 안치는 아궁이
에 걸린 솥을 떼어내 도랑물에 떠내려보내버렸다. 엄마는 집으로
돌아오기 위해, 그와의 약속을 지키기 위해 싸움꾼이 되기로 한 것
같았다. 엄마의 훼방을 견디다 못한 아버지가 여자와 함께 마을을
떠났을 때 엄만 그를 불러 무릎 앞에 앉혔다. 엄마마저 집을 나갈까

봐 두려워 겁을 내고 있는 그에게 엄마는 침착한 목소리로 오늘은 공부를 얼마만큼 했나? 물었다. 그가 백점 맞은 시험지를 내밀자 침울해 있던 엄마의 눈가에 화기가 돌았다. 모든 시험문제에 붉은 색연필로 동그라미가 그려진 것을 들여다보던 엄마가 그를 끌어안았다.

— 어이구, 내 새끼!

아버지가 없는 동안 엄마는 그를 끼고돌았다. 아버지 자전거를 타도록 허락했다. 아버지가 깔던 요를 그에게 내주었고 아버지가 덮던 이불을 그에게 덮어주었다. 아버지만 쓰던 큰 밥그릇에 밥을 퍼주었다. 국을 뜨면 맨 먼저 그 앞에 놓아주었다. 동생들이 밥을 먹으려 하면 형이 아직 숟가락을 안 들었는데! 나무랐다. 고무통에 포도를 가득 담아 머리에 이고 온 과일장수에게 마당에 널어놓은 참깨를 반됫박 퍼주고 포도와 맞바꿔서는 이건 형이 먹을 거다,며 따로 두었다. 그럴 때마다 엄마는 그에게 너는 꼭 검사가 되어야 한다, 다짐을 두었다.

그는 엄마를 집에 붙들어두기 위해서는 마땅히 검사가 되어야 한다고 생각했다.

그해 가을 엄마는 아버지가 없는 집에서 혼자 벼를 베고 훑고 말렸다. 그가 거들려고 하면 엄마는 너는 공부하거라,며 그를 책상 앞으로 밀었다. 엄마는 산밭의 고구마를 캐러 동생들을 몰고 가면서도 그를 책상 앞으로 밀었다. 고구마를 캐러 간 사람들은 저물녘에야 리어카에 고구마를 가득 싣고 돌아왔다. 자기도 공부를 하고 싶은데 엄마에게 끌려 고구마를 캐러 갔던 둘째가 샘에 엎드려 손톱에 덕지덕지 낀 황토를 씻어내다가 엄마에게 대들었다.

― 엄마! 형만 장땡이야?

― 그려! 형만 장땡이다!

엄만 생각해볼 것도 없이 둘째의 머리를 쥐어박았다.

― 그먼 우린 없어도 돼?

― 그려! 없어도 돼!

― 그믄 우린 아버지 찾아간다!

― 뭐야?

엄마가 둘째의 머리를 한대 더 쥐어박으려다 손을 거두었다.

― 그려! 너도 장땡이다. 너그들 다 장땡이여! 우리 장땡들! 이리 들 와봐!

그제야 샘가에 와르르 웃음소리가 퍼졌다. 방 안 책상에 앉아 샘가에서 들려오는 식구들의 소리를 듣고 있던 그도 씩 웃었다.

어느날부턴가 엄마는 밤이 되어도 대문을 잠그지 않았다. 또 어느날부턴가 아침에 밥을 풀 때 아버지 밥그릇에도 밥을 담아 아랫목에 묻어두었다. 아버지가 없는 동안 그는 더욱더 열심히 공부했다. 엄마는 그가 논일을 거드는 것도 밭일을 거드는 것도 달가워하지 않았다. 형제들에게 마당에 널어놓은 고추를 비 맞게 놔뒀다고 야단을 치다가도 그가 책상 앞에 앉아 공부하고 있는 것 같으면 목소리를 죽였다. 고단함과 수심으로 일그러져 있던 엄마는 그가 소리내 책을 읽을 적이면 분가루를 발라놓은 것처럼 눈가가 밝아졌다. 엄마는 그가 공부하고 있는 방의 문을 가만히 열어본 뒤에 가만히 닫았다. 삶은 고구마나 홍시 같은 것을 소리나지 않게 방 안에 들여놓고 또 조용히 문을 닫았다. 그해 겨울 눈이 마루까지 들이치던 날 아버지는 엄마가 열어둔 대문으로 걸어들어와 흠흠, 소리를 내며 토방에 눈 묻은 신발을 탁탁 턴 뒤에 방문을 열었다. 날이 추워 모두 한방에 모여 자던 때였다. 아버지가 그를 비롯해 잠든 형제들의 이마를 하나하나 짚어가며 바라보는 것을 그는 실눈을 뜨고 보았다. 엄마가 아랫목에 묻어둔 밥그릇을 상에 올리는 것도. 들기름을 발라 구운 김을 꺼내와 밥그릇 옆에 내려놓는 것도. 여름에 나갔다가 겨울에 들어온 아버지를 아침에 나갔다가 밤에 들어온 사람 대하듯 엄마가 아무 말 않고 그저 숭늉을 떠다 밥그릇 옆에 놓아주는 것도.

그가 대학을 졸업하고 지금 다니는 회사 입사시험에 합격했을 때 엄마는 기뻐하지 않았다. 마을 사람들이 형철이가 나라에서 손가락 안에 꼽히는 재벌회사에 다니게 됐으니 좋겠다고 해도 엄마는 웃지 않았다. 엄마는 첫월급을 타 내의를 사들고 온 그에게 쏘아붙이듯 말했다.

— 니가 되려던 것은 어쩐다냐?

그는 냉랭한 엄마에게 이 회사에서 열심히 일해 이년 동안 돈을 모은 뒤 그 돈으로 다시 공부를 시작하겠다고 말했다.

그때의 젊은 엄마는 그로 하여금 남자로서, 한 인간으로서 결의를 품게 하는 존재였다.

엄마가 그에게 본격적으로 미안하다,라고 말하기 시작한 것은 중학교를 졸업한 여동생을 그에게 데려다주면서였다. 그가 돈을 모으기도 전에, 사법고시에 다시 도전해보기도 전에, 시골의 여동생을 도시의 그에게 데려다주러 온 엄마는 그와 눈을 맞추지 못했다.

— 야는 여자애니까…… 학교를 더 다녀야 써. 어쨌든 여기서 야가 학교에 다닐 길을 니가 맨들어봐라. 난 야를 나처럼 살게 할 순 없어야.

서울역 시계탑 앞에서 만나 열다섯 된 여동생의 손을 스물넷 된 그의 손에 넘겨주고 다시 돌아가려다가 엄마는 국밥이나 한 그릇 먹자고 했다. 엄마는 국밥 속의 쇠고기 건더기를 자꾸만 그의 그릇에 옮겨주었다. 그가 다 못 먹는다고 엄마나 드시라고 해도 엄마는 자꾸만 자신의 국밥에 든 쇠고기 건더기를 떠 옮겼다. 국밥을 먹자고 해놓고 엄마는 한 숟가락도 입에 대지 않았다.

— 안 드세요?

그가 묻자 아니다, 먹는다, 먹어야재…… 하면서도 엄마는 자꾸만 그의 국밥 그릇에 쇠고기 건더기를 옮겨다놓기만 했다.

— 근디 너는…… 너는 어쩐다냐?

엄마가 국밥이 묻은 숟가락을 내려놓았다.

— 엄마가 죄가 많다. 너에게 미안하다, 형철아.

집으로 돌아가는 기차를 타기 위해 서울역에 서 있는 엄마는 손톱이 바짝 잘린 투박한 두손을 빈 주머니에 집어넣은 채 눈물이 그렁한 모습이었다. 그도 그때의 엄마 눈이 소눈을 닮았다고 생각한 적이 있었다.

그는 서울역에 있는 여동생에게 전화를 걸었다. 날이 어두워지고 있었다. 여동생은 그의 목소리를 확인하고 가만있었다. 그가 먼저 뭐라고 얘기해주길 기다리는 눈치였다. 전단지에는 형제들 모두의 휴대폰 번호를 적어놓았는데 그동안 유독 여동생에게 전화가 많이 걸려왔다. 대부분 헛된 정보였다. 어떤 인간은 지금 제가 그 할머니 데리고 있어요, 그랬다. 여기가 어디냐면요, 하면서 자세히 약도까지 설명해주었다. 여동생이 부랴부랴 택시를 타고 가보니 찾아오라고 한 육교 밑엔 엄마하고는 성별도 다른 젊은 남자 취객

이 술을 어찌나 많이 마셨는지 누가 업어가도 모르게 코를 골며 쓰러져 있었다.

— 못 찾았다.

여동생이 참고 있던 숨을 내쉬는 소리가 그에게 전해졌다.

— 거기 계속 있을 거냐?

— 좀더 있다가…… 전단지가 남았어.

— 내가 거기로 가마. 저녁이나 같이 먹자.

— 밥생각 없어.

— 그럼 술이나 한잔하든가.

— 술?

여동생이 잠시 침묵을 지키다가 입을 열었다.

— 전화가 한통 왔어. 역촌동 서부시장 앞에 있는 서부약국의 약사라고 하는데 아들이 들고 온 전단지를 봤대. 이틀 전인가 역촌동에서 엄마 같은 사람을 본 것 같다구…… 근데 파란 슬리퍼를 신고 있었다고 하네. 어찌나 걸었는지 발등이 패고 발톱까지 염증이 번져서 약을 발라줬다고 하는데……

파란 슬리퍼? 그는 휴대폰을 귀에서 뗐다.

— 오빠!

그가 다시 휴대폰을 귀에 댔다.

— 거기 가볼까 하는데 오빠도 같이 갈래?

— 역촌동이래? 서부시장이면 예전에 우리 살던 데 있는 그 시장

말이냐?

— 응.

— 알았다.

그는 집으로는 가고 싶지 않았다. 여동생을 만난들 따로 할 얘기
가 있는 것도 아니었다. 다만 그는 집으로 가고 싶지 않다,라는 생
각에 여동생에게 전화를 건 것이었다. 역촌동이라구? 그는 택시를
향해 손을 들었다. 알 수 없는 일이었다. 그동안 엄마를 본 것 같다
고 전화를 걸어온 사람들 중에 파란 슬리퍼를 신은 엄마 같은 사람
을 보았다고 말한 사람이 여럿이었다. 그들의 공통점은 기묘하게
도 예전에 그가 살았던 동네 이름을 대는 것이었다. 그곳에서 엄마
를 본 것 같다고 했다. 개봉동, 대림동, 옥수동, 낙산아파트 밑의 동
숭동, 수유동, 신길동, 정릉. 찾아가보면 그들은 그 여인을 본 것은
사흘 전이라거나 일주일 전이었다고 했다. 엄마를 잃어버리기도
전인 한달 전에 봤다는 이도 있었다. 그때마다 그는 혼자서 혹은 동
생들과, 어떤 때는 아버지와 함께 그 동네를 찾아가보았다. 그들은
보았다는데 그는 파란 슬리퍼를 신은 엄마 같은 사람을 어디서도
찾을 수 없었다. 그들의 얘기를 듣고 혹여 싶어 그 동네의 전신주나
공원의 나무, 공중전화부스 안에 전단지를 붙이고 돌아오는 것이
다였다. 그가 살던 옛집 앞을 지날 때면 그는 멈춰서서 이제는 다른
이들이 살고 있는 그 집 안을 기웃거리곤 했다. 어느 집에서 살았

든, 엄마가 도시에 있는 그의 집을 혼자 찾아온 적은 없었다. 가족들 중 누군가가 서울역이나 고속버스터미널로 마중을 나가 엄마를 모셔오곤 했다. 엄마는 이 도시에 오면 누군가가 다른 곳으로 데려가주기 전에는 어디로도 이동하지 않았다. 둘째네에 갈 때는 둘째가 모시러 갔고 여동생네에 갈 때는 여동생이 모시러 갔다. 누구도 입 밖에 내지 않았으나 은연중에 그와 그의 가족들은 엄마가 혼자서는 이 도시의 어디에도 갈 수 없다고 여겼다. 그래서 엄마가 서울에 오면 누군가가 꼭 엄마 곁에 있었다. 엄마를 찾는 광고를 내고 전단지를 돌리고 인터넷에 올린 뒤에 그가 알게 된 것은 그가 이 도시에서 옮겨다니며 살았던 동네가 열두 군데라는 사실이었다. 그는 등을 펴고 고개를 뒤로 젖혀봤다. 역촌동은 그가 이 도시에서 처음으로 자기 명의의 집을 갖게 된 동네였다.

― 며칠 있으면 추석인데……

여동생이 역촌동으로 가는 택시 안에서 손톱을 문질렀다. 그 역시 그 생각을 하고 있었다. 그는 큼, 소리를 내며 이마를 찌푸렸다. 추석연휴가 여러 날이었다. 매년 추석 때면 올해는 유난히 해외로 나가는 이들이 많다는 것이 뉴스가 되는 사회다. 몇해 전까지는 명절에 여행 가는 것에 대해 비판적인 시각도 있었는데 이제는 내놓고 조상님 잘 다녀오겠습니다, 인사까지 하고 공항으로 나선다. 한때는 콘도에 모여 차례를 지낸다고 해서 조상이 어떻게 콘도를 찾아오느냐 했는데 이젠 아예 비행기를 타버리는 형국이었다. 아침에 신문을 읽던 아내가 추석에 해외로 떠나는 인파가 백만을 넘을 예정이라네, 새로운 뉴스이기라도 한 듯 말했다. 우리나라 사람들 돈도 많군, 그가 대꾸하자, 못 떠나는 사람들만 바본 거죠 뭐, 아내가 중얼거렸다. 아버지가 그들을 가만히 바라보았다. 딴집 애들이 추석에 해외로 관광 가니까 우리 애들도 우리도 한번 그래봤음 좋겠다, 하데요. 듣다못해 그가 아내를 노려보자 아니, 애들은 그런 일에 민감하잖요…… 아버지가 식탁에서 일어나 방으로 들어갔다. 당신 미쳤어? 지금 그게 할 소리야? 그가 다그치자 아내는 애들이 그랬댔지 내가 뭐랬다고 그래요? 아니 애들이 한 말도 못 전해요! 답답해 죽겠어요. 아무 말도 말고 살아요? 이번엔 아내가 식탁에서 먼저 일어서버렸다.

　— 차례는 지내야 하지 않겠어?

　— 니가 언제 차례 걱정했냐? 명절 때면 집에 코빼기도 안 비쳤으면서 새삼 추석은 무슨!

　— 내가 잘못했네. 그러지 말걸.

그는 여동생이 손톱 문지르는 행동을 멈추고 두손을 윗옷 주머니에 넣는 것을 보았다. 그 앞에서 긴장이 될 때면 여동생이 하는 버릇이다. 쯧. 그는 혀를 찼다. 그때가 언젯적 일이라고 아직도 저 버릇을 못 고치다니.

그들이 함께 살 때, 한방에서 남동생과 셋이 자야 했을 때, 여동생은 벽 쪽에 눕고 그가 가운데에 눕고 남동생이 다른 벽 쪽에 누워 자곤 했다. 잠을 자다가 얼굴을 얻어맞고 놀라서 눈을 떠보면 남동생의 손이 그의 얼굴에 걸쳐 있기도 했다. 가만히 내려놓고 다시 잠들라치면 이번엔 여동생의 손이 그의 가슴을 내리쳤다. 시골의 넓은 방에서 제멋대로 뒹굴며 자던 버릇이었다. 한번은 그가 눈을 얻어맞고 비명을 질렀다. 잠들었던 두 동생이 그의 비명소리를 듣고 깨어났다.

— 야! 너! 너!

뒤늦게야 사태를 파악한 여동생은 안절부절못하며 얼른 손을 주머니에 집어넣었다.

— 너 계속 그따위면 집에 가!

그때 그 말은 하지 말았어야 했을까. 그는 고갤 돌려 여동생을 보았다. 그가 그랬다고 여동생은 다음날 정말 엄마에게 갔다. 제 짐까지 챙겨 싸들고. 엄마가 다시 여동생을 데려왔다. 여동생을 그 앞에 무릎 꿇리고 잘못했다고 빌라고 했다. 여동생은 입을 꾹 다물었다.

— 빌라니까!

엄마가 다시 말해도 여동생은 꿈쩍도 하지 않았다. 여동생은 순해 보이지만 한번 고집을 피웠다 하면 누구도 꺾지 못했다. 중학교

때던가. 초등학생인 여동생에게 빨기 싫다는 운동화를 빨아달라고 억지로 맡긴 적이 있었다. 평소엔 다소곳이 깨끗하게 빨아주던 운동화였다. 그런데 그날은 분한 듯 씩씩거리더니 새 운동화를 도랑에 가지고 가 물에 떠내려보내버렸다. 물에 떠내려간 운동화를 찾으려고 도랑 끝까지 물길을 따라 뛰어다녔던 그런 날들. 세월이 이리 지나고 보니 오누이가 아니면 나눠가질 수 없는 추억이 되었지만 물때와 물풀이 덕지덕지 붙어 푸른색으로 변해버린 운동화를 그것도 한짝만 겨우 건져 돌아와야 했던 그때는 그도 분이 나서 당장 엄마에게 고해바쳤다. 엄마가 어디서 그런 못된 성질을 배웠느냐며 부지깽이를 들어도 여동생은 잘못했다고 하지 않았다. 되레 엄마에게 성을 냈다. 하기 싫댔잖아! 하기 싫다고 말했단 말이야! 난 하기 싫은 건 안하고 살 거란 말이야!

— 빌라고 했지. 여기선 오라비가 부모랬잖어. 오라비가 야단 좀 쳤다고 짐 싸들고 나가는 버릇 지금 안 고치면 너 평생 간다이. 시집가서도 쫌만 수틀리면 짐 싸갖고 나올 테냐!

엄마가 그에게 빌라고 할수록 여동생의 두손은 주머니 속으로 더 깊이 들어갔다. 오히려 서러워진 엄마가 이젠 이 애도 내 말을 안 듣네. 가진 것 없고 배운 것 없는 부모라고 이 애도 나를 무시허네…… 한숨을 내쉬며 눈물을 내보였다. 슬그머니 시작된 엄마의 한탄이 굵은 눈물방울로 이어졌을 때에야 여동생은 그건 아니야, 엄마! 말문을 열었다. 울음을 멈추지 않는 엄마를 달래느라 할 수 없이 여동생은 빌게요, 빌면 되잖아요, 그제야 주머니에서 손을 꺼내 그에게 빌었다. 그후로 여동생은 잠을 잘 때면 주머니에 손을 넣고 잤다. 그가 목소리를 조금만 높여도 얼른 손을 주머니에 집어넣었다.

그러던 여동생이 엄마를 잃어버린 뒤엔 누가 뭘 조금만 지적해도 내가 잘못했네, 그러지 말걸, 풀이 죽은 목소리로 인정했다.

— 집의 유리창은 누가 닦는대?
— 뭔 소리냐?
— 이맘때 전화하면 엄마가 집 유리창을 닦고 계시곤 했어.
— 유리창?
— 힘들게 유리창을 왜 닦고 있느냐고 물으면 추석이라 식구들이 올 텐데 유리창이 더러우면 되느냐면서.
그 앞으로 얼른 시골집의 수많은 유리창들이 스쳐지나갔다. 몇년 전에 새로 지은 집은 옛집의 문짝 대신 거실을 비롯한 모든 방에 유리창이 달려 있었다.
— 사람을 불러 닦으라고 하면 이런 촌에 누가 유리창을 닦으러 오냐…… 그러셨어.
여동생은 한숨을 푹 내쉬며 택시 유리창에 손을 뻗더니 벅벅 문질렀다. 엄마가 이맘때쯤이면 유리창을 닦았던가.

─ 어릴 땐 유리창이 아니라 추석 무렵에 집의 문짝들을 죄다 뜯어내곤 하셨는데…… 그랬던 거 생각나?

─ 난다.

─ 생각나?

─ 난다니까!

─ 거짓말!

─ 왜 거짓말이라고 생각하냐? 생각나. 문짝에 단풍잎 붙여두곤 했잖아. 고모한테 지청구 들으면서도.

─ 진짜 기억하네. 그 단풍잎 주우러 고모네에 갔던 것두 생각나?

─ 생각나.

새집을 짓기 전에 엄마는 추석 무렵이면 볕 좋은 하루를 잡아 집 안의 문짝이란 문짝은 죄다 떼어냈다. 문짝들을 물로 싹싹 씻어내고 햇볕에 말린 뒤 풀을 쑤어 새 문종이를 발랐다. 문이 많은 집이어서 떼어낸 문짝들이 담장에 쭉 기대진 채 마르는 걸 보면 아, 추석이 오는구나, 여겼다.

그는 흠흠, 괜한 목청을 가다듬었다.

집안에 남자들도 많았는데 왜 엄마가 문종이를 바를 때 도와주는 사람이 없었을까. 여동생도 묽은 풀이 든 양동이에 손가락을 집어넣어 휘휘 저으며 장난질이나 쳤던 것 같다. 엄마는 혼자서 풀비를 들어 마치 난을 치듯 쓱쓱 창호지에 풀칠한 뒤 말끔해진 문짝에 문종이를 척척 바르곤 했다. 경쾌하고 명랑해 보이는 몸놀림이었다. 그때의 엄마 나이를 훨씬 지난 지금의 그도 엄두가 나지 않을 일을 엄마는 마치 손가락을 접는 간단한 일처럼 순식간에 해냈다. 새 문종이 바르는 일을 혼자 도맡아해내는 와중에 엄마의 낭만이 발동하는 순간이 있었다. 어느 순간 풀비를 든 엄마가 풀을 저으며 놀고 있는 여동생이나 뭐 도와줄 거 없느냐고 묻는 그에게 단풍잎이나 따오너라, 주문했다. 감나무, 자두나무, 쭝나무, 대추나무 등등 나무깨나 있는 집이었는데도 엄마는 그 집에는 없는 단풍나무 잎사귀를 주문했다. 엄마가 지목한 단풍잎을 따러 대문을 나서서 골목을 지나 도랑을 지나 신작로까지 나서서 고모 집에까지 간 적이 있었다. 단풍잎을 따는 그에게 건 뭐에 쓰려구? 묻던 고모가 니 에미가 시키디? 물었다. 어이구, 니 에민 그게 무슨 낭만이라냐! 한겨울에 단풍잎 붙은 문을 열라치면 더 썰렁하기만 허더마는 좀 그러지 말라고 해도 또 붙일 모양이구만!

그가 양손에 단풍잎을 가득 따다 갖다주면 엄마는 수많은 문짝의 문고리 바로 옆마다 반듯하고 예쁜 것 두장을 마주보게 편 뒤 그 위에 창호지를 덧발랐다. 문을 열 때마다 사람의 손이 타 찢어지지 말라고 창호지 한장을 덧바르는 자리였다. 그가 쓰는 방 문짝엔 다른 문짝보다 세장이나 더 많은 다섯 장을 꽃처럼 펼쳐놓고 바른 뒤 정성스레 손바닥으로 꾹꾹 덧눌러주며 맘에 드냐! 물었다. 어린애가 손가락 다섯 개를 펼치고 있는 것 같았다. 고모가 뭐라든 그의 눈엔 예뻐 보였다. 그가 멋지다고 하자 엄마의 얼굴에 함빡 웃음이 피어났다. 여름을 지내는 동안 문을 함부로 여닫느라 구멍이 숭숭 나거나 창호지가 찢어진 문을 두고는 명절을 맞이하기가 마뜩잖던 엄마에게 새 문종이를 바르는 일은 가을맞이이며 추석맞이였다. 여름 지나 선득하게 달라진 바람에 식구들이 감기 들지 않게 하려는 마음이 발동해서였기도 했을 것이다. 그게 그 시절에 누린 엄마의 최대의 낭만이었나.

그는 자신도 모르게 여동생처럼 양복 바지주머니에 손을 집어넣었다. 문고리 옆에 덧붙여진 단풍잎은 추석이 지나고 겨울이 오고 흰눈이 내릴 때도 그리고 새봄이 와 새 단풍잎이 돋을 때도 그 자리에서 식구들과 함께 있곤 했다.

엄마의 실종은 그가 까마득히 잊어버린 줄 알았던 기억 속의 일들을 죄다 불러들였다. 그 문짝까지도.

역촌동도 옛날의 역촌동이 아니었다. 그가 이 도시에 맨 처음 자신의 이름으로 된 집을 가졌을 땐 골목이 많고 주택이 많은 동네였으나 지금은 고층아파트들이 쭉쭉 뻗어 있고 의류상가들이 들어서 있었다. 그때는 역촌동 중심부에 있는 서부시장을 찾지 못해 그와 여동생은 아파트 앞과 뒤를 두번이나 왔다갔다 하다가 결국 지나가는 여학생에게 서부시장이 어디냐고 물어야 했다. 여학생이 저쪽으로 가면 나온다고 일러주는 방향은 그들이 이쪽일 거라고 생각하며 찾던 곳의 반대편이었다. 그가 매일 지나치며 바라보던 공중전화부스가 있던 자리엔 대형마트가 들어서 있었다. 아내가 갓 태어난 딸이 자라면 입히겠다며 스웨터를 뜨기 위해 손뜨개를 배우러 다니던 털실가게 따위는 눈에 띄지도 않았다.

— 저긴가봐, 오빠!

그때는 대로변에 있었다고 기억하는 서부시장은 새로 난 길 사이에 묻혀 간판이 제대로 보이지도 않았다.

— 서부시장 앞이라고 했는데.

여동생이 시장 입구 쪽으로 먼저 뛰어가더니 그가 있는 쪽으로 돌아서서 상점들을 쭉 살펴보았다.

— 저기네!

여동생이 가리키는 쪽을 돌아다보니 분식집과 피시방 사이에 서부약국이란 간판이 보였다. 안경을 쓴 오십대 중반의 약사가 약국으로 들어오는 그와 여동생을 바라보았다. 여동생이 아드님이 가져온 전단지 보고 전화 주셨죠? 하고 묻자 약사는 안경을 벗었다.

— 근데 어쩌다가 어머니를 잃어버렸소?

엄마를 잃고 지금까지 사람들에게서 들은 말 중에서 가장 듣기 거북한 소리였다. 엄마를 어떻게 잃어버렸는지 알리려는 게 아니라 잃어버린 엄마를 찾으려고 하는 그들에게 사람들은 매번 어쩌다가 어머니를 다 잃어버렸느냐고 물어왔다. 그 질문에는 호기심과 질타가 섞여 있었다. 처음에는 세세히 서울역에서, 지하철역에서…… 설명하던 그들은 이제 그렇게 됐습니다, 하고선 입을 다물었다. 그리고 침통한 표정을 지었다. 그래야 어쩌다 잃어버렸느냐는 질문에서 벗어날 수 있었다.

— 혹시 치매요?

여동생은 대답하지 않았고 그는 아니라고 부정했다.

— 그런데 찾는 마음이 어째 그렇소? 전화한 지가 언젠데 이제 오시오?

약사는 마치 일찍 왔으면 엄마를 만날 수 있었는데 그들이 늦게 와서 방금 엄마가 다른 곳으로 떠나기라도 한 양 말했다.

— 언제 보셨어요? 제 엄마 같아요?

여동생이 전단지를 내밀며 엄마를 가리키자 약사는 엿새 전에 보았다고 했다. 약국 건물 삼층에서 살고 있다는 그 약사는 새벽에 약국 셔터를 열려고 내려왔는데 옆건물 분식집 쓰레기통 옆에 늙은 여자가 자고 있었다고 했다. 파란색 슬리퍼를 신고 있었다고 했다. 얼마나 걸었는지 엄지 쪽 발등이 깊이 패어 뼈가 들여다보일 지경이었다고 했다. 상처가 곪아터지고 또 터져서 손을 쓸 수 없을 지경이었다고 했다.

— 내가 약사인데 그 상처를 보고선 그냥 둘 수가 없었소. 상처를 소독하는 게 우선인 거 같아서 약국 문을 열고 들어와 소독제와 탈

지솜을 꺼내가지고 갔더니 깨어 있습디다. 낯선 사람인 내가 발을 만지는데도 무기력하게 가만있었소. 그 정도 상처면 소독할 때 비명을 질러야 옳은데 아무런 반응을 보이지 않아 내가 다 의아했소. 염증이 오래되어 농이 계속 흘러나왔소. 냄새도 지독히 났소. 소독을 몇번이나 했는지 모르오. 소독을 마치고 약을 바르고 밴드로는 안되겠기에 붕대로 감아주었소. 아무래도 누가 보호를 해줘야 할 것 같아서 경찰서에 전화를 걸려고 안으로 들어와 전화를 걸려다가 혹시 누구 아는 사람이 있나 물어나보려고 다시 나왔더니 배가 고픈지 쓰레기통에 버려진 김밥을 집어먹고 있습디다. 내가 밥을 먹게 해줄 테니 그건 버리라고 해도 안 버려서 내가 뺏어다 버렸소. 버리라고 해도 안 버리더니 뺏으니까 또 가만있습디다. 우선 약국 안으로 들어오라고 했소. 말을 못 알아듣는지 그래도 가만있습디다. 혹시 귀를 못 듣소?

여동생은 가만있었고 그는 아니라고 또 부정했다.

― 어디 사느냐? 아는 사람 이름이 있느냐? 알고 있는 전화번호를 대면 전화를 걸어주겠다, 별별 말을 다 해봐도 그냥 눈만 껌벅거리고 가만있었소…… 안되겠다 싶어 약국 안으로 들어가 경찰서에 전화를 걸어놓고 나와보니 없었소. 이상한 일이지. 전화 건 시간이 얼마나 된다고 그사이에 보이질 않습디다.

― 우리 엄만 파란 슬리퍼를 신지 않았어요. 베이지색 샌들을 신었어요. 분명히 파란 슬리퍼예요?

— 그렇소. 하늘색 셔츠를 받쳐입었는데 겉에 입은 것이 흰색인지 누런색인지 너무 더러워서 분간이 안 가긴 했소. 치마도 흰색이 더럼을 타서 베이지색이 된 건지 어쩐지 모르지만 주름치마를 입고 있었소. 종아리는 모기에 뜯겨 성한 데가 없이 피투성이였고.

파란 슬리퍼만 빼고는 실종된 엄마의 복색이다.

— 여기 엄마는 한복차림이잖아요. 머리스타일도 완전 다르고…… 잃어버렸을 때 모습이 아니라 최고로 단장하고 찍은 사진이에요. 그분의 꼴을 보고 어떻게 우리 엄말 떠올리죠?

약사가 봤다는 사람의 행색이 너무 처참해서인지 그의 여동생은 엄마가 아니길 바라는 눈치였다.

— 이분 맞아요. 눈이 똑같았소. 내가 어려서 소몰이를 해봐서 이 눈을 많이 봤소. 어떤 모습을 하고 있거나 눈이 똑같은데 왜 몰라본단 말이오?

여동생이 약국의 의자에 주저앉았다.

— 그래서 경찰은 왔습니까?

— 바로 다시 전화를 했지. 사라져버렸으니 올 필요가 없다고.

그를 기다리고 있던 여동생이 그의 축 처진 어깨와 느린 걸음을 보고는 어린이놀이터의 나무의자에서 일어났다. 밤이 깊은 탓인지 놀이터엔 아이들은 없고 산책 나온 노인들 몇몇이 군데군데 앉아 있었다. 약국에서 나온 그와 여동생은 새로 생긴 아파트의 어린이

놀이터에서 두 시간 뒤에 만나기로 하고 흩어졌다. 그는 그가 살던 때의 집들이 사라지고 새 아파트들이 들어선 쪽을, 여동생은 옛날 거리가 아직 조금은 남아 있는 서부시장 쪽을 뒤졌다. 혹시 엄마일지도 모를 그 여인이 분식집 옆의 쓰레기통에서 김밥을 주워먹었다는 얘기를 들어서일 것이다. 그는 모든 건물의 쓰레기통 옆을 유심히 살폈다. 아파트 분리수거함들이 놓인 곳도 빠짐없이 훑었다. 그러다가 그는 그가 살던 집이 있던 자리는 어디쯤일까 가늠해봤다. 이 동네에서 가장 길었던 골목 끝에서 두번째 집. 골목이 하도 길어 밤늦게 귀가할 때면 두번쯤은 뒤돌아보아야 도착할 수 있었던 그 집.

혹시 엄마가 그 집을 찾아 여기에 왔던 것일까?

그 집에 처음 방문하던 날 엄마는 시골에서 웬만한 찜통 크기의 양은주전자에 가득 팥죽을 담아 들고 서울역에 내렸다. 자동차가 없던 때라 마중을 나간 그가 팥죽이 든 주전자를 받아들며 이 무거운 걸 뭐 하러 들고 왔느냐고 짜증을 내도 엄마는 마냥 웃기만 했다. 골목에 들어서자마자 엄마는 이 집이냐? 묻고 지나치면 다음 집을 가리키며 저 집이냐? 물었다. 그가 그 집 앞에서 걸음을 멈추며 이 집이에요, 했을 때 엄마의 얼굴에 번지던 웃음. 대문을 슬쩍 밀어보는 엄마는 여행을 떠나온 소녀 같았다. 와, 마당도 있구나.

감나무도 있고 이건 뭐냐 포도나무 아니냐! 엄마는 집에 들어서자마자 주전자에서 팥죽을 한 사발 덜어내 집구석을 돌아다니며 여기저기 뿌렸다. 이래야 나쁜 운이 못 들어온다, 했다. 이 도시에 처음 집을 갖게 된 건 마찬가지였던 그의 아내가 들뜬 목소리로 방 세 개 중 하나를 열어 보이며 이젠 여기가 어머니 방이에요, 서울에 오시면 이제 여기서 편히 주무세요, 하자 엄마는 방 안을 들여다보며 내 방도 있느냐!며 미안한 표정을 지었다.

그날밤 자정도 지나서였다. 마당에 기척이 느껴져 그가 방 안에서 창으로 밖을 내다봤다. 엄마가 마당을 왔다갔다 하고 있었다. 엄마는 대문을 만져보고 포도나무를 만져보고 현관으로 들어오는 계단에 앉아보았다. 밤하늘을 올려다보다가 감나무 아래로 가서 서보기도 했다. 밤새 엄마가 마당을 서성거릴 것 같아 그가 창을 열고 내다보며 그만 들어와 주무세요,라고 말했다. 엄마는 너는 왜 안 자냐! 하더니 그의 이름을 처음 불러보는 사람처럼 은근히 형철아 이리 좀 나와봐라, 했다. 그가 마당으로 나오자 엄마는 주머니에서 봉투를 꺼내 그의 손에 쥐여주었다. 이제 문패만 달면 되겠구나. 문패는 꼭 이 돈으로 해라. 그가 문패값이 든 봉투를 받아든 채로 엄마를 바라보자 엄마는 빈손을 마주 비볐다.

— 엄마가 미안하다, 니가 집을 사는디도 아무것도 못히줘서.

그날 첫새벽에 화장실에 갔다가 그는 엄마가 자고 있는 방의 문을 가만히 열어보았다. 엄마는 여동생과 나란히 곤한 잠에 빠져 있었다. 엄마의 입은 벌어진 채 웃고 있었고 여동생의 팔은 자유롭게 저만치 뻗쳐 있었다.

서울에서의 첫밤을 스무살이던 그와 동사무소 숙직실에서 보낸 뒤로도 엄마는 서울에 와도 편히 잘 방이 없었다. 친척의 결혼식에 참석하러 전세버스를 타고 서울에 온 엄마를 그나 동생들이 보러 가는 그때도 엄마의 짐은 한보따리였다. 엄마는 결혼식이 끝나지도 않았는데 그나 동생들을 재촉해 그들이 살고 있는 자취방으로 왔다. 엄마는 결혼식장에 가기 위해 입은 양장을 재빨리 벗었다. 엄마의 보퉁이에선 신문지에 싸고 비닐에 싸고 때로는 호박잎에 싼 것들이 수두룩이 쏟아졌다. 엄마가 보퉁이 한구석에 둘둘 말아 끼워둔 헐렁한 셔츠와 잔꽃무늬 몸뻬바지로 갈아입는 데는 일분도 걸리지 않았다. 신문지와 비닐과 호박잎 속에서 나온 밑반찬들을 찬장의 그릇에 옮겨담아놓은 뒤 엄마는 손을 탁탁 털고서는 얼른 이불홑청을 뜯어 빨았다. 절여서 물을 빼온 배추로 김치를 담그고 연탄불이나 곤로에 그을린 밥솥을 쇠솔로 박박 문질러 윤이 번쩍 나게 닦고 그사이 옥상에 널어놓아 볕에 마른 홑청을 꿰매주고 쌀을 씻고 된장국을 끓여 저녁상을 보았다. 상엔 엄마가 집에서 만들어온 장조림, 멸치볶음, 깻잎김치 들이 접시마다 소복이 놓였다. 엄마는 그와 동생들이 밥을 뜨면 밥숟가락에 장조림을 하나씩 얹어주었다. 엄마도 먹으라고 하면 나는 배부르다…… 했다. 그들이 물린 상을 치우고 수도꼭지 밑에 놓인 고무통에 물을 가득 받아 수박한통을 사다 띄워놓은 뒤 엄마는 또 재빨리 결혼식장에 갈 때만 입는 단벌 양장으로 갈아입고는 나 좀 서울역에 데리다도라, 했다. 그땐 이미 밤이었다. 하룻밤만 주무시고 가라, 해도 엄마는 나는 가야헌다, 낼 볼일이 있다, 했다. 엄마한테 볼일이란 밭일이거나 논일이었다. 밭일이나 논일이 하룻밤 자고 간다 해서 잘못될 것도 없음에도 엄마는 그 밤에 기어이 기차를 타고 내려갔다. 방이 두개도 아니고 한개뿐이어서였으나, 다 자란 자식 셋이 맘껏 움직이지도 못하고 서로 부딪칠까봐 웅크리고 자야 하는 방이라서였으나, 엄마는 그저 나는 가야 헌다, 낼 볼일이 있다, 했다.

빈손으로 시골집으로 돌아가는 밤기차를 기다리는 서울역에서 엄마의 고단한 모습은 그에게 늘 새로운 각오를 다지게 했다. 어서 돈을 벌어 방 두개 있는 곳으로 옮겨야지. 전셋집을 얻어야지. 이 도시에 어서 집을 가져야지. 그래서 저 여인이 편히 자고 갈 수 있는 방을 마련해야지. 그는 엄마가 밤기차를 타고 돌아갈 때마다 입장권을 끊어 엄마와 함께 기차가 서 있는 역 구내로 들어갔다. 엄마가 앉을 좌석을 찾아주고 엄마 손에 바나나우유나 붉은 귤이 든 봉지를 내밀었다.

— 졸지 말고 꼭 J역에 내리세요.

엄마는 슬픈 얼굴로, 어떤 때는 단호한 얼굴로 그를 단속했다.

— 여그서는 동생들한테 니가 아비고 어미다.

고작 스물몇살의 그가 손을 비비고 서 있으면 엄마는 좌석에서 일어나 그의 손을 바르게 펴주고 어깨도 바르게 펴주었다.

— 형이 의젓해야 쓴다. 형이 본보기가 되어야 해. 형이 엇나가 믄 동생들도 그 길로 가는 법이다.

기차가 떠나려 하면 엄마의 눈엔 눈물이 고였다. 눈물이 고인 눈으로 엄마는 그를 보며 웃었다. 그러곤 말했다. 엄마가 미안하다, 형철아.

그의 엄마가 J역에 내렸을 때는 꼭두새벽이었을 것이다. 마을로 들어가는 첫 버스는 빨라야 아침 여섯시가 지나서 있었을 것이다. 그의 엄마는 기차에서 내려 새벽길을 걸어걸어 집으로 돌아갔을 것이다.

— 전단지라도 더 가져왔으면 붙이고라도 갈 텐데.

— 내일 내가 가져와서 붙일게.

그는 내일 홍천 모델하우스로 사장 측근들을 수행해야 했다. 빠질 수 없는 일이었다.

— 진이 엄마 보낼까?

— 올케는 쉬게 둬. 아버지도 계신데.

— 그럼 막내를 부르든지.

— 그 사람이 도와줄 거야.

— 그 사람?

— 엄마를 찾으면 그 사람이랑 결혼하려구. 엄마가 나 결혼하길 원했잖아.

— 그리 마음먹기 쉬운 일이었음 진작에 할일이지.

— 엄마를 잃어버리고 나니 모든 일에 답이 생기네, 오빠. 엄마가 원하는 거 그거 다 해줄 수 있었어. 별일도 아니었어. 내가 왜 그런 일로 엄마 속을 끓였나 몰라. 비행기도 안 탈 거야.

그는 침울해져 여동생의 어깨를 두드렸다. 엄마는 여동생이 비행기를 타고 다른 나라에 가는 것을 싫어했다. 사고가 나면 한꺼번에 이백명도 넘는 사람이 죽는다는데 무섭지도 않느냐는 것이었다. 전쟁통이라면 자기 힘으론 할 수 없어 그런다지만 어찌 그리 자기 목숨을 허망하게 내놓고 다니느냐는 것이 엄마의 의견이었다. 비행기 타지 말라는 엄마의 간섭이 심해지자 여동생은 엄마 몰래 비행기를 타고 다녔다. 개인적인 여행을 가든 일로 가든 비행기를 타고 갈 일이 생기면 여동생은 엄마에겐 알리지도 않고 떠났다.

— 그 집의 장미꽃이 참 이뻤는데……

그가 어둠속에서 여동생을 응시했다. 그도 막 그 집의 장미를 생각하는 중이었다. 그가 집을 갖게 되고 처음 맞이한 봄에 서울에 온 엄마는 장미를 사러 가자고 했다. 장미요? 엄마의 입에서 장미라는 말이 나오자 그는 잘못 들기라도 한 듯 장미 말인가요? 다시 물었다. 붉은 장미 말이다, 왜? 파는 데가 없냐? 아뇨, 있어요. 그가 엄마를 구파발에 쭉 늘어서 있는 묘목을 파는 화원으로 데리고 갔을 때 엄마는 나는 이 꽃이 젤 이뻐야, 했다. 엄마는 생각보다 훨씬 많은 장미 묘목을 사와서 담장 가까이에 구덩이를 파고 허리를 굽혀가며 심었다. 그는 엄마가 콩이라든지 감자라든지 들깨가 아닌, 배추나 무나 고추같이 씨앗을 뿌리든 모종을 하든 수확해서 먹을 것이 아닌, 보기 위해서 꽃을 심는 모습을 처음 보았다. 엄마의 그 모습이 낯설어 그가 담과 너무 가까이에 심는 거 아니냐고 하자 엄마는 담 바깥에 사람들도 지나다님서 봐야니께, 했다. 그 집을 떠나올 때까지 봄마다 장미는 만발했다. 장미를 심을 때의 엄마의 소망대로 그 집 앞을 지나가던 사람들은 장미가 필 적이면 담장 아래서 잠시 발걸음을 멈추고 큼큼 장미향기를 맡았다. 비가 온 뒤면 담장 아래 떨어진 붉은 장미꽃잎이 수두룩했다.

저녁밥 대신 역촌동의 대형마트 안 호프집에서 생맥주를 두잔 마신 여동생이 가방 주머니에서 수첩을 꺼내더니 어느 쪽을 펼쳐 그 앞에 내밀었다. 생맥주 두잔인데 빈속에 마셔서인지 여동생의 얼굴이 붉어졌다. 그는 여동생이 내민 수첩에 적혀 있는 문장을 불빛에 비춰가며 읽었다.

나는 앞을 보지 못하는 아이들에게 책을 읽어줄 생각이다.

나는 중국어를 배워야겠다.

나는 돈을 많이 가지게 되면 소극장을 소유하고 싶다.

나는 남극에 가보고 싶다.

나는 산티아고 성지 트레킹을 떠나고 싶다.

밑으로 서른 칸은 넘게 나는,으로 시작하는 문장들이 줄지어 있었다.

— 이게 뭐냐?

— 지난 12월 31일에 새해를 맞이하며 글 쓰는 거만 빼고 내가 하고 싶은 것들을 재미로 적어본 거야. 앞으로 십년 동안은 꾸준히 해야 할 것들이거나 하고 싶은 것들. 근데 내 어떤 계획에도 엄마와 무엇을 함께하겠다는 건 없더라. 쓸 때는 몰랐어. 엄마 잃어버리고 나서 다시 보니 그렇더라구.

여동생의 눈이 물기로 반짝였다.

술에 취한 그가 엘리베이터에서 내려 초인종을 눌렀으나 안에서 문을 여는 기척이 없었다. 그는 몸을 비틀거리며 주머니에서 열쇠를 꺼내 문을 땄다. 여동생과 헤어져 집에 오는 동안 그는 술집을 두 군데 더 들렀다. 어쩌면 엄마일지도 모르는 파란 슬리퍼를 신고 있었다는, 어쩌나 걸었는지 슬리퍼에 발등이 패어 뼈가 보일 지경이었다는 사람이 눈앞에 어른거릴 때마다 술을 한잔씩 더 마셨다. 실내등이 켜진 거실에 정적이 흘렀다. 엄마가 가져다놓은 성모상이 그를 응시했다. 그는 비척거리며 안방으로 가려다가 아버지가 기거하고 있는 딸의 방 문을 슬며시 밀어보았다. 딸의 침대 아래 요를 깔고 등을 모로 세우고 잠든 아버지의 모습이 보였다. 그는 방 안으로 들어가 밀려나간 이불을 끌어당겨 아버지를 덮어주고 가만히 문을 닫고 나왔다. 부엌으로 들어가 식탁에 놓인 물병을 기울여 컵에 물을 따라 마시고 집 안을 둘러보았다. 아무것도 변한 게 없다. 냉장고 돌아가는 소리도 여전하고 설거지를 뒤로 미루기 좋아하는 아내가 개수대에 쌓아놓은 그릇들도 그대로다. 그는 얼굴을 떨구고 안방으로 들어가 자고 있는 아내를 물끄러미 내려다보았다. 아내의 목에서 목걸이가 반짝거렸다. 그는 아내가 덮고 있는 침대 시트를 확 젖혔다. 아내가 눈을 비비며 일어나 앉았다.

— 언제 왔어요?

지금 잠이 오느냐!는 무언의 질타를 내포하고 있는 그의 거친 행동에 아내는 곧 한숨을 내쉬었다. 엄마를 잃어버린 뒤 날이 갈수록 그는 불쑥불쑥 아내에게 화를 내는 일이 잦아졌다. 집에 들어오면 화가 더 났다. 둘째가 전화를 걸어와 상황을 물으면 몇마디 대꾸해주다가 니가 나한테 알려줄 건 없냐! 너는 대체 뭐 하는 놈이냐!고 버럭 성을 냈다. 아버지가 당신이 서울에 있다 한들 아무 도움이 되

지 않으니 시골에 내려가겠다고 할 때도 그는 시골에서 뭐 하시게
요! 언성을 높였다. 아내가 차려주는 아침식사를 거들떠보지도 않
고 출근하기 일쑤였다.

— 술 마셨어요?

아내가 그가 쥐고 있는 침대 시트를 빼내 펼쳐놓았다.

— 잠이 와?

아내가 옷매무새를 가다듬었다.

— 잠이 오냐구!

— 그러면 나보고 어쩌라구요!

참다못한 아내가 그에게 소리를 질렀다.

— 당신 때문이야!

억지라는 것을 그도 알았다.

— 왜 나 때문이에요?

— 마중나갔으면 됐잖아!

— 진이 반찬 갖다주러 갔다왔다고 했잖아요.

— 왜 그날 가! 부모가 시골에서 올라온다는데 그것도 생신이라
서 올라오는데 왜 하필 그날 갔냐구!

— 아버님이 혼자서 찾아가실 수 있다고 했다구요! 그리구 서울
엔 우리만 있어요? 더구나 그날은 둘째네에 간다고 하셨다구요. 뿐
예요? 아가씨네도 있고…… 막내도 있잖아요. 서울에 오신다고 꼭
우리집에 계셔야 하구 내가 마중나가야 한다는 법이라도 있느냐구

134

요. 진이한텐 이주일째 가보지 못해서 먹을 게 하나도 없는 거 뻔히 아는데 어떻게 안 가봐요. 나도 진이한테 다니랴 어쩌랴 몸이 부서진다구. 게다가 진이도 시험인데…… 진이한테 그게 얼마나 중요한 시험인 줄 알고나 있어요?

  — 다 큰 애를 언제까지 반찬해서 날라다주고 있을 거며 할머니를 잃어버렸다는데도 얼굴도 안 비치는 애야.

  — 진이가 와서 뭘 해요? 내가 오지 말라구 했어요. 우리도 찾아볼 만큼 다 찾아봤잖아요. 경찰도 못 찾는 걸 우리가 어떡해요. 서울의 이 많은 집들마다 초인종 눌러가며 혹시 여기 우리 어머니 안 계시냐고 물어요? 어른들도 속수무책이라 이러구 있는 판인데 진이가 뭘 하느냐구. 학교 다니는 아이는 학교 다녀야지, 그럼 어머니 안 계시다고 우리 모두 자기 일 팽개치고 말아요?

  — 안 계신 게 아니라 잃어버렸잖아.

  — 글쎄 나보고 어쩌라는 거냐구요! 당신도 회사 다니잖아요!

  — 뭐?

그가 분개해서 방 안에 있는 골프채를 집어던지려고 할 때였다.

  — 형철아!

딸의 방에서 자고 있는 줄 알았던 아버지가 열린 방문 앞에 서 있었다. 그가 손에서 골프채를 내려놓았다. 그와 아내를 물끄러미 바라보던 아버지가 몸을 돌렸다. 자식들 편하라고 생신을 지내러 서울에 온 아버지였다. 예정대로 생신이 치러졌다면 아내가 예약해놓은 한정식집에서 차려낸 식탁 앞에서 엄마는 또 내 생일도 이거와 함께인 거다!라는 말을 했을 것이다. 엄마를 잃어버리는 통에 생신을 치르기로 한 날도 그냥 지나갔고 아버지 생신 며칠 뒤에 연이어 있는 시골 제사도 작은집과 고모가 지냈다.

그가 따라나갔을 때 아버지가 방문을 열다가 뒤돌아보았다.

— 다, 내 죄다.

— ………

— 싸우지 마라. 니 마음 모리는 것 아닌디 그런다고 뭔 방도가 있냐. 나 만나 못나게 살었지만 덕이 많은 사람잉게 살어는 있을 것이여. 살어 있으믄 뭔 소식이 오지 않겄냐.

— ………

— 나는 이제 집에 갈란다.

아버지는 잠시 그를 바라보며 우두커니 서 있다가 안으로 들어갔다. 그는 닫힌 방문을 바라보며 입술을 깨물었다. 불쑥 가슴으로 열기가 치밀어올랐다. 그는 두 손바닥으로 가슴을 쓸어내렸다. 습관처럼 얼굴을 비비려다가 손을 내렸다. 엄마의 온화하고 투박한 손길이 느껴졌다. 엄마는 그가 손바닥을 마주 비비거나 어깨를 움츠리는 것을 싫어했다. 엄마 앞에서 그 모습을 보이면 엄마는 당장 그의 손바닥을 펴주고 어깨를 바로 세워주었다. 그가 고개를 숙일라치면 엄마는 그의 등을 손바닥으로 툭 쳤다. 사내는 의젓해야 한다,면서. 그는 검사가 되지 못했다. 엄마는 그에게 니가 하고 싶어

하는 것,이라고 했지만 그는 그것이 엄마의 꿈이기도 했다는 것을 미처 생각하지 못했다. 그는 자신이 청년시절에 꾼 꿈을 이루지 못한 것이라고만 생각했지 그의 엄마의 꿈을 좌절시킨 것이라고는 생각지 못했다. 엄마는 일평생 그가 하고 싶은 것을 하지 못하게 한 게 엄마 자신이라고 여기며 살았다는 것을 그는 이제야 깨달았다. 미안한 사람은 저예요, 나는 약속을 못 지켰으니까. 엄마를 찾아내면 오로지 엄마만을 돌보고 싶은 욕망으로 그의 가슴은 터질 듯했다. 그러나 그는 자신은 이미 그럴 능력을 상실했다는 것도 알았다.

그는 거실 바닥에 무릎을 꿇었다.

3장

나, 왔네

굳게 잠겨 있는 파란 대문 앞에 젊은 여자가 집 안을 기웃거리고
있었다.

　─ 누구요?
　당신이 뒤에서 기침소리를 내자 젊은 여자가 뒤를 돌아다보았
다. 머리를 뒤로 묶고 매끈한 이마를 지닌 여자의 눈에 반가움이 실
렸다.
　─ 안녕하세요!
　당신이 바라보자 젊은 여자가 미소지었다.
　─ 여기가 박소녀 아주머니 댁이지요?
　오래 비워둔 집 문패엔 당신 이름만 새겨 있다. 박소녀. 아내를
두고 할머니라 하지 않고 아주머니라 칭하는 소리를 오랜만에 듣
는다.

— 무슨 일로?

— 아주머니 안 계세요?

— ………

— 정말 실종되신 거예요?

당신은 젊은 여자의 눈을 물끄러미 바라보았다.

— 누구요?

— 아, 저는 남산동의 소망원에 있는 홍태희라고 합니다.

홍태희? 소망원?

— 고아원이에요. 아주머니가 너무 오래 나오지 않으셔서 걱정하고 있었는데 이걸 봤어요.

젊은 여자가 당신에게 내미는 건 아들이 낸 신문광고였다.

— 어찌된 일인가 궁금해서 몇번 왔었는데 늘 문이 잠겨 있었어요. 오늘도 그냥 돌아가야 하나 했는데…… 어찌 된 건지 얘기나 좀 들어보고 싶어서. 책을 읽어드려야 하는데……

당신은 대문 앞에 놓인 돌을 들어내고 열쇠를 꺼내 문을 땄다. 오래 비워둔 집 대문을 손으로 밀면서 혹여 싶어 안의 기척을 살폈다. 조용하다.

당신은 홍태희라고 자신을 소개한 젊은 여자를 안으로 들어오게 했다. 책을 읽어드리기로 약속했다니? 아내에게 말인가? 당신은 아내로부터 소망원 이야기도 홍태희라는 이 여자 얘기도 들어본 적이 없다. 홍태희는 마당으로 들어서자 안을 향해 아주머니? 하고 불렀다. 아내가 실종되었다는 것을 믿을 수 없는 모양이었다. 아무 대답이 없자 홍태희의 얼굴이 조심스러워졌다.

— 집을 나가셨어요?

— 아니오, 잃어버렸소.

— 네에?

— 서울서 잃어버렸단 말이오……

— 아주머니를요?

홍태희의 눈이 휘둥그레졌다. 아내가 십여년 전부터 소망원에 와서 아이들을 목욕시키고 빨래를 하고 소망원 마당에 농사를 지어주기도 한다고 했다.

아내가?

홍태희는 아내가 한달에 사십오만원씩 소망원에 후원금을 내고 있는 존경하는 분이라고 했다. 몇년째 단 한번도 거른 적이 없다고도 했다.

사십오만원씩?

서울의 자식들이 얼마씩 걷어서 매달 아내 앞으로 보내는 돈이 육십만원이었다. 자식들은 시골 살림이니 그 돈이면 두 사람이 쓰고 살 정도는 되려니 여기는 듯했다. 적은 돈은 아니었다. 그 돈을 아내는 처음엔 당신과 나눠쓰더니 어느날부턴가 이 돈은 자신이 다 쓰겠다고 했다. 왜 갑자기 돈 욕심이 생겼는지 의아했지만 아내는 어디다 쓰는지 용도는 묻지 말라고 했다. 자식들을 다 키워냈으니 그 돈을 쓸 자격은 있다고 생각한다고 했다. 오래 생각해둔 말 같았다. 그러지 않고서야 이 돈을 쓸 자격은 있다고 생각한다, 같은 어투를 사용하지 않았을 것이다. 그것은 당신이 알고 있는 아내의 말투가 아니었다. 일일연속극에서 들은 말 같기도 했다. 아내가 며칠을 혼자서 그 말을 허공에다 대고 연습해보았으리란 짐작이 갔다.

언젠가 아내가 논 세 마지기를 자기 명의로 해달라고 한 때가 있었다. 왜 그러느냐 물으니 인생이 허망해서 그런다고 했다. 자식들이 다 제 갈길을 가고 나니 쓸모없는 인간이 된 것 같다고 했다. 오월 어버이날인가 자식들 누구로부터도 연락이 없던 다음 일이었다. 아내는 읍내의 문구점에 나가 낳아주시고 길러주셔서 고맙습니다,라는 문구가 씌어진 리본 달린 카네이션 두 송이를 사왔다.

— 누가 볼깜 습소!

신작로에 서 있는 당신을 집으로 가자 하더니, 집에 와서도 방 안으로 들어가게 하더니 문을 걸어잠그고 당신의 점퍼 앞자락에 카네이션을 달아주었다.

— 내가 자식이 몇인디 오늘 같은 날 꽃 한송이 안 달고 댕기믄 사람들이 뭐라겄어요? 그래서 사왔네.

아내는 자기 옷 앞자락에도 자기가 사온 꽃을 달았다. 꽃이 자꾸 처지자 두번이나 반듯하게 다시 달았다. 당신은 대문을 나서자마자 꽃을 떼어버렸으나 아내는 종일 그 꽃을 달고 다녔다. 그러곤 그

다음날은 끙끙 앓아누웠다. 한 며칠 잠을 설쳐가며 뒤척이더니 벌떡 일어나 논 세 마지기를 자기 박소녀 앞으로 해달라고 했다. 우리 논은 다 당신 논인데 새삼 세 마지기를 이전해달라니 그건 당신이 손해보는 일이라 했더니 그건 또 그렇네이, 시무룩한 표정을 지었다. 그런데 자식들이 보내오는 돈을 모두 자신이 써야겠다고 말할 때의 아내는 단호했다. 아내의 기세에 거스를 마음이 생기지 않았다. 그랬다간 큰 싸움이 나겠다는 생각이 들었다. 당신은 조건을 달았다. 자식들이 보내주는 돈을 아내가 다 차지하는 대신 당신에게서 돈을 타가는 일은 없기로. 아내는 선선히 그러마고 했다. 옷을 사입는 것 같지도 않고 따로 무엇을 하는 것 같지도 않은데 슬쩍 통장을 보면 같은 날에 꼬박꼬박 사십오만원이 한꺼번에 빠져나갔다. 어쩌다 돈이 늦게 들어오면 형제들이 보내는 돈을 모아서 다시 아내에게 부치는 딸애에게 전화를 걸어 돈을 보내달라고까지 했다. 그것도 아내다운 일은 아니었다. 어디다 그 돈을 쓰는지 묻지 않기로 했기 때문에 묻진 않았지만, 매달 똑같은 날에 사십오만원씩 정확히 빠져나가는 것으로 보아 허망하다더니 돈을 모으려고 적금을 드는가보다 생각했다. 찾지 못했지만 그리 믿고 적금통장을 적극적으로 찾아본 적도 있었다. 홍태희의 말대로라면 아내는 그동안 육십만원 중 사십오만원을 남산동의 소망원에 후원하고 있었다는 얘기다. 당신은 아내에게 뒤통수를 얻어맞은 것 같았다.

홍태희는 자기보다 아이들이 아주머니를 더 기다린다고 했다.

아이들 중에 균이라는 이름을 가진 아이가 있는데 그 아이의 엄마 역할을 아주머니가 다 하고 있어서 특히 균이가 갑자기 아주머니가 고아원에 나오질 않으니 상심에 빠져 있다고 했다. 태어난 지 육개월도 되지 않아 이름도 없이 고아원에 버려진 아이인데 아주머니가 균이라고 이름을 붙였다고 했다.

— 균이라고 혔소?

— 네. 균이요.

균이는 내년이면 중학생이 된다고 했다. 중학생이 되면 아주머니가 책가방과 교복을 사주기로 했다고도 했다. 균이. 당신의 가슴이 서늘해졌다. 당신은 홍태희의 얘기를 가만 듣고만 있었다. 아내가 남산동의 고아원에 드나들기 시작한 지가 벌써 십년째라는데 당신은 그것조차 모르고 있었다니. 당신이 잃어버린 아내가 홍태희가 말하는 박소녀 아주머니이기는 한지 의심이 생길 지경이었다. 언제 소망원엘 다녔단 말인가? 왜 그런 말을 한번도 하지 않았단 말인가. 당신은 아들이 낸 신문광고에 난 아내의 사진을 물끄러미 들여다보다가 방 안으로 들어왔다. 서랍 깊숙이 들어 있는 앨범을 꺼내 넘기다가 아내의 얼굴이 크게 박힌 사진을 한장 떼어냈다. 딸과 함께 아내가 바닷가 방파제에서 바람에 자꾸만 벗겨져 내려가는 옷자락을 부여잡고 서 있는 사진이었다. 당신은 홍태희의 눈앞에 사진을 들이밀었다.

— 이 얼굴이 맞소?

— 어마! 아주머니!

아내의 선명한 사진을 보더니 홍태희는 아내를 만나기라도 한
듯 반갑게 불렀다. 햇볕 때문인지 이마를 찌푸린 아내가 당신을 보
고 있는 것 같았다.

— 책을 읽어주기로 했다니? 그건 무슨 얘기요?

— 소망원에서 궂은일을 도맡아하셨어요. 아이들 씻겨주는 일을
제일 좋아하셨어요. 어찌나 부지런하신지 아주머니가 왔다간 날은
소망원이 반짝반짝했어요. 무엇으로 감사드려야 하나 싶어 뭐 도
와드릴 게 없느냐고 물어도 그런 거 없다고만 하시더니 어느날 이
책을 가져오서서 한 시간씩만 읽어달라고 하셨어요. 좋아하는 책
인데 눈이 나빠져서 이젠 책을 못 읽으신다며.

— ………

— 이 책이에요.

당신은 홍태희가 가방에서 꺼내놓는 책을 응시했다. 딸애가 쓴
책이었다.

— 이 작가가 이 지방 출신이에요. 중학교까지 여기서 다녔대요.
그래서 아주머닌 이 작가를 좋아하시는 거 같던데…… 지난번에
읽어드린 것도 이 작가 책이었거든요.

당신은 딸애가 쓴 책을 집어들었다. '사랑을 완성하기 위하여.'
아내가 딸애의 소설을 읽고 싶었구나. 당신에겐 한번도 그런 얘길
한 적이 없었다. 당신은 아내에게 딸애가 쓴 글을 읽어줄 생각을 하

146

지 못했다. 다른 식구들은 아내가 글을 읽을 줄 모른다는 것을 알기는 할까. 당신이 아내가 글을 읽을 줄 모른다는 것을 알았을 때 아내는 모욕을 당한 얼굴이었다. 아내는 당신이 젊은날 집 바깥을 떠돈 일, 당신이 이따금 버럭 소리를 지르는 일, 당신이 아내에게 당신은 알 것 없어!라고 언성을 높이는 일들을 죄다 자신이 글을 몰라 무시하기 때문이라고 여겼다. 그것은 아니었으나 부정할수록 아내는 긍정으로 받아들였다. 당신은 이제야 아내의 말처럼 사실은 자신이 은연중에 그래왔을지도 모른다는 생각을 한다. 다른 사람이 아내에게 딸의 소설을 읽어주고 있을 줄은 전혀 생각하지 못했다. 이 젊은 여자 앞에서 글을 모른다는 것을 들키지 않기 위해 아내는 얼마나 애를 썼을까. 얼마나 딸의 소설을 읽고 싶었으면 이 젊은 여자에게 이 소설을 쓴 작가가 내 딸이라는 말은 못하고 눈이 잘 보이지 않으니 읽어달라고 했을까. 당신의 눈이 시어졌다. 이 젊은 여자에게 딸을 자랑하고 싶은 걸 아내는 어떻게 참았을까.

　― 참, 나쁜 사람이오.

　― 예?

　홍태희가 눈을 둥그렇게 뜨며 당신을 바라봤다. 그렇게 읽고 싶었으면 나에게 읽어달라고 할일이지. 당신은 메마르고 거친 당신의 얼굴을 두손으로 벅벅 문질렀다. 아내가 딸이 쓴 책을 읽어달라고 했으면 그때의 당신이 읽어주기는 했을까? 아내를 잃어버리기 전에 당신은 아내를 거의 잊고 지냈다. 잊고 지내지 않을 때는 대부분 무엇을 청하거나 탓하거나 방치했다. 습관이란 무서운 것이었다. 다른 사람들 앞에서는 공손한 말씨를 쓰다가도 아내에게만 오면 말투가 퉁명스럽게 변했다. 가끔은 이 지방 사람들만이 쓰는 욕설이 튀어나오기도 했다. 당신은 공손한 말투는 아내에게 써서는 안된다고 어디 책에 나와 있는 것처럼 굴었다. 그랬다.

— 나, 왔네.
홍태희가 돌아간 뒤 빈집이 되고 당신이 웅얼거렸다.

당신은 젊어서도, 결혼해서도, 자식이 생긴 뒤에도 이 집을 떠날 생각을 했다. 이 나라 땅 남쪽에 별 특징 없이 붙어 있는 이 마을에서 태어나 이 집에서 살다가 늙어죽을 것이라고 생각하면 고독해졌다. 그럴 때면 말도 없이 집을 나가 팔도를 떠돌아다녔다. 그러다가 제사 때가 되면 유전자가 시키는 것처럼 집으로 돌아왔다. 다시 나가 몸이 아파 운신할 수 없는 지경이 되면 기신기신 돌아왔다. 몸이 회복된 어느날 오토바이 타는 법을 배웠다. 그 오토바이에 아내하고는 생판 다르게 생긴 여자를 태우고 다시 집을 떠나기도 했다. 돌아오지 않겠다고 생각한 때도 있었다. 이 집 따위는 다 잊고 내질러가서 다른 인생을 살고자 하였다. 그러나 세 계절을 넘기지 못했다.

집을 떠나 낯선 것에 익숙해지면 어김없이 아내가 쉴새없이 기르는 것들이 눈앞에 어른거렸다. 강아지들이 닭들이 캐도캐도 또 나오는 감자들이…… 자식들이.

아내를 지하철 서울역에서 잃어버리기 전까지 당신에게 아내는 형철 엄마였다. 아내를 다시 만나지 못하게 될지도 모르는 상황에 처하기 전까지는 당신에게 형철 엄마는 언제나 그 자리에 있는 나무였다. 베어지거나 뽑히기 전에는 어딘가로 떠날 줄 모르는 나무. 형철 엄마를 잃어버리고 당신은 형철 엄마가 아니라 아내를 실감하기 시작했다. 오십년 전부터 지금까지 대체로 잊고 지낸 아내가 당신의 마음에서 생생하게 떠올랐다. 사라지고 난 뒤에야 손으로 만질 수 있을 것처럼 육감적으로 다가왔다.

당신은 이제야 근 이삼년 동안의 아내의 상태를 정확히 인지해냈다. 아내는 무감각 상태에 빠져 있었다. 아내는 아무것도 기억하지 못하는 순간에 놓이곤 했다. 아내는 마을의 아주 낯익은 길에서도 집을 찾지 못하고 주저앉아 있곤 했다. 오십년 동안 사용해온, 집 안의 아주 낯익은 솥이나 항아리를 도대체 이게 무엇이지? 하는 눈으로 바라볼 때가 있었다. 빠진 머리카락이 집 안 아무데서나 나뒹굴었다. 매일 보는 일일연속극 내용을 이해하지 못할 때도. 사랑이 무어냐고 물으신다면으로 시작하는 몇십년 동안 입에 달고 부

르던 노래를 잊었다. 아내가 당신을 잊은 것같이 보일 때도 있었
다. 어쩌면 자기 자신조차도.

그것만은 아니었다.

아내는 한없이 잦아들던 물속에서 무언가를 되찾은 듯 어떤 것
을 세밀하게 기억해내기도 했다. 당신이 언젠가 집을 떠날 때 광 문
틈에 끼워두고 간 돈을 싼 신문지까지. 사는 동안 말을 못했지만 떠
나면서도 그 문설주에 돈을 남겨두고 가서 고마웠다고 했다. 신문
지에 돌돌 말려 있던 그 돈을 발견하지 못했으면 그 시절을 어찌 살
아냈을지 모른다고도 했다. 아내는 가족사진을 다시 찍어야 한다
고도 했다. 지난번에 찍은 가족사진에 작은딸이 미국에서 낳아온
아이가 빠졌다며.

당신은 이제야 아내의 혼란상태를 방치했다는 것을 아프게 깨닫
는다.

아내가 두통으로 머리를 싸매고 혼절해 있을 때도 당신은 아내
가 잠을 자는 중이라고 여겼다. 아무데나 누워서 자지 않았으면 좋
겠다고 생각했다. 종내는 아내가 방문마저 열지 못해 쩔쩔맬 때조
차 당신은 눈 좀 똑바로 뜨고 다니라고 퉁박을 주었다. 아내를 보살

펴야 한다는 생각을 해본 적이 없는 당신은 아내의 뒤죽박죽이 되어버린 시간 개념을 이해할 수 없었다. 아내가 빈 돼지막 밥그릇에 젊은 시절 한때 기르던 돼지 이름을 부르며 밥을 말아 갖다붓고 그 앞에 앉아 이번엔 새끼를 한 마리 말고 세 마리는 낳아라…… 그러면 참 이쁘겠다…… 웅얼거릴 때도 당신은 아내가 싱겁게 장난을 치고 있다고 생각했다. 그해 돼지는 새끼를 세 마리 낳았다. 그 새끼 세 마리를 팔아 아내는 형철에게 자전거를 사주었다.

— 안에 있는가? 나, 왔네!
당신은 빈집을 향해 소리를 지르고 귀를 기울였다.
— 인제 오요!
당신을 반기는 아내 목소리를 기대했으나 빈집은 적막했다. 바깥일을 보러 나갔다가 집으로 돌아와 나, 왔네! 하면 어김없이 이 집 어디선가 얼굴을 내밀던 아내.
— 어찌 그리 술은 못 끊소? 나 없인 살아도 술 없인 못살 것이구마는. 자식덜이 전화질헐 때마다 그리 걱정을 해쌓느마는 그깟 것을 못 끊고 그러요!
헛개나무 달인 물을 당신 앞에 내밀면서도 아내는 잔소리를 멈추지 않았다.
— 어데 한번만 더 술 마시고 오믄 내가 집을 나가버리든지 할 것이구마는…… 저참에 병원서 의사가 안 그럽디여. 당신한티는 술

이 젤 안 좋다 안합디여. 세상이 얼마나 좋아졌는디 이 좋은 세상 더 안 보고 잪으면 계속 마시등가.

어쩌다 사람들과 점심밥 먹으러 나갔다가 낮술을 한잔하고 오면 세상이 뒤집어지기라도 한 듯 낙망하던 아내였다. 왼쪽 귀로 듣고 오른쪽 귀로 흘려버리던 아내의 잔소리가 이리 그리워질 줄은. 그 잔소리를 들으려고 기차에서 내려 역 앞 순댓국집에 들어가 괜한 낮술을 한잔 마시고 오기까지 한 당신 귀엔 아무 소리도 들리지 않았다.

당신은 옆마당 쪽 샛문 옆의 개집을 바라보았다. 개라도 기척을 낼 텐데 그저 조용하기만 하다. 개줄조차 보이지 않는 걸로 보아 개밥을 챙기는 것이 귀찮아진 당신 누님이 아예 개를 데리고 간 모양이었다. 당신은 대문을 닫는 게 아니라 활짝 열어놓고 마당으로 걸어들어와 마루에 걸터앉았다. 아내가 혼자서 서울 갈 일이 생기면 당신은 마루에 이러고 걸터앉아 있곤 했다. 아내가 서울에서 전화를 걸어와 밥은 먹었소? 물으면 당신은 언제 올랑가? 물었다. 왜요? 내가 보고 잪소? 물으면 당신은 보고 잪기는…… 내 생각 말고 이참에 실컷 있다 오소, 하였다. 당신이 무슨 말을 하든 언제 올랑가? 라고 묻는 당신의 말을 듣고 나면, 아내는 무슨 볼일을 보러 서울에 갔든 그길로 기차를 타고 돌아왔다. 당신이 돌아온 아내를 보며 뭣하러? 실컷 있다 오라니께는! 면박을 주듯 말하면 아내는 당신 땜새 온 줄 아요? 개밥 줄라고 왔구마는…… 눈을 흘겼다.

아내가 기르는 것들은 낯선 곳에서 얻은 것을 버리고 당신을 집으로 돌아오게 했다. 이 대문을 밀고 들어오면 아내는 이 집에서 때에 전 수건을 쓴 채로 형철을 책상 앞에 앉히고 고구마를 캐고 누룩을 빚고 있었다. 당신의 누님은 입버릇처럼 전쟁 때 병역기피로 집에서 잠을 잘 수 없었던 적의 버릇이 당신의 떠돌이병을 만든 것이라고 했다. 징집을 당신이 피했던 건 아니다. 피해다니는 게 지긋지긋해 스스로 경찰서를 찾아간 적도 있으니까. 당시 형사이던, 나이가 겨우 다섯 살밖에 차이나지 않는 당신의 작은아버지가 당신을 돌려보냈다. 무너진 집안이라도 당신은 엄연히 이 집안의 종손이니 살아남아야 한다고 했다. 살아남아 선산을 지키고 제를 챙겨야 한다고. 그렇다고 당신의 검지를 작두에 넣고 마디를 잘라버릴 것까진 없었다. 정작 선산을 지키고 계절마다 돌아오는 제를 지낸 건 당신 아내였으니까. 그랬을까? 집을 두고도 이슬을 맞으며 바깥잠을 자야 한 것이 당신을 방랑자로 만들었을까? 그랬을지도 모른다. 그 노숙의 습관이 당신을 집 바깥으로 떠돌게 했을지도. 집에서 자는 날이면 대문을 밀치고 누군가 당신을 잡으러 오는 것만 같아 불안해 한밤중에 도망치듯 이 집을 뛰쳐나간 적도 있었다. 어느 겨울밤에 집에 돌아와보니 자식들이 불쑥 자라 있었다. 날이 추워 모두들 한방에 모여 자고 있었다. 아내는 아랫목에 묻어둔 밥그릇을 꺼내고 상보로 덮어둔 밥상을 끌어와 당신 앞으로 밀었다. 눈보라 치는 밤이었다. 아내가 화롯불에 김을 구웠다. 고소한 들기름 냄새에 자식들이 하나둘 눈을 뜨고 당신 앞으로 모여들었다. 당신은 아내가 구워주는 김에 밥을 싸서 자식들의 입에 한개씩 넣어주었다. 큰놈 입에 넣어주고 작은놈 입에 넣어주고 큰딸애 입에 넣어주었다. 아직 입에 넣어주지 못한 작은딸이며 막내가 있는데도 큰놈은 이미 다 먹고 또 싸주기를 기다렸다. 자식들이 밥을 받아먹는 것보다 당신이 밥을 김에 싸는 속도가 더 느렸다. 당신은 자식들의 입이 무서워졌다. 이놈들을 어찌해야 하나, 싶었다. 그제야 당신은 이제 바깥은 잊어야겠다고, 이 집을 떠날 수 없겠다고 생각했다.

— 나, 왔네!

당신은 얼른 방문을 열어보았다. 방 안은 텅 비어 있었다. 이 집을 나서던 때 아내가 개어둔 수건 몇개가 접힌 채 나란히 윗목에 놓여 있다. 그날 아침에 약을 먹느라 마시고 방바닥에 내려놓은 물컵에 물이 말라붙어 있다. 벽시계는 오후 세시를 가리키고 있고 뒤꼍으로 난 방문으로 대나무 그림자가 비쳐들고 있다.

— 나, 왔단 말일세.

텅 빈 방을 향해 혼자 웅얼거리던 당신의 어깨가 눈에 띄게 처졌다. 어째 그런 생각이 들었을까. 아무도 없는 집에 혼자 뭐 하러 가느냐며 여기 내려오는 것을 극구 반대하는 아들을 뿌리치고 오늘 아침 기어이 기차를 타고 이 집으로 올 때 당신의 마음 한켠에 도사리고 있던 희망은 이 집에 들어서며 안에 있는가? 나, 왔네! 하면 방을 닦다가, 혹은 헛간에서 채소를 다듬다가, 그도 아니라면 부엌에서 쌀을 씻다가 인제 오요! 예의 그 목소리로 아내가 반겨줄 것만 같았다. 어째 그럴 것만 같았다. 그런데 집은 텅 비어 있다. 오래 비워둔 집은 괴괴하기까지 하다.

당신은 일어서서 빈집의 방문들을 죄다 열어보았다. 안에 있는가? 안방과 작은방과 부엌과 보일러실 문까지 열어보며 당신은 꼬박꼬박 안에 있는가? 물었다. 이 집에서 사는 동안 당신이 아내를 이리 간절히 찾아보긴 처음이었다. 당신이 이 집을 떠났을 때도 아내는 이리 나를 찾았을까? 당신은 메마른 눈을 껌벅이며 부엌 창문을 열고 헛간 쪽으로 시선을 주며 거기 있는가? 웅얼거렸다. 평상만이 덩그렇게 놓여 있다. 이 자리에 서서 헛간에서 뭔가 부지런히 손을 움직이는 아내를 보고 있으면 부르지도 않았는데 문득 아내가 당신이 서 있는 쪽을 바라보곤 했다. 그러곤 왜요? 뭐가 필요허요?라고 물었다. 읍에 좀 다녀오려는디 양말이 어디 있나? 하면 아내는 손에 고무장갑을 끼고 있다가도 얼른 벗어놓고 안으로 들어와 입고 나갈 옷가지들을 챙겨주었다. 당신은 텅 빈 헛간을 멍하니 바라보았다.

— 이봐…… 나, 배고픈디. 뭐 좀 먹었으믄 좋겠는디.

당신은 헛간에 놓여 있는 빈 평상을 향해 웅얼거렸다. 고추꼭지를 따거나 깻잎을 개거나 배추를 간하다가도 당신이 뭐 좀 먹었으면 좋겠다고 하면 주저없이 하던 일을 멈추고 당신 곁으로 와서는 산에 두릅이 났길래 좀 캐왔는디 두릅전 부쳐볼까? 자실라요? 하던 아내. 그때는 왜 그것이 평화롭고 복된 일이란 걸 몰랐을까. 아내 한테 미역국 한번 끓여줘본 적 없으면서 아내가 해주는 모든 것은 어씨 그리 당연하게 받기만 했을까. 언젠가 읍내에 나갔다 온 아내가 거, 시장통의 당신 잘 가는 정육점 있잖우. 오늘 고 앞을 지나가는데 그 집 아낙이 자꾸 나를 불러서 들어갔더마는 미역국을 먹고 가라길래 웬 미역국이냐 했더니 오늘이 생일인디 남편이 아침에 미역국을 끓여줬다 합디다, 했다. 당신이 그저 듣고 있으니 맛이 있었던 건 아니요! 그란디 첨으로 정육점 아낙이 부럽던디요, 그랬다. 당신의 메마른 눈이 껌벅거렸다. 어디에 있소…… 아내가 이 집으로 돌아오기만 한다면 미역국이 아니라 전도 부쳐줄 수 있을 것 같다. 나를 벌주는가…… 당신의 메마른 눈에 물기가 어렸다.

당신은 이 집을 내키는 대로 떠났다가 돌아오면서도 아내가 이 집을 떠날 수 있다는 것은 단 한번도 생각해본 적이 없었다.

아내를 잃어버리고 난 뒤에야 당신은 아내를 처음 본 때를 떠올렸다. 얼굴 한번 보지 않고 혼약이 이루어진 다음이었다. 판문점에서 유엔군 사령관과 공산군 사령관 간에 휴전협정이 이루어져 전쟁은 끝났다는데 전쟁중일 때보다 더 뒤숭숭하던 때였다. 밤이면 산에서 배고픈 인민군이 내려와 마을을 뒤지고 다니던 때였다. 혼기가 찬 처녀를 둔 이들은 밤이면 딸들을 숨기느라 바빴다. 산에서 내려온 사람들이 처녀를 끌고 간다는 소문이 이 마을 저 마을에 퍼져 있었다. 철길에 굴을 파놓고 딸을 숨기는 이도 있었다. 몇몇은 밤마다 한집에 모여 밤을 지새웠다. 바삐 딸을 결혼시키는 이도 있었다. 아내가 태어나 당신과 결혼하기 전까지 살던 마을은 진뫼였다. 당신의 누님이 진뫼의 처녀와 혼인하기로 했다고 했을 때 당신은 스무살이었다. 당신과 궁합이 아주 잘 맞는 처녀라고 했다. 진뫼. 그곳은 당신이 태어난 마을에서 십여리 들어가는 산골이었다. 다들 그렇게 얼굴 한번 보지 않고 혼인들을 하는 때였다. 식은 논에서 나락을 걷어들인 뒤 10월에 처녀의 집 마당에서 올린다고 했다. 혼인날이 정해지자 당신이 어쩌다 웃기만 해도 다들 장가가니 좋은가보다고 놀렸다. 좋은 것도 싫은 것도 아니었다. 당신의 누님이 집 살림을 맡아했으므로 다들 당신이 어서 장가를 들어야 한다고 했다. 맞는 말이었으나 얼굴도 한번 보지 않은 여자와 살 수 없다는 생각이 들었다. 당신은 이 마을에서 농사를 지으며 생을 마칠 생각도 없었다. 일손이 모자라 애들까지 논에 불려나가 일을 하던 때 당신은 친구 몇과 읍에 나가 싸돌아다녔다. 마음 맞는 친구 둘과 다른 도시로 내빼 거기에 양조장을 차릴 계획을 세웠다. 혼인보다는 날마다 돈을 어떻게 조달하느냐에 마음이 팔린 당신이 무슨 마음으로 불현듯 진뫼로 건너갔을까. 10월이면 당신과 혼인하기로 한 처녀의 집은 뒤곁에 대나무가 무성하게 우거진 오두막이었다. 지붕과 마당에는 밝은 빛이 들었으나 처녀의 얼굴은 어두워 보였다. 처녀는 무명저고리를 입고 오두막 마루에 수틀을 앞에 두고 앉아 수를 놓고 있었다. 이따금 고개를 마당으로 쑥 빼고는 하늘을 올려다보았다. 기러기들이 줄지어 날아가는 것을 사라질 때까지 바라보기도 했다. 처녀가 일어서서 오두막 바깥으로 나왔다. 뒤따라가니 목화밭이었다. 훗날 장모가 된 분이 거기서 쭈그리고 앉아 목화를 따고 있었다. 처녀가 저 멀리서부터 엄마— 하고 불렀다. 목화를 따고 있던 장모가 뒤도 돌아보지 않고 왜애? 대답했다. 흰 목화가 두 모녀 사이에서 바람에 흔들렸다. 처녀가 또 엄마! 하고 불렀다. 장모가 역시 뒤도 돌아보지 않고 왜애? 대답했다.

— 나 시집 안 가면 안돼?

당신은 숨죽였다.

— 뭐야?

— 엄마랑 같이 살먼 안돼?

목화송이가 또다시 흔들렸다.

— 안돼!

— 왜 안돼?

처녀가 거의 울먹였다.

— 그럼 산사람들한테 끌려갈 테냐?

잠시 침묵을 지키던 무명옷 입은 처녀가 목화밭에 주저앉아 발을 쭉 뻗더니 울음을 터뜨렸다. 오두막 마루에 앉아 수를 놓던 정갈한 모습이 아니었다. 어찌나 서럽게 우는지 뒤에서 지켜보던 당신조차 울고 싶어질 지경이었다. 그제야 장모가 목화밭에서 걸어나와 처녀 곁으로 갔다.

— 이 봐라! 니가 아적 어려서 안 그러냐. 나도 이 전쟁통만 아님사 이삼년은 더 널 데리꼬 있을 거인디 세상이 이리 흉흉하니 어쩌겄냐. 시집가는 것이 그리 나쁜 것이 아녀. 이 산골짝에 태어난 이상 피할 수 없는 일이여. 내가 널 학교도 못 보냈는디 시집을 안 가믄 니가 뭔 인간 노릇을 하겄냐. 내가 궁합을 봤더니 둘 사이에 복이 아주 많이 들었더라. 자식을 여럿 낳아도 하나도 잃지 않고 잘 크고 그 자식들이 잘돼서 번창헌단다. 뭐를 더 바라겄냐. 인간으로 시상에 왔으므는 짝 만나서 의좋게 지내고 지 새끼 낳아서 젖 먹여 기르고 허는 거여. 이 목화솜을 잘 틀어서 이불 만들어줄 것인게 울음 그치라이.

그래도 악악대고 우는 처녀의 등짝을 장모가 손바닥으로 내리쳤다.

— 어서 뚝 그치라이……

그래도 그치지 않자 이제는 장모조차 울음을 터뜨렸다.

두 모녀가 목화밭에서 껴안고 우는 모습을 보지 않았으면 그때 당신은 10월이 오기 전에 집을 떠났을지도 모를 일이다. 오두막 마루에 앉아 수틀을 껴안고 봉황을 수놓던 처녀가, 목화밭에서 엄마! 엄마를 부르다가 발을 뻗고 울어대던 그 처녀가 어느 밤에 쥐도 새도 모르게 산사람한테 끌려갈 수도 있다고 생각하니 당신의 발걸음이 차마 떨어지지 않았다.

당신은 아내를 잃어버리고 빈집으로 돌아와 이틀 밤 사흘 낮을 잠만 잤다. 아들네에서는 도무지 잠이 오지 않아 밤이 되어도 눈만 감고 있었다. 귀가 예민해져 건넌방의 누가 화장실에 가려고 문만 열고 나와도 눈이 떠졌다. 밥생각이 없는데도 끼니때면 다른 식구들 생각해서 식탁에 앉던 당신은 아무것도 먹지 않고 빈집에서 죽은 듯이 잠을 잤다.

오두막 마루에 앉아 봉황을 수놓다가 목화밭에서 목놓아 울어대는 아내의 얼굴을 한번 보고 혼인을 했으므로 깊이 든 정도 없다고 생각했는데, 집을 떠나 얼마가 지나면 왜 어김없이 아내가 떠올랐을까. 아내의 손은 무엇이든 다 살려내는 기술을 가졌다. 원래 이 집은 짐승이 잘되지 않았다. 아내가 이 집으로 들어오기 전에는 개를 얻어다 기르면 새끼 한번 받지 못하고 죽어나갔다. 쥐약을 먹고 똥통에 빠져죽기도 하고 무슨 까닭인지 구들 안쪽으로 기어들어간 것을 모르고 아궁이에 불을 지폈다가 누린내에 구들을 들어내고 죽은 개를 끌어낸 적도 있었다. 이 집은 개는 안된다고 당신의 누님

160

이 일렀으나 아내는 다른 집에서 막 태어난 강아지 한 마리를 눈을 가린 채 데려왔다. 아내는 개는 머리가 좋아서 데려올 적에 눈을 가리지 않으면 제 어미 곁으로 돌아간다고 믿었다. 그리 데려온 강아지는 마루 밑에서 아내가 주는 밥을 먹고 무럭무럭 자라서 새끼를 다섯 배 여섯 배 낳았다. 마루 밑에 열여덟 마리의 강아지들이 우글거리며 산 적도 있었다. 봄이면 암탉이 알을 품도록 해서 깨어난 병아리 서른 마리 마흔 마리 중에 솔개가 두어 마리 채갈 뿐 한 마리도 죽이는 법 없이 키워낸 것도 아내였다. 텃밭에 씨를 뿌리면 다 솎아먹기도 벅차게 푸른 새싹들이 아우성을 치며 올라오고 감자를 거두고 나면 당근을, 당근을 거두고 나면 고구마를 쉴새없이 심어 수확하는 것도 아내였다. 가지를 모종하면 여름이 지나 가을까지도 보라색 가지가 지천이었다. 아내의 손이 닿으면 무엇이든 풍성하게 자라났다. 아내는 땀에 전 수건을 머리에서 벗을 시간이 없었다. 밭의 풀은 돋는 동시에 아내 손에 뽑혔고 밥상에서 물려나온 음식물 찌꺼기는 잘게잘게 바수어져 강아지들 밥통에 부어졌다. 개구리 잡아 삶아 으깨어 닭모이를 주었고 거기서 나온 닭똥을 받아다가 텃밭에 묻는 일을 쉴새없이 반복했다. 아내의 손길이 스치는 곳은 곧 비옥해지고 무엇이든 싹이 트고 자라고 열매를 맺었다. 오죽하면 늘 못마땅해하던 당신의 누님마저 아내를 불러 밭에 씨앗을 뿌리게 하고 고추 모종을 해달라 하였다.

집에 돌아온 지 사흘째 되는 날 한밤중에 깨어나서 당신은 우두
커니 천장을 보고 누워 있었다. 저게 무엇이더라— 당신은 장롱
위에 올려져 있는 태극무늬가 그려진 상자를 물끄러미 쳐다보다
얼른 몸을 일으켰다. 어느 새벽에 일찍 잠이 깨어 뒤척이던 아내가
당신을 불렀던 기억. 당신은 깨어 있었으면서도 귀찮아 대답을 하
지 않았다.

— 자는 모양이요이.

아내는 깊은 한숨을 내쉬었다.

— 나보다 더 오래 살지는 마시우.

— ·········

— 내가 수의도 다 장만해놨소. 저기 장롱 위 저 태극무늬 상자에
있소. 내 것도 있소. 혹시나 내가 먼저 죽으믄 허둥지둥대지 말고
저거 먼저 챙기우. 내가 호사 좀 부렸소. 최고로 좋은 삼베로다 마
련했네. 직접 삼을 심어서 짠 베라 합디다. 보믄 당신도 눈부실 것
이네. 아름답당게요.

아내는 당신이 듣고 있는지 아닌지도 모르면서 주문을 외우듯
중얼중얼거렸다.

— 저참에 담양 당숙모 돌아가셨을 적에 당숙이 눈물바람을 헙
디다. 당숙모가 당숙한테 돌아가시기 전에 다짐을 받았다 합디다.
절대로 비싼 수의 마련하지 말라고. 혼인할 때 입었던 한복 잘 다려
서 챙겨놨응게 그거 입혀 보내달라고 했답디다. 딸애 시집도 못

보내고 먼저 가는 것도 미안헌데 자기 위해 돈 쓰지 말라고. 당숙이 나한티 기대 그 말을 하면서 어찌나 울어쌓는지 내 옷이 흠뻑 젖었어라오. 여태 고생만 시켰다고. 인자 좀 살 만헌디 죽어번졌다고 나쁜 사람이라고 죽었는디도 좋은 옷 한벌 못해주게 다짐받고 갔다고. 나는 안 그럴라요. 나는 좋은 옷 입고 갈라요. 한번 볼라요?

　당신이 기척을 안하자 아내는 또 깊은 숨을 내쉬었다.

　― 당신은 나보다 먼저 가시요이. 그러는 것이 좋겠어. 이 시상에 온 순서는 있어도 가는 순서는 따로 없다고 헙디다마는 우리는 온 순서대로 갑시다이. 나보다 세살 많으니 삼년 먼저 가시요이. 억울하면 사흘 먼저 가시든가. 나는 기냥 어찌어찌 이 집서 살다가 영 혼자는 못살겠시믄 큰애 집에 들어가 마늘이라도 까주고 방이라도 닦아줌서 살겄지마는 당신은 어쩔 것이오? 평생을 넘의 손에 살어서 당신이 헐 줄 아는 게 뭐 있소이? 안 봐도 뻔하요이. 말수도 없는 늙은이가 방 차지하고 냄새 풍기고 있으믄 누가 좋아하겄나. 우리는 인자 자식들한테 아무 쓸모 없는 짐덩이요이. 늙은이가 있는 집은 현관문 바깥서부터 알아본답디다. 냄새가 난다 안허요. 그리두 여자는 어찌어찌 지 몸 챙기며 살더마는 남자는 혼자 남으믄 영 추레해져서는 안되겠습디다. 더 살고 싶어도 나보다 오래 살지는 마요. 내가 잘 묻어주고 그러고 뒤따라갈 테니까는…… 거기까지는 내가 할 것이니께는.

당신은 의자를 놓고 올라가 장롱 위의 태극무늬 상자를 끌어내
렸다. 상자는 하나가 아니라 두개였다. 크기로 보아 앞에 있는 게
당신 것이고 뒤에 있는 게 아내 것인 모양이었다. 누워서 볼 때보다
부피가 상당했다. 당신은 상자를 바닥에 내려놓고 뚜껑을 열었다.
생전 이처럼 아름다운 베는 보지 못했다더니, 이걸 구하러 먼 걸음
을 했다더니, 뚜껑을 열자 눈부시게 흰 무명 보자기로 싼 삼베가 소
복이 쌓여 있었다. 당신은 하나하나 매듭을 풀어보았다. 요를 싸는
베, 이불을 싸는 베, 발을 싸는 베, 손을 싸는 베 들이 차례로 놓여
있었다. 나를 묻어주고 간다더니…… 당신은 눈을 껌벅거리며 죽
은 뒤에 당신과 아내의 손톱을 쌀 주머니며 발톱을 쌀 주머니를 물
끄러미 응시했다.

샛문으로 들어온 아이 둘이 할아버지! 하며 당신 옆으로 우르르
달려왔다. 도랑가의 태섭이네 아이들이다. 아이들은 곧 당신에게
서 떨어져 집 안을 두리번거렸다. 아내를 찾고 있는가보았다. 대전
에서 중국집을 한다는 태섭은 무슨 일이 잘되지 않았는지 나이 들
어 자기 밥도 제대로 못 챙겨먹는 노모에게 아이 둘을 맡겨놓고는
얼굴 한번 보인 적이 없었다. 태섭은 그렇다 치고 태섭의 처는 뭐
하는 인간인지 모르겠다고 아내는 아이들을 볼 때마다 혀를 끌끌
찼다. 동네 사람들은 태섭의 처가 주방장과 눈이 맞아 집을 나가버
렸다고들 했다. 아이들에게 밥을 챙겨먹인 건 애들 할머니가 아니

라 아내였다. 한번은 밥을 못 먹고 있는 것을 본 아내가 아이들을 데리고 와서 아침밥을 먹였더니 아이들은 다음날 아침에 눈곱도 덜 떨어진 얼굴로 또 찾아들었다. 숟가락 두개를 더 놓고 아이들을 밥상 앞에 앉힌 뒤로 아이들은 끼니때마다 찾아왔다. 언젠가는 밥이 덜 되었을 때 와서 아예 배를 방바닥에 대고 둘이서 놀다가 밥상이 차려지면 상 앞으로 뽀르르 다가와 앉기까지 했다. 아이들은 볼이 미어지도록 밥을 먹었다. 당신이 어이없어하면 아내는 마치 숨겨놓은 손녀나 되는 양 애들 편을 들며 얼마나 배고프면 그러겠소이. 옛날같이 먹고살기 힘든 때도 아니구…… 애들이 찾아와주니 우리도 적적하지도 않구 좋네, 하였다. 아이들이 밥을 먹으러 오기 시작하면서 아침상에 새로 쪄서 무친 가지나물이 올라오고 가스레인지 밑 그릴에선 아침부터 고등어가 구워지곤 하였다. 서울의 자식들이 손에 들고 오는 과일이나 케이크 들을 아내는 상하지 않게 잘 챙겨두었다가 오후 네시쯤 아이들이 저 샛문으로 들어와 얼굴을 내밀면 들어와서 먹고 가게도 했다. 한두 번 그러고 나니 아이들은 밥이 아니라 간식까지 바라게 되었고, 아내도 어느새 당연히 그리 챙겨줘야 하는 것이려니 여기게 되었다. 읍에 나갔다가 버스를 타지 못하고 정류장에 하염없이 앉아 있는 걸 지물포 하는 병식이 데려오기도 하고, 텃밭에 열무 뜨러 간다고 하고서는 철둑 너머 논에 나가 앉아 있는 아내를 지나가던 옥철이 데려오기도 하던 때였다. 집에 오는데 무슨 버스를 타야 하는지 생각이 나질 않았다고,

왜 논에 나왔는지 알 수가 없어 그냥 앉아 있었다고 하던 아내가 그 정신에 어찌 아이들 밥은 그리 챙겨먹였는지 모를 일이었다. 그동안 저 아이들은 밥을 어떻게 먹었을까? 당신은 서울에 있는 동안 이 아이들 생각을 미처 해본 적이 없었다.

— 할머닌 어딨어, 할아버지?

우물이며 헛간이며 뒤꼍을 돌아보고 방문까지 열어보고 나서야 아내가 없다는 것을 알게 되자 큰애가 당신에게 물었다. 묻기는 큰애가 물었는데 작은애가 더 바짝 당신에게 다가들며 당신의 대답을 기다리고 있다. 당신이 묻고 싶은 말이다. 정말 아내는 어디 있는가? 이 세상에 있기는 있는가. 당신은 아이들에게 기다리라 하고 쌀독에서 쌀을 퍼 씻어 전기밥솥에 안쳤다. 아이들은 기다리지 않고 이 방문 저 방문을 열어젖히고 다닌다. 어느 방에선가 아내가 걸어나올 것만 같은 모양이다. 당신은 한번도 해본 적 없는 일이라 물을 어디다 맞춰야 할지 몰라 잠시 서 있다가 물을 반 공기쯤 더 붓고 밥솥 스위치를 눌렀다.

그날, 서울역을 출발한 지하철 안에서 당신이 뭔가를 깨닫는 데는 몇분이나 걸렸을까. 지하철은 떠나는데 아내가 타지 않았다는 것을 당신이 알아채는 데 흐른 시간들. 당신은 당연히 아내가 당신을 뒤따라 지하철을 탔을 것이라고 여겼다. 지하철이 남영역에 멈췄다가 다시 출발하는 순간 어떤 충격이 당신의 머리를 강타했다.

그 충격을 확인해보기도 전에 돌이킬 수 없는 지독한 잘못을 저질렀다는 절망이 당신의 뇌를 후려치고 지나갔다. 당신의 심장박동 소리가 그 순간 당신 귀에 들릴 만큼 커졌다. 당신은 뒤를 돌아보기가 두려웠다. 아내를 서울역에 두고 당신 혼자서만 지하철을 타고 한 정거장을 지나왔다는 것을 확인해야 하는 그 순간, 당신이 옆사람의 어깨를 쳐가며 뒤돌아본 그 순간, 당신은 당신의 일생이 심하게 손상되어버렸다는 것을 깨달았다. 열일곱의 아내와 결혼한 이후로 오십년 동안 젊어서는 젊은 아내보다 늙어서는 늙은 아내보다 앞서 걸었던 당신이 그 빠른 걸음 때문에 일생이 어딘가로 굴러가 처박혀버렸다는 것을 깨닫는 데는 일분도 걸리지 않았다. 지하철을 타고 나서라도 바로 뒤를 돌아 확인했더라면 이리되지 않았을까. 젊은날부터 아내가 당신에게 했던 말들. 어딘가 함께 갈 때면 항상 걸음이 늦어 뒤처지곤 하던 아내는 늘 이마에 송글송글 땀이 맺힌 채 당신을 뒤따르며 좀 천천히 가면 좋겠네, 함께 가면 좋겠네…… 무슨 급한 일 있소? 뒤에서 구시렁대었다. 마지못해 당신이 기다려주면 아내는 민망한지 웃으며 내 걸음이 너무 늦지라오? 했다.

— 미안한디…… 그래도 남들이 보믄 뭐라고 하겠소. 같은 집에 사는 사람들이 한 사람은 저만치 앞서서 가고 한 사람은 저 뒤에서 오믄 저이들은 옆에서 같이 걸어가고 싶지도 않을 만큼 서로 싫은가비다 할 것 아니요. 남들한티 그리 보여서 좋을 거 뭐 있다요. 손

잡고 가자고는 안할 것잉게 좀 천천히 가잖게요. 그러다가 나 잃어버리믄 어쨀라 그러시우.

당신은 아내가 마치 이리될 것을 알고나 한 소리처럼 여겨졌다. 스무살에 만나 오십년이 흘러 이 나이가 되는 동안 아내로부터 가장 많이 들은 게 좀 천천히 가자는 말이었다. 평생을 아내로부터 천천히 좀 가자는 말을 들으면서도 어쩨 그리 천천히 가주지 않았을까. 저 앞에 먼저 가서 기다려주는 일은 있었어도 아내가 원한 것, 서로 얘기를 나누며 나란히 걷는 것을 당신은 아내와 함께해본 적이 없었다.

당신은 아내를 잃고 나서 자신의 빠른 걸음걸이를 생각할 때마다 가슴이 터질 듯했다.

평생을 당신은 늘 아내보다 앞서서 걸었다. 어느 때는 뒤도 돌아보지 않고 길모퉁이를 돌기도 했다. 뒤처져서 아내가 당신을 부르면 당신은 왜 그리 걸음이 늦느냐고 타박했다. 그러는 사이 오십년이 흘렀다. 아내는 걸음이 늦긴 했어도 당신이 얼마간 기다려주면 뺨이 붉어진 채로 곁으로 다가와서는 여전히 좀 천천히 가면 좋겠네, 하며 웃었다. 그렇게 남은 생을 살아갈 줄 알았다. 그런데 한 걸음이나 두 걸음 늦었을 뿐인 그 서울역에서 당신이 먼저 탄 지하철이 출발해버린 뒤로 아내는 여태 당신 곁으로 돌아오지 않고 있다.

아이들이 설익은 밥인데도, 반찬이라곤 김치뿐인데도 정신없이 먹는 걸 보며 당신은 관절수술을 받은 다리를 마루에 올려놓았다. 수술 후에 꾹꾹 쑤시고 저린 느낌은 사라졌으나 무릎을 접고 앉는 일은 불가능해진 왼쪽 다리.

— 찜질 좀 해줘요?

귓전에 아내의 목소리가 들리는 것 같다. 당신이 대답하지 않아도 대야에 물을 받아 가스레인지에 올린 뒤 수건을 뜨거워진 물에 적셔 짜서 당신의 무릎에 얹어놓던 그 검버섯 핀 손. 무릎에 얹힌 수건을 꾹꾹 눌러주는 그 투박한 손을 볼 적마다 당신도 아내가 당신보다 하루라도 오래 살기를 바랐다. 당신이 죽은 뒤에 아내의 손이 마지막으로 당신의 눈을 쓸어주고, 자식들 앞에서 당신의 식어가는 몸을 닦아주고 그 손으로 수의를 입혀주기를.

— 대체 어디에 있소!

아이들이 밥을 먹고 쏜살같이 뛰어나간 뒤에 당신은, 아내를 잃어버린 당신은, 혼자 남은 당신은, 빈집의 마루에 다리를 뻗은 채 소리를 팩 내질렀다. 아내가 사라진 뒤부터 늘 목에까지 차오르던 울음 대신이었다. 아들 앞에서 딸 앞에서 며느리 앞에서 소리를 지를 수도 울 수도 없던 분노인지 뭔지 모를 치받침으로 인해 눈물이 걷잡을 수 없이 쏟아졌다. 마을에 호열자가 돌던 시절에 이틀 간격으로 세상을 떠나버린 부모를 사람들이 산에 묻을 때도 나오지 않은 눈물. 울려고 해도 눈물이 나오지 않았다. 부모를 묻고 산에서 내려올 때 춥고 무서워서 오들오들 떨기만 하던 당신이었다. 전쟁통에도 흘리지 않은 눈물. 소 한 마리가 있었다. 국군이 마을에 상주하는 낮엔 소를 끌고 논을 갈았다. 밤이 되면 산을 타고 인민군이 마을로 내려와 사람과 짐승을 잡아가던 때였다. 해가 지면 당신은 소를 끌고 읍내까지 걸어가 파출소 옆에 묶어놓고 소 배에 기대어 잤다. 새벽이면 다시 소를 끌고 마을로 돌아와 밭을 갈았다. 인민군이 산에서 물러난 줄 알고 파출소에 가지 않은 어느 밤에 인민군이 마을로 몰려들었다. 그들은 소를 끌고 가려 했다. 당신은 인민군의 발길에 걷어차이면서도 소를 놓지 않으려 했다. 몸을 던져 말리는 누님을 뿌리치고 소를 쫓아가다가 총대로 얻어맞으면서도 울지 않은 당신. 형사인 작은아버지 때문에 반동분자로 몰려 마을 사람들과 함께 물이 찬 논에 처박힐 때도, 죽창이 목을 쑤시고 지나갈 때도 울지 않은 당신이 끅끅 소리내어 울고 있다. 당신은 아내가 당신보다 더 오래 살기를 바라던 마음이 얼마나 이기적이었나를 이제야 깨닫는다. 그 마음이 아내가 깊은 병에 걸렸다는 것을 인정하지 않았다는 것도. 바깥일을 보고 돌아오면 죽은 듯이 잠들어 있던 아내가 사실은 눈을 뜨기조차 힘들 만큼 머리가 아파 눈을 감고 있는 것이라는 걸 당신은 알고 있었다. 내색하지 않았을 뿐이다. 언제부턴가 아내가 개밥을 주러 간다면서 개집이 있는 곳으로 가지 않고 우물가로 향한다는 것을, 어딘가에 가려고 집을 나섰다가는 대문간에서 우두커니 서 있다 도로 방으로 돌아오기 일쑤라는 것을 당신은 알았다. 당신은 기진맥진한 듯 아내가 방으로 기다시피 들어와 겨우 베개를 찾아 베고 이마를 찡그린 채 드러눕는 것을 보기만 했다. 언제나 아픈 사람은 당신이었고 그런 당신을 보살피는 사람이 아내였다. 어쩌다가 아내가 배가 아프다고 하면 당신은 나는 허리가 아프다고 한 사람이었다. 당신이 아프면 아내는 이마를 짚어보고 배를 쓸어보고 약국에서 약을 사오고 녹두죽을 끓이고 하였으나 당신은 약 지어다 먹으라고 하곤 그만이었다.

당신은 이제야 아내가 장에 탈이 나 며칠씩 입에 곡기를 끊을 때조차 따뜻한 물 한 대접 아내 앞에 가져다줘본 적이 없다는 것을 깨달았다.

북 치는 데 빠져 팔도를 떠돌아다닐 때였다. 보름 만엔가 집에 돌아와보니 아내가 딸을 낳아놓았다. 딸애를 받은 당신의 누님은 순산이라 했지만 아내는 계속 설사를 했다. 뱃속의 것을 얼마나 쏟아냈는지 얼굴에 핏기는 고사하고 애를 낳은 여자가 붓기조차 없을 정도로 광대뼈가 앙상하게 튀어나와 있었다. 탈진상태가 반복되었다. 그냥 뒀다간 아내가 잘못될 것만 같았다. 당신은 누님에게 한약을 지어다 산모에게 달여 먹이라며 돈을 주었다.

빈집의 마루에서 울고 있는 당신의 끅끅거리는 소리가 더 높아
진다.

그것이 평생 아내의 약값으로 당신이 내놓은 돈의 전부였다는
생각이 이제야 든다. 누님은 한약 세첩을 지어다 아내에게 달여 먹
였다. 가끔 장탈로 기진맥진할 때마다 아내는 그때 말이요,라고 말
했다. 그 한약 두첩만 더 먹었으믄 그때 다 나았을 거인디. 친척들
은 대부분 아내를 좋아했다. 누가 찾아오면 왔냐! 가면 가냐!라고
밖에 할 줄 모르는 당신인데도 당신 집을 찾아오는 친척들이 많았
던 것은 순전히 아내 때문이었다. 사람들은 아내가 지어 내놓는 밥
이 따뜻하다고들 했다. 아내가 텃밭에 나가 아욱을 쓱쓱 베어와 된
장국을 끓이고 배추포기를 뽑아와 겉절이만 해 내놓아도 모두들
밥 한 그릇을 맛있게 뚝딱 비워냈다. 국은 간이 맞고 겉절이는 고소
하다고 했다. 방학이 되어 교복을 입고 놀러 온 조카들이 돌아갈 때
는 살이 쪄 교복 단추를 채우지 못해 투덜거리곤 했다. 다들 당신의
아내가 짓는 밥은 살찌는 밥이라고들 했다. 모내기를 할 적에 아내
가 밭에서 햇감자를 캐다 갈치를 넣고 지져서 샛밥과 함께 내오면
일하던 사람들은 입이 미어져라 밥을 밀어넣었다. 지나가던 사람
들도 멈춰서서 밥을 얻어먹고 갔다. 다른 동네 사람들도 당신 집 일
을 하러 오려고들 했다. 아내가 내오는 샛밥을 먹으면 뱃속이 든든

해 일을 곱으로 하고도 배가 고프지 않다고들 했다. 식구들이 마루에 앉아 점심을 먹는 참에 참외장수나 보따리 옷장수가 대문을 기웃거리면 아내는 자리 한 귀퉁이를 내주고 밥을 먹고 가게 했다. 모르는 사람들과도 밥을 먹으며 허물없이 지내던 아내가 유독 눈을 흘기는 이가 있었으니 당신의 누님이었다.

— 그때 한약을 두첩만 더 먹었시믄 좋겄더만…… 무심헌 당신조차두 산모니께 깨끗이 나아야 쓴게 두어첩 더 지어다 먹이라고 했건만 애덜 고모가 그 쌩헌 얼굴로 무신 약을 더 먹는다냐! 이만하면 됐담서 안 지어다주었소…… 그때 그거 두첩만 더 먹었시믄 이런 고생은 안할 것인디.

당신은 기억에도 없는 일을 아내는 이따금 장탈로 고생할 적마다 바로 어제 겪은 듯 얘기하곤 했다. 그런 소릴 들으면서도 당신은 장에 탈이 나 설사중인 아내에게 약을 지어다준 적이 없었다.

— 약은 그때 더 먹었어야재. 인자는 아무 약도 듣질 않으요.

아내는 설사가 찾아올 적마다 아무것도 입에 대지 않고 곡기를 끊었다. 사람이 어찌 그리 아무것도 먹지 않은 채 며칠을 견딜 수 있는지 모를 일이었다. 젊어서는 그것도 모른 척했고 늙어가면서야 당신은 뭘 좀 먹어야 하지 않겠느냐 물었다. 그럴 때면 아내는 언덕 아래로 곤두박질치는 듯한 표정으로 당신을 보며 말했다.

— 짐승들을 보면 안 그럽디여. 소두 돼지두…… 지 아프면 일단 곡기를 끊더만. 닭조차도 말이우. 저 개만 봐두 어디 아프믄 일단

먹을 것을 끊잖우. 저놈은 어디 아프면 암만 맛난 걸 줘도 쩝도 안
하구선 제집 앞의 땅을 두발로 파헤치구는 거기에 배때기 대고 엎
어져 있드만. 가만 지켜보믄 며칠 있다 홀홀 털고 일어나드만. 밥
도 그제야 먹읍디다. 사람이라구 다를랍디여. 뱃속이 이리 부글부
글거리는데 이 속으로 들어가는 음식이 아무리 좋은들 독이나 되
겠지.

설사가 멎질 않으면 아내는 곶감을 갈아서 한 수저씩 떠먹었다.
도무지 병원에는 가려 하지 않았다. 고깟 곶감이 무슨 약이 된다냐,
하고 병원에 가서 진료를 받고 약국에서 약을 타다 먹으라 해도 아
내는 말을 듣지 않았다. 보다못한 당신이 채근이라도 하면 내 병원
엔 다시 안 간다 하지 않았소이! 서슬까지 퍼레지며 다신 말을 꺼내
지 못하게 했다. 어느 해 당신이 여름에 집을 나갔다가 겨울에 돌아
와보니 아내의 왼쪽 젖가슴에서 멍울이 만져졌다. 당신이 이상하
다고 말했으나 아내는 무심했다. 젖꼭지가 함몰되고 분비물이 나
올 때에야 당신은 땀에 전 수건을 머리에 쓴 아내를 데리고 시내의
병원에 갔다. 당장엔 무슨 병인지 알 수 없었다. 검사를 받았을 뿐
결과는 열흘 뒤에나 나온다 하니 아내가 깊은 한숨을 내쉬었다. 그
열흘 사이에 무슨 일이 있었는가. 무슨 일에 빠져 있었기에 당신은
결과를 보러 가지 않았을까. 결과를 보러 가는 일을 왜 그리 미루었
을까. 젖꼭지가 부스럼처럼 헐었을 때에야 당신은 다시 아내를 데
리고 병원에 갔다. 의사는 아내가 유방암을 앓고 있다고 했다.

— 암이라구라오?

아내는 안된다고 했다. 아파서 누워 있을 시간이 없다고. 할일이 너무 많다고. 의사가 말하는 유방암에 잘 걸릴 수 있는 모든 조건에서 아내는 비켜나 있었다. 늦게 출산을 한 것도 아니고, 다섯 아이 모두에게 젖을 먹였으며, 당신과 결혼하던 해에 초경이 시작되었다 하니 초경을 일찍 치른 것도 아니었으며 더구나 육식은 즐기지도 않지만 즐길 수도 없는 상황이었다. 그런데도 아내의 왼쪽 가슴 자리엔 암세포가 자라고 있었다. 결과를 빨리 보러 갔으면 가슴을 도려내지는 않아도 됐을지 모른다. 암세포가 자라고 있는 가슴을 도려내고 붕대를 감은 채로 아내는 밭에다 감자를 심었다. 수술비를 마련하기 위해 팔아버려 이미 남의 소유가 된 밭에다가 씨눈이 박힌 감자를 묻으며 아내는 이승에선 다신 병원엘 가지 않겠소이! 라고 말했다. 병원에만 가지 않은 것이 아니라 아내는 당신을 가까이 오지도 못하게 했다.

생일을 지내러 서울에 가기로 한 그즈음에도 아내는 장탈로 고생을 한 뒤였다. 기력이 너무 없어 서울에나 가겠나? 걱정하고 있는데 아내는 어디서 무슨 소릴 들었는지 당신에게 읍에 나가 바나나를 사오라고 부탁했다. 서울에 가기 전 세끼를 내리 곶감 두개에 바나나 반쪽을 섞어 간 것을 먹었다. 자식을 몇씩 낳았을 때도 일주일 이상 방에 드러누워본 적 없는 사람이 이따금씩 찾아드는 장탈 앞에서는 열흘씩 방에 드러누워 있곤 했다. 그러면서 아내는 제삿

날을 잊어버렸다. 김치를 담그다가도 멍하니 앉아 있곤 했다. 당신이 왜 그러느냐 물으면 글쎄…… 마늘을 넣었는지 안 넣었는지 모르겠소…… 힘없이 중얼거렸다. 청국장이 펄펄 끓고 있는 뚝배기를 생각없이 두손으로 들어 손을 데기도 했다. 당신은 이제는 젊은 나이가 아니지 않은가, 생각했다. 당신도 그 즐겨 치던 북장단도 다 잊어버리고 살지 않는가, 생각했다. 이만큼 살았으니 몸이라고 젊은날 같겠는가. 어디든 고장이 나도 나는 법이지, 여겼다. 이 나이에는 병하고도 친구가 되어 사는 것이라고 여겼다. 아내도 그런 과정에 있는 것이려니 생각했다.

　— 안에 있는가?

　당신은 누님의 목소리를 듣고 번쩍 눈을 떴다. 이렇게 이른 새벽에 당신의 집에 찾아올 사람은 누님뿐이란 걸 모르는 것도 아닌데 깜박 아내의 목소리를 들은 것 같아서였다.

　— 나, 들어가네.

　벌써 마루에 올라섰는지 말이 끝나자마자 방문이 열렸다. 당신의 누님 손엔 쟁반이 들려 있고 밥그릇과 찬그릇이 흰 보자기로 덮여 있다. 누님은 쟁반을 윗목에 내려놓고는 당신을 물끄러미 바라보았다. 이 집에 함께 살다가 신작로 가로 집을 지어 나간 사십년 전부터 당신의 누님은 새벽에 눈을 뜨면 담배를 한대 피우고 머리를 매만져 비녀를 꽂고 일어서서 당신이 살고 있는 이 집으로 향하는 것이었다. 누님은 새벽빛이 어리는 당신 집을 한 바퀴 빙 돌고는 다시 돌아갔다. 발소리도 죽인 채 앞마당으로 옆마당으로 뒤란으로 한 바퀴 빙 돌고 있는 당신 누님의 발걸음 소리를 아내는 용케도 알아내곤 했다. 아내에겐 당신 누님의 발걸음 소리가 잠을 깨우는 소리이기도 했다. 끙 — 소리를 내며 돌아눕다가 아내는 또 오시었네…… 웅얼거리며 잠자리에서 일어나곤 했다. 당신 누님은 그저 집을 한 바퀴 빙 — 돌고는 돌아갔다. 지난밤에 당신 집이 잘 있었는지 확인하는 것 같았다. 어려서는 오빠 둘을 한꺼번에 잃고 부모마저 이틀 간격으로 잃고 전쟁중에 당신마저 잃을 뻔했던 것. 시가가 있는 마을이 아니라 당신의 매부가 이 마을로 들어와 살다가 집에 불이 나 타죽어버린 상처가 누님에겐 뿌리깊이 박혀 고목이 되어 있었다. 그것은 누구도 베어낼 수 없는 고목이었다.

— 이부자리도 안 펴고 잤는가?

자식 하나 없이 청상이 된 젊은날엔 단호함을 넘어 매섭게조차 보이던 당신 누님의 눈매가 축 처져 있다. 착착 빗어넘겨 비녀를 지른 머리는 성성한 백발이다. 당신보다 나이가 여덟이나 많은데도 등은 당신보다 꼿꼿하다. 누님이 당신 옆에 앉아 담배를 꺼내 입에 문다.

— 담배는 끊지 않았소?

대답하지 않고 당신 누님은 읍내 어디의 술집 이름이 박힌 라이터를 켜 담배에 불을 붙였다.

― 개는 우리집에 매두었네. 데리고 올라믄 데려오든가.

― 당분간 거기 두세요…… 아무리도 다시 서울로 가봐야 쓰겄네.

― 가서는?

― ………

― 찾아서 오제 혼자서 뭣 허러 와, 오길!

― 어째 여그서 기다리고 있을 것만 같어서.

― 여가 있담 내가 진작 연락했지 안했겄는가?

― ………

― 사람이 어찌 그리되었을꼬…… 이 몹쓸 사람아. 다른 사람도 아니고 냄편이란 작자가 안사람을 잃어버리고 온단 말인가. 혼자 뭔 염치로 온단 말인가. 그 측은한 인사를 어듸다 두고.

당신은 백발이 성성한 누님을 물끄러미 바라보았다. 누님이 당신의 아내를 두고 저리 말하는 것을 당신은 처음 듣는다. 언제나 당신의 누님은 아내를 보면 뭐가 못마땅한지 혀를 끌끌 차곤 했다. 아내가 당신에게 시집온 지 이태 동안 아이가 들어서지 않는다고 타박을 하다가 형철일 낳았을 때는 남들이 안하는 일을 했나? 그랬다. 밥을 지을 때마다 절구에 나락을 넣고 찧어 쌀을 만들어 해먹던 시절에 함께 살면서도 절구질 한번 해주지 않은 이였다. 그러면서도 아내의 출산 수발은 또 거들어준 사람이었다.

― 내가 죽기 전에 한번은 말을 하고자 했었는듸…… 사람이 없

으니 얻다 대고 말을 하누.

— 뭘을?

— 한두 가지인가, 어디……

— 누님이 사납게 군 거 말이오?

— 내가 사납게 굴었다고 그러든가? 형철 에미가?

당신은 웃지도 않고 그저 누님을 멀거니 바라보았다. 그렇다면 아니란 말인가? 당신의 누님은 아내에게 시누이가 아니라 시어머니였다는 것을 모르는 이는 없었다. 다들 그리 생각했다. 당신의 누님은 그 말을 가장 싫어했다. 집안에 어른이 없으니 그럴 수밖에 없는 것이라 했다. 사실이 그럴지도 모른다.

당신의 누님이 방바닥에 놓인 담뱃갑에서 담배 한 개비를 또 꺼내 입에 물었다. 당신이 불을 붙여주었다. 아내의 실종이 누님에게 다시 담배를 피우게 한 모양이었다. 하긴 담배를 물고 있지 않은 누님을 생각할 수 없기는 했다. 아침에 일어나자마자 담배를 찾아 더듬는 당신 누님의 손길은 온종일 무슨 일을 시작할 때마다 먼저 담배를 찾았다. 어딘가를 가야 할 때도, 밥을 먹기 전에도, 잠들기 전에도. 지나치게 담배를 많이 피운다고 생각했으나 당신은 단 한번도 누님에게 담배를 끊으라고 말한 적이 없었다. 아니, 말할 수 없었다. 그 불길에 매부가 타죽은 뒤 처음 본 당신의 누님은 불타버린 집을 바라보며 담배를 피우는 모습이었다. 울지도 웃지도 않고 계속 담배를 피우고 앉아 있었다. 밥도 먹지 않고 잠도 자지 않고 하는 게 담배 피우는 일이었다. 당신의 누님 손에 담뱃진이 배어 가까이 가기도 전에 담배냄새를 먼저 맡기 시작한 것은 그 집이 불탄 지 삼개월도 지나지 않아서부터였다.

— 내가 살면 인자 얼마나 살겄능가.

누님이 쉰이 되면서부터 내뱉곤 하는 말이다.

— 이 시상에 와서 여태 살았던 거…… 살면서는 참말 유독 나헌 티만 가혹허고 서러운 것 같었네…… 내가 자식이 하나 있나 뭐가 있나…… 오라비 죽어나갈 땐 내가 죽어나가고 그이들은 살았어야 하는데 싶었는디 양친 보내고는 얼이 빠졌는디도 자네와 균이는 보이더만. 천지간에 우리뿐이네 싶은 것이…… 불에 타죽은 그 인 사랑은 정도 들기 전에 그리되어버렸응게…… 자네는 나한티는 동 생이 아니라 자식이고 낭군이고 그랬구만……

그랬을 것이다.

그러지 않았으면 당신이 중년에 풍으로 쓰러져 입이 돌아간 채 자리보전하고 있을 때 새벽이슬을 한 종지씩 받아서 마시면 낫는 다는 얘길 어디서 듣고는 일년을 봄 여름 가을 종지를 들고 이슬을 털러 논두렁을 헤매고 다녔을까. 해가 뜨기 전 이슬 한 종지를 털기 위해서 당신 누님은 날이 새기 전에 일어나 날이 밝기를 기다렸다. 누님에 대해 불평하지 않기 시작한 것, 아내가 당신 누님을 시누이 가 아니라 시어머니 대하듯 하기 시작한 것도 그 일이 있고 나서부 터였다. 당신의 아내는 질린 듯한 얼굴로 내는 당신한티 그러케는 못할 것 같으요! 하였다.

　— 내 죽기 전에 형철 에미한티 세 가지는 미안허다고 말하고 가렸는디.

　— 뭔 말이오?

　— 균이 일이랑…… 살구나무 베었다고 지랄떤 일이랑…… 장탈 났을 때 그때그때 약 더 못 지어준 거랑……

　균이. 당신은 입을 다물었다. 누님이 자리에서 일어섰다.

　— 이거 밥이니 배고프먼 먹소. 지금 먹으려나?

　누님이 흰 보자기 덮인 쟁반을 가리켰다.

　— 아니오, 인자 일어나서 뭔 밥생각이 있겄소.

　당신도 누님을 따라 일어섰다. 누님이 집을 한 바퀴 빙 돌 때 당신도 따라 돌았다. 아내가 돌보지 않은 집은 사방이 먼지투성이였다. 당신의 누님은 장독대를 돌며 항아리 뚜껑의 먼지를 손바닥으로 쓸었다.

　— 균이는 존 디로 갔을거나?

　— 그아 얘긴 왜 꺼내오.

　— 균이도 형철 에밀 찾는 모양이여. 갑자기 균이가 꿈에 봬. 그 놈이 살았으믄 어찌 되았을꼬.

　— 누님과 나처럼 지도 늙었겄지…… 어찌 되기는.

　열일곱인 아내가 스물인 당신과 결혼했을 때 균이는 초등학교 졸업반이었다. 제 또래들 중에서 눈에 띄게 총명한 아이였다. 말귀 잘 알아듣고 인사성 밝고 공부 잘하고 이목구비가 훤칠했다. 누구라도 균일 한번 보면 뉘 집 자식일까, 싶어 뒤돌아보곤 했다. 초등학교를 졸업하고 중학교를 가지 못하게 되자 균인 형이고 누나인 당신과 당신 누님에게 매달렸다. 지금도 들리는 듯하다. 학교 좀 보내줘, 형. 학교 좀 보내줘, 누나…… 날마다 학교 좀 보내달라고 눈물바람을 하던 놈. 전쟁이 지나간 자리는 몇년이 지났어도 참혹했다. 어떻게 그렇게 가난할 수 있었는지. 가끔 당신은 그 시절이 꿈처럼 여겨진다. 당신은 전쟁통에 죽창으로 목을 찔리고도 용케 살아남았으나 어른이 없는 종가의 장남으로 식솔들 목구멍에 들어가는 밥술을 책임져야 하는 벅찬 상황에 던져져 있었다. 그것이 힘겨워 이 집을 그리 떠나고 싶어했는지도 모를 일이다. 동생 학교 보내는 일보다 당장 목구멍에 밥술을 떠넣는 것도 어려운 때였다. 당신과 당신의 누님이 말을 들어주지 않자 균인 아내에게 통사정을 했다.

— 형수 형수, 나 학교 좀 보내줘. 중학교 좀 보내줘. 그러면 내가 평생 갚을게.

아내는 저리 소원인데 균을 어쩌든 학교에 보내야 할 것 아니냐고 했다.

— 나도 학교를 못 갔어! 그래도 저놈은 초등학교라도 다녔지.

학교를 가지 못한 건 당신의 아버지 탓이었다. 한의사인 당신 아버지는 아들 둘을 전염병으로 잃은 뒤 당신에겐 사람 많은 곳이라면 학교고 뭐고 가지 못하게 했다. 아버진 당신을 무릎 밑에 앉히고 한자를 가르쳤다.

― 형철 아버지…… 삼촌 학교 보내줍시다.

― 무어로?

― 저 텃밭을 팔먼 될 것 아니요?

그 말을 듣고 당신의 누님이 살림 말아먹을 여편네!라며 아내를 처가로 보내버렸다. 열흘이나 지난 밤에 술에 취해 당신의 발걸음이 처갓집으로 향했다. 산길을 돌고 또 돌아 그 오두막에 닿았을 때 대나무가 우거진 뒤켠의 방 봉창 앞에서 당신은 걸음을 멈췄다. 거기까지 아내를 데리러 간 것은 아니었다. 쟁기질을 해주고 얻어먹은 술의 힘이 당신을 거기까지 가게 한 것이었다. 누가 내쫓았든 집에서 내보내놓고 아무 일 없었다는 듯 처가에 선뜻 발을 들여놓기가 뭐해서 당신은 거기 그러고 서 있었다. 늙은 장모와 아내의 말소리가 바깥으로 흘러나왔다. 무슨 말 끝에 장모가 목소리를 높이며 그깟 놈의 집구석으론 들어가질 말고 짐 싸들고 아예 나와버리라, 하니 아내는 훌쩍이며 장모에게 대들었다. 죽어도 그 집으로 들어가 죽을란다, 하였다. 거기가 내 집인디 내가 왜 나오냐, 하였다. 아내가 훌쩍이며 장모한테 내뱉는 소리를 들으며 당신은 거기 그 담벼락에 기대어 대나무숲에 새벽빛이 스밀 때까지 서 있었다. 아침을 지을 양인지 방에서 나오는 아내를 낚아챘다. 밤새 울었는지 눈이 퉁퉁 부어서 소눈만큼이나 커다란 아내의 검은 눈은 일자가 되어 있었다. 놀라서 눈을 휘둥그렇게 뜨는데도 부은 눈은 일자였다. 그길로 대나무 우거진 숲을 질러서 아내를 뒤세우고 이 집으로 돌아왔다. 대나무숲을 지나서 아내의 손을 놓은 뒤론 앞서 걸었다. 이슬이 바지에 툭툭 떨어졌다. 그때도 뒤처진 아내는 당신의 등뒤에서 좀 천천히 가시요잉! 벅찬 숨소리를 내며 따라왔다.

집에 돌아오자 형철이보다 균이 먼저 형수— 부르며 아내에게 달려들었다.

— 형수…… 나 학교 안 갈 틴게 인자는 집 나가지 마소!

무언가를 체념한 듯 균의 눈에 눈물이 그렁했다. 중학교를 가지 못한 균은 아내를 도와 집안일을 열심히 했다. 산밭에서 함께 일하다가 키가 큰 수숫대에 가려 아내가 보이지 않으면 균은 형수! 하고 불렀다. 왜애요? 당신 아내가 대답하면 균은 씨익 웃으며 또 한번 형수! 하고 불렀다. 균이 부르고 아내가 대답하고 균이 또 부르고 아내가 또 대답하고…… 두 사람은 그렇게 부르고 대답하며 산밭 일을 해치우곤 했다. 바깥으로만 떠돌던 당신에 견주면 아내에게 균은 든든한 동반자였을 것이다. 균은 힘이 더 세지자 봄철이면 소를 몰고 나가 쟁기질을 했고 추수철이면 어느 일꾼보다도 먼저 논에 나가 벼를 베었다. 김장철엔 새벽에 나가 배추밭의 배추를 먼저 다 뽑아놓는 것도 균이었다. 논에 덕석을 깔고 홀태질로 나락을 훑던 때였다. 동네 여자들은 모두들 홀태 하나씩을 끼고 그날 나락을 훑는 집 논으로 모여들어 자리를 잡고 홀태를 세웠다. 그리고 해가 저물 때까지 홀태질을 했다. 어느 해던가. 균이 읍내의 양조장으로 일을 나갔다. 제 손에 돈이 들어오자 균은 홀태를 사가지고 집에 돌아와 아내에게 내밀었다.

— 이게 무슨 홀태라오?

아내가 물으니 균은 웃었다.

— 이 동네에서 형수의 홀태가 가장 오래돼서…… 세워도 잘 세워지지 않는 것 같아서……

아내는 낡은 홀태라서 나락을 훑는 데 다른 아낙들보다 힘이 곱으로 든다고 새 홀태가 하나 있었으면 했다. 당신은 아내의 말을 귓등으로 듣고 말았다. 쓸 만한데 새 홀태를 뭐 하러 산단 말인가, 생각했다. 균이 내미는 새 홀태를 받아들고 아내는 균에게인지 당신에게인지 버럭 화를 냈다.

— 이런 걸 뭐 하러 사오요! 삼촌 학교도 못 보내줬는디.

균은 형수도 참! 하며 얼굴이 벌게졌다. 균은 아내를 잘 따랐다. 아내를 어머니로 여기는 것 같기도 했다. 홀태를 사오는 일을 시작으로 균은 돈이 생기면 살림살이를 곧잘 사들였다. 죄다 아내에게 필요한 것들이었다. 양은으로 된 함지를 사들고 온 것도 균이었다. 멋쩍은 듯 다른 집 여자들은 다 이걸 쓰더만 우리 형수만 무거운 고무통을 쓰는 것 같아서…… 하였다. 아내는 균이 사다준 양은 함지에 김치를 버무리고 깍두기를 버무리고 샛밥을 담아 논에 내갔다.

쓰고 나선 꼭 빛이 나게 닦아서 선반에 올려두었다. 양은이 닳아서 하얗게 되도록 썼다. 당신은 갑자기 벌떡 일어나 부엌 쪽으로 나갔다. 부엌 뒷문을 열고 다용도실의 장대를 질러서 만들어놓은 선반을 올려다보았다. 교자상들이 다리를 접은 채 올려져 있다. 그 끝에 사십년 전의 양은 함지가 가만히 놓여 있다.

아내가 둘째를 낳았을 때도 당신은 집에 없었다. 아내 곁엔 균이 있었다. 추운 겨울이었는데 땔감이 없었다고 했다. 출산을 하고 차디찬 방에 누워 있는 형수를 위해 균은 집의 오래된 살구나무를 베어 장작을 팼다. 형수가 누워 있는 방 아궁이에 불을 붙여 밀어넣었다. 그것을 본 당신의 누님이 산모가 누워 있는 방문을 발칵 열고 집 안의 나무를 함부로 베면 사람이 죽어나간다는데 어찌 이런 일을 벌였느냐고 다그쳤다. 균은 내가 그랬소! 왜 형수한티 그러요! 소리를 치며 대들었다고 했다. 당신의 누님이 균의 멱살을 잡았다고 했다. 형수가 베라고 하더냐! 이놈아! 이 못된 놈아! 그럼 아일 낳고 차디찬 방에서 얼어죽으란 말요! 한마디도 지지 않고 형수 편을 들었다고 했다.

살구나무를 베어낸 그 자리였다. 돈을 벌어오겠다고 집을 나간 균이 돌아온 지 스무날쯤 지나서였을 것이다. 균이 집에 돌아온 걸 가장 반긴 사람은 아내였다. 그사이 균은 많이 변해 있었다. 그리

따르던 아내를 보고도 웃지 않았다. 당신은 바깥세상에서 뭣에 호되게 당했나보다고만 생각했다. 어느날 새하얗게 질린 얼굴로 아내가 윷판이 벌어진 가게 앞으로 헐레벌떡 뛰어왔다. 삼촌이 이상하다고 빨리 집에 가보라고 해도 당신은 윷에 빠져 아내에게 먼저 가 있으라고 했다. 넋이 나간 듯 서 있던 아내가 윷이 펼쳐진 덕석을 뒤집어버리며 악을 바락바락 썼다.

— 삼촌이 다 죽어간단 말요! 빨리 가봐야단 말요!

아내의 행동이 너무도 거칠어 이상한 예감에 당신은 집으로 향했다.

— 빨리요! 빨리!

소리를 내지르며 아내가 앞장섰다. 아내가 당신보다 앞서서 뛰기는 그때가 처음이었다. 살구나무를 베어낸 자리에 균이 몸을 뒤틀며 누워 있었다. 거품을 문 입 안에서 혀가 빠져나와 꼬여 있었다.

— 이놈이 왜 이려!

당신은 아내를 보았으나 아내는 이미 넋이 빠져 있었다.

맨 먼저 균을 발견한 아내가 경찰서에 수차례 불려갔다. 사인이 밝혀지기도 전에 형수가 시동생에게 농약을 먹였다는 소문이 옆마을에까지 퍼져나갔다. 당신의 누님이 눈이 벌게진 채 아내에게 내 동생 잡아먹은 년!이라고 소리소리를 질러댔다. 형사의 조사를 받는 아내는 침착했다.

— 내가 죽였다고 생각하믄 물어보지 말고 나를 가두시요이.

집으로 가지 않겠다고 감옥소로 보내달라고 해서 형사가 아내를
집에 데리고 온 적도 있었다. 아내는 집으로 돌아와 머리를 쥐어뜯
고 가슴을 쥐어뜯곤 했다. 방문을 활짝 열어젖히고 우물가로 달려
가 찬물을 벌컥벌컥 마시곤 했다. 당신은 거의 정신이 나가 있었
다. 아내가 조사를 받으러 다니는 동안 당신은 균아! 균아! 죽은 놈
이름을 불러대며 산으로 들로 미친 듯이 뛰어다녔다. 가슴에서 불
이 번져 몸이 뜨거워 견딜 수가 없었다. 죽은 자는 말이 없고 남은
자들은 그렇게 미쳐가던 때가 있었다.

불쌍한 사람. 당신은 이제야 당신이 얼마나 비겁했는지를 깨닫
는다. 당신의 아내에게 그 상처를 죄다 떠넘기고 살아왔다는 생각
이 이제야 든다. 위로를 받아야 할 사람은 아내였건만 함구해버림
으로써 아내를 오히려 궁지에 몰아넣었다는 것도.

제정신이 아니었을 텐데도 그 와중에 사람을 시켜 균을 묻은 건
아내였다. 세월이 흘러도 당신이 균을 어디에 묻었는지 묻지 않으
니 아내가 말했다.
— 어디에 묻혔는지 알고 싶지 않으요?
당신은 아무 말도 하지 않았다. 알고 싶지 않았다.
— 그리 갔다고 원망 말우…… 부모도 없이 당신이 형인데 때가
되면 찾아는 가보고 해야…… 선산에 자리잡아 다시 잘 묻어줬시

믄 좋겠소.

당신은 아내에게 그 독한 놈 어데 묻혔는지 내가 왜 알아둬야 하느냐고 소리를 내질렀다. 언젠가 어느 길을 함께 가다가 아내가 문득 걸음을 멈췄다. 삼촌 묘가 여그서 가까운디 안 가볼라오? 물었다. 당신은 못 들은 척했다. 왜 그리 아내에게만 그 짐을 떠맡겼을까. 이태 전까지만 해도 균이 죽은 날이면 아내는 음식을 만들어 챙겨들고 균을 묻은 곳으로 찾아가곤 했다. 산에서 돌아오는 아내의 입에선 소주냄새가 나고 눈이 벌게져 있었다.

균이 그리된 뒤에 아내는 달라졌다. 낙천적이던 사람이 웃는 일도 없어졌다. 어쩌다 웃다가도 곧 웃음을 흐렸다. 논일 밭일에 휘둘릴 때는 방바닥에 등을 대기만 하면 바로 잠에 곯아떨어지던 사람이 늘 가수면 상태로 밤을 보냈다. 작은딸이 약사가 되어 수면유도제를 조제해줄 때까지 아내는 깊은 잠을 자지 못했다. 편히 잘 수 없었던 아내. 어쩌면 사라진 아내의 머릿속엔 녹지 않은 수면유도제가 층층으로 쌓여 있을지도 모를 일이다. 그사이 옛집을 허물고 그 자리에 새집을 두 차례 지었다. 그때가 구석구석에 처박아둔 헌 살림들이 처분되는 때이기도 했다. 살림을 재정리할 때마다 아내는 다른 사람 손이 탈세라 저 양은 함지를 따로 챙겼다. 다른 살림과 섞여 있으면 어디로 숨어버려 찾지 못할지도 모른다 여기는지 집을 지을 동안 임시로 쓰려고 비만 들어오지 않게 쳐놓은 천막 안에 맨 먼저 그 양은 함지를 들여다놓곤 했다. 새집이 지어진 뒤엔 맨 먼저 새집의 선반에 그걸 올려두었다.

아내를 잃어버리기 전까지는 균에 대한 당신의 침묵이 사는 동안 아내를 얼마나 고통스럽게 했을지를 생각하지 못했다. 이제 와 옛일을 돌이켜서 그때 이러이러했다고 말한들 무엇이 달라진단 말인가. 딸애가 엄마가 충격받은 일이 있느냐고 의사가 묻던데요? 제가 모르는 일이 있어요? 물을 때도 당신은 고개를 저었다. 정신과 상담을 받아보길 권하던데요, 할 때도 당신은 정신과는 무슨…… 하며 딸의 말을 묵살했다. 당신에게 균의 일은 늙어가는 동안 잊어야 하는 일이라고 여겼고 이제는 잊은 듯 여겨졌다. 쉰이 지나서는 아내도 삼촌이 인자는 꿈에도 안 비네. 인자사 어디 존 디로 갔는가 비네…… 하였다. 당신이 그랬듯이 아내도 그러려니 생각했다. 그리 잊은 줄 알았던 균에 대해 아내가 다시 이야기를 꺼내기 시작한 것은 근년 들어서였다.

어느날 자다 말고 아내가 당신을 흔들어 깨웠다.
— 삼촌 말이오, 학교를 보내줬으면 그런 맘 안 먹었을까?
그에게 묻는 건지 혼잣말을 하는 건지 모르게 중얼거리곤 했다.
— 이 집에 시집온 뒤 나한티 젤루 잘해줬던 이는 삼촌인디……
형수가 돼놔서 그토록이나 가고 싶어하던 중학교 하나 못 보내주었소이. 다시 삼촌이 꿈에 뵈요. 아직도 존 디로 못 갔는가비오.

당신이 끄웅, 소리를 내고 돌아누워버린 뒤에도 아내는 어디 먼 길을 내다보고 있는 사람처럼 혼잣말을 해댔다.

— 당신은 그때 왜 그랬소이? 왜 삼촌을 학교에 안 보내줬소이? 그리 가고 싶다고 울어쌓는디 가엾지도 않았소이? 입학만 시켜주면 어떻든 지가 알아서 하겠다고 했는디.

당신은 균에 대해서 누구와도 말을 섞고 싶지 않았다. 균은 당신에게도 상처였다. 살구나무는 베어졌어도 당신은 균이 죽어 있던 그 자리를 또렷이 기억했다. 어쩌다 아내가 자주 넋이 빠진 듯 그 자리를 바라보곤 한다는 것도 알았다. 당신은 상처를 후비고 싶지 않았다. 살다보면 더 지독한 일도 많은 법이니. 당신은 흠흠, 헛기침을 했다. 그때라도 균에 대해서 아내와 허심탄회하게 얘길 나눌 시간을 가졌어야 했다는 생각이 아내를 잃어버리고 나서야 들었다. 텅 비어가는 아내의 가슴속엔 균이 남아 있었던 것이다. 잠을 자다가 아내는 갑자기 세면장으로 뛰어나가 변기 옆에 쭈그리고 앉아 있곤 했다. 누가 질책이라도 하는 듯이 손을 내저으며 난 아니오, 아니란 말이오, 소리를 지르곤 했다. 당신이 나쁜 꿈을 꾸었느냐고 물으면 아내는 눈을 껌벅이며 방금 자신이 무슨 행동을 했는지 잊어버린 듯 멍하니 당신을 바라보았다. 그런 일이 점점 잦아졌다.

아내는 균이 때문에 경찰서에 들락거린 사람이었다는 것을 왜 생각하지 못했을까. 가해자로 소문이 난 사람이기도 했다는 것을. 균의 일이 아내의 치명적인 두통과 관련이 있을지도 모르겠다는 생각을 왜 이제야 하는가. 한번은 아내의 얘기를 들어줬어야 했다. 하고 싶은 말을 하게 해주었어야 했다. 그리 몰아붙여놓고 제대로 풀어주지도 않은 채 함구해온 세월. 그 억압이 아내를 고통으로 내몰았는지도 모른다. 아내는 어디서나 우두커니 서 있는 일이 많아졌다. 내가 뭘 하려구 했는지 잊어버려 이러구 있소, 하였다. 머리가 아파 걸을 수 없는 지경이면서도 아내는 한사코 병원엔 가지 않겠다고 했다. 자식들한테 자신이 머리가 아프다는 걸 절대로 알리지 못하게 당신을 단속했다.

— 알어서 뭐 한다요? 지그들 할일만 못헐 틴디.

어쩌다 알게 되면 금방 어제는 그랬는데 인자는 괜찮다!며 덮어버렸다. 한밤중에 혼자 우두커니 앉아 있다가 당신이 기척을 내면 그저 차가운 얼굴이 되어 당신은 나허고 여태 왜 살았소? 물었던 날도 있었다. 그러면서도 아내는 때가 되면 장을 담갔고 매실즙을 내려고 산매실을 따러 갔다. 일요일이면 당신이 운전하는 오토바이 뒤에 타고 성당에 가기도 했으며 이따금은 남이 해주는 밥을 먹고 싶다며 반찬이 많이 나오는 집으로 밥을 먹으러 가자고도 했다. 계절마다 있는 제사를 합치자는 얘기가 나왔을 때도 큰며느리가 제사를 가져갈 때는 여러 제사를 죄다 합쳐서 하나로 만들어 넘겨주겠으나 여지껏 해왔으니 살아 있는 동안은 자신이 지내겠다고

192

했다. 그때의 아내는 예전과 달리 제사 한번 지내려면 제사상을 보러 갔다가 매번 무엇인가를 잊어버리고 와서 네댓 번은 읍내에 나갔다 와야 했다. 당신은 그런 정도는 누구에게나 있을 법한 일이라고 여겼다.

첫새벽에 전화벨이 울렸다. 이 시간에? 당신은 혹시 싶어 얼른 수화기를 들었다.

— 아버지?

큰딸이다.

— 아버지?

— 그려.

— 왜 전화를 이제 받아요? 핸드폰은 왜 안 받구?

— 무슨 일이냐?

— 어제 오빠 집에 전화해보구 깜짝 놀랐네…… 왜 갑자기 집에 내려갔어요? 가면 가야겠다고 말씀이나 하시지. 그리 가셔놓고 왜 전화를 안 받아요?

당신이 집에 내려온 걸 딸앤 이제야 안 모양이었다.

— 잤고나.

— 잤어요? 계속?

— 그랬는가보다.

— 혼자 거기서 뭐 하시려구?

— 혹시 여기루 올랑가도 모린게.

딸이 잠시 침묵했다. 당신은 마른침을 꿀꺽 삼켰다.

— 제가 내려갈까요?

자식들 중 아내를 찾는 데 가장 열심인 건 큰딸이다. 아직 결혼을 하지 않은 탓도 있을 것이다. 아내 비슷한 사람을 봤다는 전화도 역촌동 약사를 마지막으로 끝이었다. 아들이 신문광고를 더 내보았으나 소용이 없었다. 경찰조차 방도는 다 취해놓았다며 누군가로부터 소식이 오길 기다려볼 수밖에 없다며 손을 놓았어도 큰딸은 밤마다 병원 응급실을 찾아다니며 연고가 없이 실려온 환자들을 일일이 확인했다.

— 아니다…… 뭔 일 있으면 곧바로 전화나 다오.

— 혼자 있기 그러시면 바로 올라와요, 아버지. 고모 오시라고 해서 함께 계시든가.

다시 들으니 딸의 목소리가 이상했다. 술을 마신 듯했다. 혀가 말릴 때나 나오는 소리였다.

— 술 마셨냐?

— ……몇잔요.

이 첫새벽까지 술을 마시고 있었단 말인가. 당신은 전화를 끊으려는 딸애의 이름을 다급하게 불렀다. 딸애가 착 가라앉은 목소리로 네! 대답했다. 수화기를 쥔 당신 손에 땀이 뱄다. 당신은 다리에 힘이 빠져 방바닥에 털썩 주저앉았다.

— 그날 니 엄만 서울 갈 형편이 못 되얐다. 서울엘 가지를 말았어야 했는디…… 전날 머리가 아프다고 세숫대야에 얼음을 가득넣고 그 속에 머리를 박고 있었다. 누가 부르는 소리도 못 듣고…… 밤에 보니 냉동실에 머리를 넣어둔 채로 서 있더라. 얼매나 아팠시믄 그랬겄냐. 아침밥 하는 것도 잊어버린 채로 있던 사람이 뭔 정신으로 서울은 가야 한다고 하질 않겄냐. 니덜이 기다린다고. 그리도내가 말렸어야는디. 내가 늙어서 인자 귀도 얇아지고 판단력도 흐려졌는가비여. 그냥 마음 한켠으로는 이번 참엔 서울 가믄 억지로라도 병원에 입원시키야지 하는 생각이기도 했다…… 그라믄 어쨌든 그런 사람을 데리고 갔시믄 잘 부축을 했어야 하는 것인디…… 내가 니 에미를 환자 취급을 안하고는 서울역에 내리자마자 내 혼자 내 걸음으로 앞질러 걸었다…… 평생 그리 살다보니 기냥 그 버릇이 나온 거여. 일이 이리된 것이여.

자식들을 앞에 두고는 여태 하지 못한 말들이 당신의 입에서 쏟아져나왔다. 수화기 저편에서 딸애가 숨을 죽이고 있었다.

— 아버지……

당신을 부르는 딸의 목소리를 당신은 듣고만 있다.

— 사람들이 다 엄말 잊어버렸나봐. 아무도 전화를 안해. 엄마가 그날 왜 그렇게 머리가 아프셨는 줄 알아요? 저보고 나쁜 년이라고 하셨거든요.

딸의 목소리가 꼬부라졌다.

— 니 엄마가 너한티?

— 네…… 생신인데 저는 참석도 못할 것 같고 해서 제가 중국에서 전화를 걸어서 뭐 하시느냐고 물었더니 병에 술을 담고 계신다잖아요. 막내 갖다준다면서. 막내가 술 좋아하잖아요. 모르겠어요. 그럴 일도 아닌데 순간 너무나 화가 났어요. 막내는 진짜 술 좀 끊어야 하는데…… 엄마는 그저 아들이 좋아하는 거니까 가져다주고 싶어서 또 챙기고 계시잖아요. 그래서 엄마한테 그 무거운 거 가져가지 말라고, 그거 먹고 또 취해서 술주정하면 엄마가 책임질 거냐고 제발 좀 현명하게 굴라고…… 그랬거든요. 엄마가 힘없이 그렇구나 하시며 그럼 읍내로 떡이나 맞추러 가야겠다고 하셨는데…… 해마다 아버지 생신날 올라오시면서 떡 해오셨잖아요. 또 제가 떡은 무슨 떡이냐고 그 떡 해와야 아무도 안 먹는다고 엄마 앞에서는 나눠가지고들 가서 냉동실에 처박아놓는다고 촌스럽게 굴지 말고 그냥 올라가시라고 했거든요. 그랬더니 저보고 냉장고에 떡 처박았느냐고 물으시길래 그렇다고 삼년 전 것도 그대로 있다고 했더니 엄마가 우셨어요. 엄마 울어? 물으니까 엄마가 너는 나쁜 년이다…… 그러셨어요. 난 엄마가 좀 편히 움직이시라고 한 얘기였는데. 엄마한테 나쁜 년이란 소릴 들으니까 제 머리꼭지가 돌았었나봐. 그날 북경 날씨가 너무 더웠거든요. 신경질이 너무 나서 그래, 엄마는 나쁜 딸 낳아서 좋겠다! 그래! 나는 나쁜 년이야! 소리를 팩 치구선 전화를 끊었지 뭐예요.

— ·········

— 엄마 소리지르는 거 너무 싫어하시는데…… 모두들 엄마한테 소리지르잖아요, 우리는. 전화를 다시 걸어서 사과하려고 했는데…… 그만 밥 먹고 거기 구경 다니고 사람들하고 얘기하느라고 깜박 잊어버렸어요. 다시 전화를 드려서 사과만 했어도 엄마가 그리 머리가 아프진 않으셨을 텐데…… 그랬으면 아버지 뒤를 잘 따라다니셨을 텐데.

딸이 우는 것 같았다.

— 지헌아!

— ·········

— 니 엄마는 너를 아주 자랑스러워했어.

— 예?

— 어쩌다 니가 신문에 나면 고거 접어서 가방에 넣고 다님서 꺼내보고 꺼내보고…… 읍내에 나가 누구 만나믄 보여주며 자랑허구 그랬다.

— ·········

— 딸이 뭐 하냐고 물으면…… 글씨 쓴다고 했지…… 니 엄마가 니가 쓴 책을 저 남산동의 소망원 여자한테 읽어달라고 했단다. 니가 뭔 글을 쓰는지 엄만 다 알고 있었어. 그 여자가 읽어주면 엄마 얼굴이 환해지고 웃음이 번지고 했단다. 그러니까 너는 무슨 일이 있어도 글씨를 잘 써야 혀.

— ………

— 말이란 게 다 할 때가 있는 법인디…… 나는 평생 니 엄마한테 말을 안하거나 할 때를 놓치거나 알아주겠거니 하며 살었고나. 인자는 무슨 말이든 다 할 수 있을 것 같은디 들을 사람이 없구나.

— ………

— 지헌아?

— 예.

— 부탁헌다…… 니 엄마…… 엄마를 말이다.

딸이 참지 못하고 수화기 저편에서 어—어어어 소리내어 울었다. 당신은 송아지 같은 딸의 울음소리를 수화기를 귀에 바짝 붙이고 들었다. 딸의 울음소리가 점점 더 커졌다. 당신이 붙잡고 있는 수화기 줄을 타고 딸의 눈물이 흐르는 것 같았다. 당신의 얼굴도 눈물범벅이 되었다. 세상 사람들이 다 잊어도 딸은 기억할 것이다. 아내가 이 세상을 무척 사랑했다는 것을, 당신이 아내를 사랑했다는 것을.

4장

또다른 여인

소나무가 울창하구나.

어떻게 이 도시에 이런 마을이 있다냐? 참, 꼭꼭 숨어 있네. 엊그제 눈이 왔냐? 나무에 흰눈이 소복하네. 네 집 앞에 어디 보자 소나무가 세 그루나 있네. 내가 앉기 좋으라고 꼭 그 사람이 옮겨심어놓은 것 같구나. 내가 그 사람 얘기를 꺼내다니. 그래도 나는 너를 만나고 그 사람을 만나러 갈 것 같아. 그럴 게야. 그래야 한다고 생각한다.

네 형제들이 살고 있는 아파트며 오피스텔 들은 내 눈엔 다 똑같아 보여. 어느 집이 어느 집인지 혼란스럽고나. 어쩌면 그렇게 똑같은지. 어째 그리 똑같은 공간에서들 살재? 각자 다르게 생긴 집에서들 사는 게 좋을 것 같아. 헛간도 있고, 다락방도 있음 좋지 않을거냐. 아이들이 숨을 데가 있는 집에서 사는 것이 좋지 않을거나. 니가 걸핏하면 심부름을 시키려 드는 오빠들을 피해 그 집의 다락방에 숨었듯이. 이젠 시골에도 똑같이 생긴 아파트들이 불쑥불쑥 생겼고나. 우리집 옥상에 올라가봤냐? 거기서 읍내에 새로 생긴 고층아파트들이 다 보이재. 네가 자랄 때만 해도 버스조차 다니지 않는 마을이었는데. 시골도 그런디 사람 많은 여기서야 뭐라겠냐. 그냥 똑같이만 안 생겼으면 좋겄어. 너무나 똑같이 생겨서 나는 도무지 어디도 찾아갈 수가 없어. 네 오라비들 집도, 네 언니 오피스텔도 나는 못 찾아가. 그것은 내 사정이다. 내 눈엔 너무나 다 똑같이 생긴 입구, 다 똑같이 생긴 문들인데 사람들은 한밤중에도 자기 집을 잘 찾아가네. 하물며 아이들조차도.

너는 용케도 여기 살고 있네.

여기가 어디다냐? 서울시 종로구 부암동… 여기가 종로구란 말이냐? 종로구…… 종로구…… 아, 종로구! 그 옛날 니 큰오라비가 신혼살림을 차린 집 주소의 시작이 종로구였다. 종로구 동숭동이었재. 어머니, 여기가 종로구예요, 그랬재. 주소를 쓸 때마다 기분이 좋아요. 종로는 이 서울의 중심이거든요. 근데 거기에 내가 살고 있잖아요. 시골 촌놈이 드디어 종로에 입성한 거예요, 그랬어. 그때도 서울의 중심 종로구라는데 내 기억엔 낙산이라던가 하는 가파른 산자락에 다닥다닥 위험하게 붙어 있는 연립주택이었어. 거기까지 올라가는데 어쩌나 숨이 차는지. 그때도 아이구, 이 도시에 어찌 이런 곳이 있는고, 우리 시골보다 아주 더 시골이네, 생각했고나. 그런데 여기가 그러네. 그때와 똑같은 생각이 드네. 어찌

이 도시에 이런 곳이 있다니.

작년에 네 가족들이 삼년 남짓한 외국생활을 마치고 다시 서울로 돌아왔을 때 가지고 있는 돈으로는 예전에 살던 아파트 전세도 얻지 못하게 되었다고 실망하더니 이런 마을을 찾아낸 모양이로구나. 여긴 완전히 시골마을이여. 커피집도 있고 미술관도 있긴 하나 방앗간도 있더구나. 방앗간에선 흰 가래떡을 뽑고 있더구나. 옛날 생각이 나서 한참 구경을 했구나. 설이 다가오는가. 방앗간에서 흰 떡을 뽑는 사람들이 꽤 있던걸. 아직도 설이라고 흰떡을 뽑는 그런 마을이 이 도시에도 있구나. 설 때가 되면 쌀을 한말이나 리어카에 싣고 떡을 뽑으러 방앗간에 가곤 했재. 차례를 기다리느라 언 손을 호호 불곤 했는데.

아이를 셋이나 데리고 살기에는 불편하겠네. 사위가 선릉까지 출근하려면 먼 길이기도 하겠고나. 주변에 시장은 있는 게야?

— 마트에 한번 다녀오면 무엇을 많이 산 것 같은데도 금방 먹고 없어. 요플레를 하나씩만 먹일래두 세개 사야 하잖아. 사흘치 사려면 그것만도 아홉 개야, 엄마! 무서워 죽겠어요. 이만큼 샀는데 금방 없어진다니까!

너는 팔을 크게 벌리며 이만큼을 강조했재. 아이가 셋이니 당연한 일이재.

뺨이 붉게 물든 네 첫째가 타고 온 자전거를 대문 앞에 세워두려다가 흠칫 놀라네. 첫째가 엄마! 너를 부르며 황급히 대문을 밀고 들어가는구나. 잿빛 카디건을 걸친 네가 셋째를 가슴에 안은 채 왜? 하는 표정을 지으며 문을 밀며 나오네.

— 엄마! 새가!

— 새?

— 응, 대문 앞에!

— 무슨 새?

첫째가 대답은 않고 손가락으로 대문을 가리키네. 너는 안고 있는 셋째아이가 추울세라 윗옷에 달린 모자를 잡아당겨 얼굴에 씌우고 대문께로 나가보는구나. 몸 전체가 잿빛을 띤 새가 대문 앞에 너부러져 있네. 머릿등부터 날개까지 검은 점무늬가 박혀 있네. 날개가 꽁꽁 얼었구나. 새를 바라보는 너의 눈이 흔들리네. 내 생각을 하고 있군. 그런데 애야, 네 집 주위는 온통 새투성이네. 웬 새들이 이리 많아? 겨울새들이 소리도 내지 않고 네 집 위를 맴돌고 있구나.

며칠 전에 네 집 모과나무 밑에 까치가 앉아서 떨고 있는 걸 보고 배가 고프겠지, 싶어 너는 집으로 들어가 아이가 먹다 남긴 빵을 부스러뜨려 모과나무 밑에 뿌려주었재. 그때도 너는 이 에미 생각을 했어. 겨울철이면 앙상한 감나무에 앉은 새들 먹으라고 묵은쌀을 한 됫박 퍼와 감나무 아래에 뿌려주던 나를. 네가 빵부스러기를 뿌려준 저녁때에 모과나무 아래로 스무 마리도 넘는 새들이 날아들었재. 날개가 네 손바닥만한 새도 있었어. 그날부터 너는 날마다 배고픈 겨울새들을 위해 빵부스러기를 모과나무 아래에 뿌려두곤 했재. 그런데 모과나무 아래도 아니고 대문 앞에 너부러져 있는 새라니. 그 새 이름은 내가 알고 있다. 개꿩이야. 이상도 하네. 혼자 다니는 새가 아닌데 왜 여기에 있다냐? 해안가에나 있어야 할 새인데. 그 사람이 사는 곰소에서 본 새야. 썰물 질 때 거기 갯벌에서 먹이를 찾아헤매는 개꿩들을 봤어.

네가 가만 서 있자, 첫째가 네 팔을 잡고 흔든다.
— 엄마!
— ·········
— 죽었어?
첫째가 물어도 너는 입을 다물고 있다. 얼굴이 굳어지며 그저 가만 새를 보고 있다.
— 엄마! 새가 죽었어?
바깥의 소란에 튀어나온 둘째가 다가와 물어도 셋째를 안은 채 너는 말이 없다.

전화벨이 울리네.
— 엄마, 이모!
큰딸이 전화를 한 모양이군. 네가 둘째에게서 수화기를 건네받는다. 수화기를 받아든 네 얼굴이 또 굳는다.

— 언니가 가면 어떡해?

큰딸애가 또 비행기를 탈 모양이군. 네 눈에 눈물이 핑 돈다. 입술이 떨리는 것도 같네. 갑자기 네가 수화기에 대고 소리를 지른다. 애야, 너는 그런 애가 아니잖어. 왜 언니에게 소리를 지른다냐.

— 다들 너무해…… 다들 너무해!

수화기를 쾅 내려놓아버리기까지 하네. 그건 네 언니가 너한테 그리고 나한테 하는 짓인데. 곧바로 전화벨이 다시 울린다. 수화기를 한참 바라보고만 있더니 벨소리가 멈추지 않자 네가 수화기를 든다.

— 미안해, 언니.

그사이 목소리가 침착하게 돌아와 있네. 너는 수화기 저편에서 네 언니가 하는 말을 가만 듣고 있네. 그러다가 다시 얼굴이 붉어지네. 갑자기 소리를 팩 지르네.

— 뭐? 산티아고? 한달이나?

네 얼굴이 더욱 붉어지네.

— 지금 가도 되느냐구 나한테 묻는 거야? 이미 가기로 다 결정해놓고 묻긴 왜 물어! 그럴 수 있어?

수화기를 든 네 손이 떨리고 있네.

— 대문 앞에 새가 죽어 있었어. 기분이 나빠. 엄마한테 무슨 일이 생긴 거 같단 말이야! 왜 여태 엄말 못 찾아! 왜! 그리군 어딜 간

다구? 모두들 왜 그래? 언니까지 그럴 거야? 이 추운 날에 엄마가 어딨는 줄도 모르는데 그렇게 다들 제 할일 다 하구 그럴 거냐구!

애야, 진정해라. 언니 마음도 이해해야지. 지난 세 계절 동안 네 언니 꼴을 보고도 하는 소리냐.

— 뭐? 나한테 엄마를? 나한테! 내가 애들 셋을 데리고 뭘 어떻게 할 수 있다고 생각해? 도망치는 거지? 죽겠으니까 도망치는 거지? 언닌 늘 그랬어.

애야, 괜찮아진 거 같더니 왜 또 그러냐. 수화기를 또 쾅 내려놓고 엉엉 울기까지 하네. 셋째가 따라 우네. 셋째 코가 금방 빨개지네. 이마까지 빨개지는구나. 둘째가 덩달아 우네. 첫째가 방문을 열고 나오다가 우는 세 사람을 물끄러미 보고 있네. 전화벨이 또 울리네. 울던 네가 얼른 수화기를 든다.

— 언니……

네 눈에서 눈물이 툭 떨어진다.

— 가지 마! 가지 마! 언니!

결국 큰딸애가 너를 달래고 있네. 달래다 안되니 큰딸애가 네 집으로 오겠다고 하네. 수화기를 내려놓고 너는 말없이 고개를 숙이고 앉아 있네. 셋째가 네 무릎에 올라앉는다. 네가 셋째를 품에 안는다. 둘째가 다가와 네 뺨을 어루만진다. 네가 손을 뻗어 둘째의 등을 토닥여준다. 첫째가 너를 기쁘게 해주려고 네 앞에 엎드려 수학문제를 푼다. 네가 첫째 머리를 쓰다듬는다. 열린 대문을 밀고 큰딸애가 들어오네. 어이구, 윤아! 큰딸애가 문을 열어주는 네게서 셋째를 받아안는다. 아직 낯가림이 심한 셋째가 이모인 큰딸애 품에서 너에게 가려고 손을 뻗으며 버둥대네.

— 잠깐만 있어보렴.

큰딸애가 얼굴을 비비려 드니 셋째가 와앙 울음을 터뜨리네. 큰딸애가 너에게 아이를 내민다. 엄마 품에 안겨서야 아이는 눈썹에 눈물을 매달고 이모를 향해 웃는다. 어이구! 큰딸애가 아이의 뺨을 문질러주네. 너희 자매는 말없이 앉아만 있네. 전화로 안되겠으니 이 눈길에 달려왔으련만 큰딸애는 아무 말이 없네. 얼굴이 말이 아니구나. 퉁퉁 부어 그 큰 눈이 일자가 되어 있네. 오랫동안 잠을 숫제 못 잔 얼굴이야.

— 갈 거야?

오랜 침묵 끝에 네가 언니에게 묻는다.

— 안 갈게.

무거운 짐을 내려놓은 듯 큰딸애가 소파에 쓰러지듯 엎드리네. 졸음에 떠밀려 몸을 가누지 못하네. 가엾은 것. 강한 척할 뿐 속은 물러터진 것. 몸을 그리 혹사해서 어쩌려고?

— ……언니! 자?

네가 큰딸애의 어깨를 흔들어보다 손바닥으로 쓸어주네. 잠든 언니를 물끄러미 들여다보네. 어려서도 무슨 일로 거칠게 서로 항변하며 싸우다가도 너희는 금세 조용해지곤 했재. 야단을 치려고 보면 서로 손을 잡고 자고 있곤 했어. 네가 방 안으로 들어가 담요를 꺼내와 큰딸애를 덮어주네. 큰딸애는 이마를 찡그리네. 조심성 없는 것. 그리 잠을 매단 채 운전을 하고 오다니.

— 언니 미안해……

네가 웅얼거리자 큰딸애가 눈을 치떠 너를 보네. 혼잣말하듯 중얼거리네.

— 어제는 그 사람 어머니를 만났어. 결혼하면 내겐 시어머니 될 분이지. 그 사람 누나 집에 살고 계셨어. 그 사람 누나는 스위스라는 작은 레스토랑을 운영하고 있어. 독신이야. 그 사람 어머니는 아주 작고 말랐어. 그 사람 누나를 졸졸 따라다녔어. 딸을 보고 언니라고 부르면서. 그 사람 누나가 먹여주고 재워주고 씻겨주고 우리 엄마 참 이쁘다 늘 그러니까 어느날부터 언니라고 불렀대. 그 사람 누나가 그러더라. 엄마 때문에 아직 결혼하지 않은 거라면 걱정 말라고. 자기가 언니 노릇 하면서 엄마와 계속 살 거라고. 새해가 시작되는 1월에는 엄마를 요양원에 맡기고 여행을 가니까 자기가 없는 그때만 찾아봐주면 된다고. 그 사람 누나는 레스토랑을 운영해 남은 돈으로 일년 중에 1월 한달간 여행을 다닌 지 이십년 됐다고 했어. 엄마에게 언니라 불리며 사는데도 좋아 보였어. 그냥 스스럼없이 엄마가 여태 길러줬는데 이제 뭐 역할을 바꿨으니 셈이 맞는 거 아냐 하며 밝게 웃었어.

얘기를 멈추고 큰딸애가 가만히 너를 본다.

― 엄마 얘기 해봐.

― 엄마 얘기?

― 응…… 너만 알고 있는 엄마 얘기.

― 이름 박소녀. 생년월일 1938년 7월 24일. 용모 흰머리가 많이 섞인 짧은 퍼머머리, 광대뼈 튀어나옴. 하늘색 셔츠에 흰 재킷, 베이지색 주름치마를 입었음. 잃어버린 장소……

큰딸애가 너를 향해 실눈을 떴다가 졸음에 떠밀리며 다시 눈을 감네.

― 엄마를 모르겠어. 엄마를 잃어버렸다는 것밖에는.

이제 가야 하는데 발걸음이 떨어지지 않네. 여기 앉은 채 하루가 지났구나.

이런,

내 이럴 줄 알았재. 이건 코미디에나 나올 장면이로구나. 어이구, 정신없어. 이런 판에 넌 웃음이 나오냐아? 네 아들 첫째가 저기서 모자를 쓰며 너에게 뭐라고 하고 있구나. 뭐라는 게야? 가만? 아, 스키장에 보내달라는군. 넌 안된다고 하네. 환경이 달라져 학교공부를 제대로 따라갈 수 없지 않느냐고, 방학 끝나면 학교공부 따라갈 수 있게 이번 방학엔 아빠하고 함께 공부에 집중해야 한다고 말하는군. 그러지 않으면 앞으로 계속 힘들다고. 네가 말하는 사이에 식탁 밑에서 이제 걸음마를 배운 네 셋째가 밥알을 주워먹으려 드네. 넌 손에 눈이 달렸냐? 눈은 첫째놈을 바라보고 말을 하면서 손은 셋째놈에게서 먼지 묻은 밥알을 뺏어내네. 셋째가 흐앙, 울음을 터뜨리려다 네 다리에 엉겨붙는구나. 네 손이 자연스럽게 넘어지려는 셋째 손을 붙잡네. 여전히 입으로는 첫째에게 왜 공부를 해야 하는지를 설명하면서. 네 말은 듣는지 마는지 여기 봤다 저기 봤다 하던 첫째는, 나 다시 가고 싶어! 여기 싫어! 소리를 지르네. 방 안에서 네 딸 둘째가 너를 향해 엄마! 부르며 뛰어나오네. 머리가 다 헝클어졌다고 투덜거리네. 조금 있다 학원 가야 한다고 빨리 머리를 땋아달라는구나. 네 손은 이제 딸아이 머리를 매만지고 있네. 입으론 계속 첫째에게 말을 하면서.

아, 세 아이가 한꺼번에 너에게 달라붙어 있네.

내 딸. 너는 세 아이 말을 동시에 듣고 있네. 네 몸은 세 아이에게 척척 잘 단련되어 있네. 너는 식탁의자에 둘째를 앉히고 머리를 빗기며 큰놈이 그래도 스키장에 가고 싶다고 하자 겨우 타협책으로 아빠하고 상의해보겠다고 말하다가 셋째가 넘어지자 얼른 빗을 내려놓고 넘어진 아이를 일으켜세워 코를 문질러주고 다시 빗을 들어 둘째 머리를 빗기고 있네.

그러다가 네가 문득 창 바깥을 본다. 모과나무에 앉아 있는 나를 본다. 내 눈과 네 눈이 마주친다. 네가 웅얼거리네.

― 처음 보는 새네.

너의 세 아이 모두 네 시선을 따라간다.

― 어제 대문 앞에 죽어 있던 새 식구인가봐, 엄마!

둘째가 네 손을 잡는구나.

― 아냐…… 그 새는 저렇게 안 생겼어.

― 아니야, 맞어!

너희는 대문 앞에 죽어 있던 새를 이 모과나무 밑에 묻었재. 첫째가 땅을 팔 때 둘째가 나무십자가를 만들었어. 천방지축 셋째는 앙앙거리고. 네가 새를 집어 날개를 접고 첫째가 판 땅속에 밀어넣을 때 둘째가 아멘! 그랬어. 새를 묻고 둘째는 사무실의 아빠에게 전화해 새를 묻은 이야기를 종알종알 옮기더군. 내가 십자가도 만들어줬어요, 아빠! 하면서.

바람결에 그 십자가가 쓰러져 있네.

네 아이들이 종알대는 소리를 들으며 네가 나를 잘 보기 위해 창가로 걸어오는구나. 네 아이들이 너를 따라 쪼르르 창 쪽으로 몰려들어 나를 보네. 어이구, 그만 보렴. 난 너희에게 미안해. 너희가 태어날 때마다 너희보다 네 에미 생각을 더 했재. 머리를 다 땋은 둘째가 빠끔히 나를 보는군. 네가 태어났을 땐 네 엄마 젖이 말랐었지. 네 오빠 낳았을 땐 일주일도 안돼 병원에서 퇴원했는데 너를 낳고는 뒤끝이 좋지 않아서 네 엄만 한달도 넘게 병원에 있었단다. 그때 내가 네 어밀 돌봤어. 네 친할머니가 문안차 병원에 왔을 때다. 네가 울어대니 네 친할머니가 네 엄마보고 아기 운다고 빨리 젖을 물리라고 하더구나. 나오지도 않는 빈 젖을 물리는 니 에미를 보며 내가 신생아인 널 향해 눈을 흘겼어. 네 친할머니를 얼른 돌려보내고 네 에미 품에서 너를 뺏듯이 안아들고 네 엉덩이를 손바닥으로 때리기까지 했재. 아기가 울면 친할머니는 아기 운다, 어서 젖 물려라, 하고, 외할머니는 저 애는 에미 힘들게 왜 저리 울어댄다냐…… 한다더니 나도 다를 게 없었단다. 네가 그걸 알 리가 없건만 넌 이상하게 나보다는 네 친할머니를 더 따랐어. 나를 보면 할머니, 부르며 안녕하세요! 그랬지만 네 친할머니한텐 할머니이이 — 부르며 달려가 푹 안기곤 했재. 그때마다 나는 그때 엉덩이를 손바닥으로 때린 걸 니가 알고 있나보네, 찔금했더란다.

참, 예쁘게 자랐어.

숱 많은 검은 머리 좀 보라지. 땋아내렸는데도 한주먹이네. 니 에미 어렸을 때와 똑같구나. 나는 니 에미 머리 한번 땋아주지 못했네. 니 에민 머리를 기르고 싶어했는디 난 늘 니 에미 머리를 단발로 자르게 했고나. 무릎에 앉히고 머리를 빗겨줄 짬이 없었고나. 어려서 머리를 길러 땋고 다니고 싶은 마음을 니 에민 너를 통해 푸는 모양이네. 눈은 나를 보면서도 손은 네 머리를 만지작거리고 있구나. 네 에미의 눈이 흐려지네. 저런, 또 나를 생각하는군.

애야, 에미다. 이 북새통에 니가 내 말을 들을 수 있을까. 너에게 사과하려고 왔는데.

네가 셋째아이를 낳아 안고 돌아왔을 때 이 에미가 지었던 표정을 용서하렴. 네가 엄마! 하고 놀라서 내 얼굴을 빤히 보았던 그날이 늘 마음에 맺혀 있었고나. 무엇 때문이었느냐? 너에게 세번째 아이가 생긴 게 계획에 없는 일이어서였냐? 아니면 아직 결혼 안한 언니가 있는데 세번째 아이를 가졌다는 걸 알리는 게 민망해서였어? 셋째아이 생긴 걸 그 먼 땅에서 숨긴 채 혼자서 입덧하고 몸을 풀 때에야 너는 셋째아이가 태어날 거라는 걸 우리에게 알렸지. 저 어린 셋째를 낳는 데 아무 도움도 주지 않았으면서도 아이를 안고 돌아온 너에게 내가 그랬어.

— 어쩌려구! 셋이나 어쩌려구!

미안하다, 애야. 네 셋째에게 미안허구 너에게두. 네 인생인데, 그것도 너는 문제를 푸는 데 놀라운 집중력을 가진 내 딸인데 아무렴 그 문제를 풀어나가지 못할까. 엄마가 잠시 네가 어떤 사람인지를 잊구선 내뱉은 말이었고나. 미국에서 돌아온 뒤 널 볼 때마다 나도 모르게 짓던 표정들도 용서하렴. 너는 분주했어. 어쩌다 네 집에 가보면 너는 아이들 뒤쫓아다니느라 정신이 없었어. 옷가지를 치우랴, 밥해 먹이랴, 넘어진 놈 일으켜세우랴, 학교에서 돌아온 놈

가방 받아주랴, 엄마! 부르며 네 품으로 뛰어드는 놈 배로 받아주랴…… 자궁근종 때문에 수술 받으러 가면서도 너는 그 전날까지 아이들 밥거리를 챙기느라 부산했어. 네 아이들 봐주러 네 집에 갔다가 냉장고 문 열어보고 내가 얼마나 슬펐는지 너는 모를 거다. 냉장고 안에 아이들에게 먹일 나흘분의 것들이 차곡차곡 쌓여 있었재. 나한테 엄마! 내일은 맨 위칸에 있는 저거 먹이구, 모레는 그 아래 거 먹이구…… 설명하는 네 눈꺼풀이 푹 꺼져 있었어. 너는 그런 사람이었어. 매사 네 손으로 뭐든 다 해야 하는 그런 사람이기도 했단 말이다. 그걸 알기 때문에 네가 셋째아이를 낳아왔을 때 어쩌려구! 했던 것이여. 그날밤에 네가 샤워하러 세면장에 들어가느라 바깥에 벗어놓은 옷들을 집어보았다. 소매 끝이 다 닳은 네 셔츠엔 자릿물이 방울방울 묻었고, 무릎이 벙벙하게 나온 바지는 솔기가 터져 있고, 언제 산 것인지 낡은 브래지어 끈엔 보푸라기가 무성하게 일어나 있고, 돌돌 말린 채 놓여 있는 팬티는 무늬가 무엇이었는지 알아볼 수가 없더구나. 꽃이었는지 물방울이었는지 곰이었는지…… 얼룩얼룩했다. 너는 네 언니와 달리 유난히 깔끔한 아이였는데. 흰 운동화에 콩알만한 얼룩 하나만 져도 다시 빨아 신곤 하는 너였는데. 이리 살려고 공부를 그리했나 싶은 게. 사랑하는 내 딸. 생각해보니 너는 어려서부터 네 언니랑은 달리 어린애를 참 이뻐했재. 너는 먹고 싶은 걸 손에 들고 있다가도 마을 어린애가 그걸 먹고 싶어하는 거 같으면 망설임 없이 내주는 아이였어. 너는 네 자

214

신 아이일 적에도 우는 아이를 만나면 가까이 다가가 눈물을 닦아주고 안아주고 그랬어. 그런 너인 것을 이 에미가 깜박 잊고 있었다. 일을 다시 할 생각도 안하고 낡은 옷을 입고 머리를 뒤로 질끈 묶고 그저 아이 키우는 일에 몰두한 채 분주한 너를 뒤에서 바라보는 일이 속상했다. 걸레를 빨아 방을 닦는 너와 눈이 마주쳤을 때 이 에미가 했던 말, 너 이렇게 사냐! 했던 말 말이다. 그 말도 용서해라. 하긴 그때 너는 내가 무슨 말을 하는지 못 알아듣는 것 같더라만. 나는 종내는 네 집에 가지 않았지. 배울 만큼 배우고 남이 부러워하는 능력도 가진 네가 왜 그리 꼬질꼬질 살고 있는지 보고 싶지가 않았고나. 착한 내 딸! 너는 닥친 상황을 피하지 않고 받아들이며 앞으로 나아가는 사람이었는데 나는 네가 왜 그러고 사는지 때로 화가 날 때가 있었고나.

애야,

너는 이 에미에게 항상 기쁨이었다는 것만 기억해. 너는 내 네번째 아이지. 한번도 말한 적이 없지만 엄밀히 셈하면 너는 다섯번째란다. 네 위로 태어나면서 저세상으로 가버린 아이가 하나 있었재. 고모가 아이를 받았지만, 사내아이라고 말해줬지만, 아이는 울지 않았다. 눈도 뜨지 않았재. 사산이었어. 네 고모가 사람을 사서 죽은 아이를 묻어야겠다고 해서 내가 그만두라 했고나. 네 아버진 그때도 집에 없었고나. 죽은 아이와 함께 나흘을 방 안에 누워 있었어. 겨울이었다. 밤이 되면 마당에 눈 내리는 모습이 문풍지에 비쳤다. 닷새째 되던 날, 일어나서 죽은 아이를 독에 넣고 지고 가 산에 묻었재. 언땅을 판 사람은 네 아버지가 아니라 그 사람이었다. 그 아이가 언땅에 묻히지 않았으면 네겐 오빠가 셋일 텐데. 그러구선 나는 너를 혼자 낳았고나. 무슨 일이 있었냐구? 아니…… 아니다. 아무 일도 없었다아. 내가 너를 혼자 낳겠다고 했을 때 오히려 네 고모가 서운해할 지경이었재. 지금에야 말하지만 나는 혼자 아이를 낳는 거보다 또다시 죽은 아이가 나올까봐 그것이 두려웠어. 누구에게도 보여주고 싶지 않았고나. 또다시 죽은 아이가 나오면 이젠 그 사람 도움도 받지 않고 내 손으로 묻고 나도 산에서 내려오지 않겠다고 생각했재. 산통이 왔을 때 네 고모에겐 알리지도 않고 물을 데워 방 안에 들여놓고 어린 네 언니를 내 머리맡에 앉혔단다. 죽은 아이가 나올까봐 소리도 지르지 않았어. 그런데 내 안에서 꼬물꼬물하고 따뜻한 네가 나왔어. 젖은 걸 닦아주지도 않은 채 엉덩이를 때리자 곧 울음을 터뜨렸재. 너를 보고 어린 네 언니도 웃음을 터뜨렸다. 아가 ― 하며 손바닥으로 네 말랑한 뺨을 문질러주었재. 네가 살아 있다는 거에 취해 난 아픈 줄도 몰랐어. 나중에 보니 내 혓바닥이 피투성이였고나. 너는 그렇게 태어났어. 또다시 죽은 아이를 낳을까봐 슬픔과 공포에 사로잡힌 나를 위로하며 세상에 나온 아이가 너란다.

그리고 애야,

　너에게만큼은 다른 엄마들이 하는 일을 나도 양껏 해볼 수 있었
재. 젖도 많이 나와서 팔개월이 넘도록 너에게 젖을 물릴 수가 있었
재. 자식들 중 처음으로 너에겐 유치원이라는 곳도 보내봤고, 고무
신이 아닌 운동화를 첫 신발로 사 신겨보았재. 그래, 초등학교 입학
할 땐 네 이름표도 내가 만들었어. 네 이름은 내가 처음 써본 글자
였어. 그걸 위해 얼마나 연습을 했는지. 손수건과 함께 내가 처음
써본 글자이기도 한 네 이름표를 가슴에 달아주고 학교 운동장까
지도 내가 데리고 갔재. 그게 무슨 대단한 일이냐구? 나한테는 대
단한 일이재. 네 큰오빠가 초등학교 입학할 때도 나는 학교에 가지
않았으니까. 글씨 쓸 일이 있을까봐 이리저리 둘러대고 네 고모를
보냈단다. 그때 네 큰오빠가 다른 아이들은 다 엄마가 왔는데 나만
고모가 왔다고 투덜대는 소리가 지금도 들리는 것 같네. 네 작은오
빠 입학할 땐 형 손에 쥐여보냈네. 네 언니도 오빠 손에 달려보냈
어. 시내에 나가 책가방이며 프릴 달린 원피스를 사입힌 것도 네게
만 한 일이란다. 그렇게 할 수 있어서 행복했고나. 네겐 비록 밥상
만한 것일 뿐이었지만 그 사람에게 부탁해 앉은뱅이책상도 짜주었
재. 네 언닌 책상이 없었고나. 지금도 가끔 말하잖어. 방바닥에 엎
드려 숙제하느라고 어깨가 넓어졌다고 말이다. 네가 거기 앉아 공
부하고 책 읽는 모습을 보는 것이 이 에미에겐 큰 기쁨이었고나. 입
시공부하는 네게 도시락도 싸주어보았지. 야간자습 마치고 돌아오

는 너를 기다렸다가 데려오기도 했고. 너는 또 그만큼 기쁨을 주었어. 그 소읍에서 공부를 젤 잘하지 않았냐. 서울의 일류대학에 합격해서, 그것도 약대에 합격해서, 네가 다닌 여학교엔 축하 플래카드가 걸리기도 했어. 어짜든 그리 똘똘한 딸내미를 두었느냐고 인사를 받을 때마다 아마도 내 입이 귀밑까지 벙싯거렸을 거여. 너는 모를 게야. 너를 생각하면 엄마로서 버젓한 기분이 들었던 내 마음을 말여. 아무리 자식이라도 뭔가 해줘야 할일을 못해준 자식들에겐 그런 마음 안 들더라. 자식인데도 미안하고. 너는 그런 마음으로부터 자유를 느끼게 해준 자식이었재. 니가 대학에 들어가 데모를 하고 다닐 적에도 니 오빠에게 한 것처럼 간섭하지 않았어. 명동에 있다는 성당에서 단식투쟁을 벌일 때도 찾아가지 않았지. 최루탄가루 때문인지 네 얼굴이 여드름 범벅이 되어 다녀도 그냥 두었어. 나는 정확히 무슨 일인지 모르지만 할 만하니까 하겠지, 싶었네. 니가 니 친구들하고 시골집에 몰려내려와 야학을 차렸을 때는 니들에게 밥을 해주기도 했네. 니 고모가 딸내미 저리 두다간 빨갱이 될지도 모른다고 했어도 나는 니가 하는 말과 너의 행동을 자유롭게 두었고나. 오빠들에겐 그러지 못했어. 타이르고 야단쳤고나. 네 작은오빠가 전경이 휘두르는 곤봉에 맞아 허리를 다쳤을 때 소금을 달궈 허리에 얹어주다가 계속 이런 식이면 엄마가 죽어버리겠다고 위협까지 했고나. 그러면서도 네 오빠가 무식한 엄마라고 생각할까봐 가슴 졸이기도 했재. 젊으니까 젊은 대로 해야 하는 일이 있는 것이었을 텐데 나는 힘껏 가로막았재. 너한테는 안 그랬다. 니가 변화시켜놓고 싶어하는 일이 무엇인지는 알지 못했어도 널 막지는 않았어. 어느 해 유월에 대학생인 너와 함께 장례행렬을 따라 시청 앞도 가보지 않았냐. 그때 네 조카가 태어나 내가 서울에 있었을 때였재.

기억력도 좋다구? 그러게 말이다.

기억력이라기보다는 잊을 수 없는 날이었재. 내게는 그날이 그런 날이었네. 너는 새벽에 집을 나서다가 나를 보더니 엄마도 함께 갈래요? 물었재.

— 어딜?

— 작은오빠가 다닌 학교에!

— 거긴 왜? 니 학교도 아님서?

— 장례식이 있어, 엄마.

— 더구나…… 그곳엘 이 에미가 왜 간다냐?

나를 물끄러미 보다가 방문을 닫고 나가려던 네가 다시 들어왔어. 갓 태어난 손자의 기저귀를 개고 있는 내 손에서 기저귀를 뺏었어.

— 엄마도 함께 가아!

— 곧 아침 먹을 시간여. 니 올케 멕일 미역국도 끓여야구.

미역국 하루 안 먹는다고 올케가 죽겠어요, 너는 너답지 않게 거칠게 말하더니 내게 강제로 외출복으로 갈아입게 했어.

― 그냥 엄마랑 함께 가고 싶어 그래. 함께 가!

그 말이 좋았고나. 대학생인 네가 학교라고는 문턱에도 안 가본 나에게 학교에 가자면서 그냥 엄마랑 함께 가고 싶어 그래, 했을 때의 네 말투의 높낮이도 기억하고 있고나. 그날 그렇게 많은 사람들이 모인 것을 나는 처음 보았네. 최루탄을 맞고 죽었다는 겨우 스무살밖에 안되었다는 그 젊은이 이름이 무엇이었더라? 내가 몇번이나 물어봐서 네가 몇번이나 일러줬는데도 가물가물하고나. 그 젊은이가 누구였기에 그리 많은 사람들이 모인 게냐? 어찌 그리 사람들이 많이 모였을꼬. 내 너를 따라서 시청 앞까지 그 장례행렬을 따라가는 동안 혹여 너를 놓칠까봐 네 손을 찾아 꼭 붙잡고 또 붙잡고 하는 걸 보고 네가 그랬재.

― 엄마! 혹시 나를 잃어버리게 되면 왔다갔다 하지 말고 그 자리에 가만 서 있어. 그럼 우린 다시 만날 수 있어.

왜 그 말이 이제야 생각나는지 모르겠네. 지하철 서울역에서 네 아버지를 따라 열차에 올라타지 못했을 때 그때 떠올렸어야 했는데.

애야, 너는 그렇게 내게 좋은 기억을 많이 남겨준 사람이었다. 네가 내 손을 잡고 걸으며 부르는 노래를, 그 수많은 인파가 약속이나 한 듯 한목소리로 외치는 소리를, 나는 알아들을 수도 따라하지도 못했다만 내가 광장이란 곳엘 나가본 건 그게 처음이었어. 나를 거기 데리고 간 네가 자랑스러웠고나. 거기서 너는 내 딸만이 아닌 것 같았재. 너는 집에서와는 아주 달라 보였어. 너는 사나운 매 같았고나. 네 입술이 그리 단정하고 네 목소리가 그리 단호하다는 것을 처음 느꼈네. 사랑하는 내 딸. 너는 그걸 시작으로 내가 서울에 올 때면 나를 식구들 속에서 빼내 극장에도 데리고 가고 능에도 데리고 갔재. 서점에 있는 음반 파는 곳에도 데리고 가 헤드폰을 내 귀에 대주기도 했재. 이 서울에 광화문이란 곳이 있다는 거, 시청 앞이 있다는 거, 이 세상에 영화와 음악이 있다는 것을 너를 통해 알았고나. 엄마는 네가 다른 사람들과는 다른 삶을 살 거라고 생각했고나. 니 형제들 중에서 가난으로부터 자유로운 애가 너여서 뭐든 자유롭게 두자고 했을 뿐인데 그 자유로 내게 자주 딴세상을 엿보게 한 너여서 나는 네가 더 맘껏 자유로워지기를 바랬고나. 더 양껏 자유로워져 누구보다도 많이 다른 사람들을 위해 살기를 바랬네.

······ 나는 이제 갈란다.

그런데 저런,
셋째가 졸리나보다. 입에 침을 흘리며 눈은 반이나 감겨 있네. 두 아이가 학교로 학원으로 나가니 그래도 집이 조용하구나. 그런데 이게 뭐냐! 아휴, 집이 아주 난장판이로구나. 내 원 참, 어질러져도 이렇게 어질러진 집은 처음 보네. 내가 좀 치워주고 싶어도······ 이젠 나도 어쩔 수가 없어. 아이를 재우다 내 딸이 잠이 드네. 그래, 고단도 하겠다. 내 새끼가 새끼를 품고 자고 있네. 겨울인데 무슨 땀을 이리 흘린다냐. 사랑하는 내 딸. 얼굴을 좀 펴봐라아. 이렇게 고단한 얼굴을 하고 잠을 자면 주름이 진다. 동안이던 네 얼굴은 사라지고 없구나. 초생달 같던 작은 네 눈이 더 작아졌어. 이젠 웃어도 어릴 때같이 귀여운 맛은 다 사라졌구나. 네 얼굴에 이리 주름이 질 정도로 내가 살았으면 내 명도 짧은 명이랄 순 없재. 그래도 얘야, 에미는 말이지, 네가 이렇게 새끼를 셋이나 품고서 살게 될 줄은 짐작도 못했구나. 너는 화를 잘 내고 잘 울고 잘 토라지고 제 뜻대로 되지 않으면 기가 넘어갈 만큼 감정적인 네 언니와는 달랐잖어. 시간표를 짜서 계획한 대로 실천하며 지내려고 애쓰는 게 너였잖어. 그런 네가 나도 몰랐네 엄마, 내가 애를 셋이나 낳을 줄은 몰랐어…… 아이가 생겨버렸는데 낳아야지 그럼 어떡해요, 했을 때 난 참 네가 낯설었구나. 애를 낳아도 네 언니가 많이 낳을 줄 알았네. 너는 좀체 화를 내는 법이 없지. 네 형제들 중 거칠게 화를 내는 사람 앞에서도 침착하게 조목조목 따져가며 얘기할 줄 아는 이는 너뿐이야. 그래서 아이 낳는 일도 그렇게 이 현실과 따져서 하나만 낳을 줄 알았구나. 너는 오빠들처럼 책상을 갖게 해달라며 성질을 부리던 네 언니하고 달리 내게 한번도 떼를 쓴 적이 없어. 머리를 양 갈래로 묶고 방바닥에 엎드려 있어서 뭘 하고 있느냐 물으면 수학문제 풀고 있어요, 하곤 했다. 니 언니는 어려서부터 산수책은 들여다도 안 봤는데. 넌 아주 잘했재. 문제를 푸는 데 놀라운 집중력을 발휘하는 아이가 너였어. 답이 나오면 헤, 하고 웃곤 했지. 그러나 내가 왜 이리되었는지는 답을 찾을 수가 없을 게다. 그래서 고통스러울 거야. 너는 네 세 아이 때문에 나를 마음놓고 찾아다닐 수가 없었지. 해가 저물 때마다 네 언니에게 전화를 걸어 언니 오늘은 엄마 소식 없었어? 물을 수밖에 없는 이가 너였재. 아이들 때문에 나를 잃어버리고도 마음껏 찾아보지도 울어보지도 못한 게 너였어. 사랑하는 내 딸. 몸이 내 뜻을 따라주지 않았으나 정신이 맑을 땐 네 생각을 많이 했고나. 이제 걸음마를 뗀 막내까지 세 아이를 길러야 할 너를, 네 인생을. 그럴 때면 내가 해줄 수 있는 일이란 고작 김치를 담가 부쳐주는 거밖에 없다는 게 참 미련스럽게 느껴지곤 했다아. 네가 아이를 안고 시골집에 왔을 때, 신발을 벗으면서 어마, 내가 양말을 짝짝이로 신었네, 하고 웃을 적에 이 에민 가슴이 미어졌어야. 얼마나 정신없이 살면 그 깔끔하던 네가 양말도 제대로 짝 맞춰 신을 시간이 없나 싶어서. 간혹 정신이 맑아질 때면 너와 네 아이들을 위해 해야 할일이 생각났어. 그때면 살아갈 의욕이 생기기도 했었는데…… 이리되었네. 내가 신고 있는 굽이 다 닳아버린 파란 슬리퍼를 벗고 싶어. 내가 입고 있는 먼지투성이 여름옷 · 도. 이제는 나도 이게 나인지 알아볼 수 없는 이 몰골에서도 벗어나고 싶어. 머리통이 깨지는 듯하고나. 자, 애야. 머리를 들어보렴. 너를 안고 싶어. 나는 이제 갈 거란다. 잠시 내 무릎을 베고 누워라. 좀 쉬렴. 나 때문에 슬퍼하지 말아라. 엄마는 네가 있어 기쁜 날이 많았으니.

아, 당신이 여기 있네.

곰소의 당신 집을 찾아갔더니 빈집이 된 지 한참인지 해안을 향해 난 나무대문이 부서져 있고 방문엔 열쇠가 채워져 있습디다. 방문은 그리 꽉 잠가놓고 부엌문은 왜 열어뒀을까. 바닷바람이 그 부엌문을 얼매나 여닫았는지 나무문이 반은 부서져 있습디다.

그런데 왜 병원에 있는 게요? 그리구 의사는 왜 저런다요? 치료는 안허고 부질없는 질문만 연달아 하네. 당신에게 당신의 이름을 자꾸만 물어보네. 왜 그런다요? 그리구 당신은 왜 당신 이름을 말하지 않으요? 이은규라고 말해버림 될 걸 그걸 말 안해서 저리 자꾸 되묻게 하오? 진짜 저 의사는 왜 저러까? 이젠 아이들이나 갖고 노는 모형 배를 들고 당신에게 이게 뭔지 아세요? 묻네. 장난하는 것도 아니구 배지 뭐긴 뭐람. 근데 진짜 이상한 건 당신이네. 왜 대답을 안허요? 어, 진짜 모르요? 당신 이름이 뭔지 잊었단 말이오? 저 모형 배가 진짜 뭔지 모른단 말이오?

의사가 또 묻네.

— 나이는?

— 백살!

— 그러지 마시고 나이 말씀해보세요!

— 이백살!

아주 심통이 나 있구려. 당신 나이가 왜 이백살이란 말요? 나보다 다섯이 밑이니 그럼 몇이더라. 의사가 다시 당신 이름을 묻네.

— 신구!

— 잘 생각해보세요!

— 백일섭!

신구? 탤런트 백일섭 말이오? 내가 좋아하는 그 신구와 백일섭 말이우?

— 그러지 마시고 잘 생각해보시구 대답하세요.

당신이 훌쩍이네. 왜 그러시오? 당신이 왜 여기 있으며, 왜 이런 바보 같은 질문을 받고 있담. 지금 당신이 나이가 몇인데 고깟 것 대답을 못하고 훌쩍인단 말요. 당신의 눈물을 처음 보네. 울기는 늘 내가 울었재요. 당신은 내가 우는 것을 그리 많이 보았는데 나는 당신이 우는 것을 처음 보네.

— 자, 한번만 더 이름을 말해보세요!

— ·········

— 한번만 말씀해보세요!

— 박소녀!

그건 당신 이름이 아니라 내 이름이오. 당신이 처음 내 이름을 묻던 날이 생각나네. 당신은 오래된 신작로처럼 내 마음속에 깔려 있네. 자갈밭 속의 자갈처럼, 흙속의 흙처럼, 먼지 속의 먼지처럼, 거미줄 속의 거미줄처럼. 젊은날이었네요. 사는 동안 어느 때도 이게

나의 젊은날이라고 느껴본 적이 없는 것 같은디 당신을 처음 만나
던 때를 생각해보니 젊은 내 얼굴이 떠오르네. 젊은 내가 방앗간에
서 밀가루가 담긴 양은 함지를 머리에 이고 신작로를 걸어 집으로
가고 있네. 균이 삼촌이 사다준 함지였소. 집에 돌아가 함지 속 밀
가루를 반죽해 수제비를 쑤어 자식들 저녁 먹일 양으로 젊은 내 발
걸음이 바쁘네. 방앗간은 다리 건너 사오리는 되는 곳에 있었소이.
양은 함지에 가득 담긴 밀가루를 머리에 인 내 이마에 땀이 고이오.
그 신작로로 짐자전거를 타고 지나가던 당신이 저 앞에서 멈춰서
있다가 나를 부르네.

— 아주머니.

젊은 나는 앞만 보고 걷네. 몸뻬 위로 입은 저고리섶 사이로 가슴
이 삐져나오려고 하네.

— 머리에 이고 있는 함지 내려 나를 주오. 내가 자전거로 실어다
줄 테니.

— 지나가는 이를 어찌 믿고 이걸 준단 말이오?

말은 그러면서도 젊은 나의 발걸음이 느려졌소. 사실은 머리가
으깨져버릴 만큼 무거웠거든. 수건으로 똬리를 틀어 함지 밑에 받
쳤는데도 이마가 주저앉고 코가 내려앉는 것 같았소.

— 나는 어차피 빈 자전거로 가는 거 아니오. 어디 사시오?

— 저 다리 건너 마을에⋯⋯

— 거기 초입에 가겟집 있지요? 그 집에 내려놓고 갈 테니 이리

내주고 가볍게 걸어오시오. 난 빈 자전거로 가는데 너무 무거워 보여 그러요. 그 함지만 내려놓으면 걸음도 빨라질 테니 집에도 더 빨리 가겠구먼.

젊은 내가 함지 밑의 똬리 끝을 입에 문 채 짐자전거에서 내린 당신을 빤히 보네. 당신은 형철 아버지에 비하면 그때나 지금이나 그냥 평범한 얼굴이오. 일이라곤 해보지 않은 사람처럼 희멀건 낯빛의 말상인 긴 얼굴에 눈꼬리가 아래로 내려와 있는 게 천생 잘생겼다고는 볼 수 없재. 짙은 눈썹이 일자로 뻗어 있는 게 정직해 보였소이. 입매도 단정해서 믿을성 있어 보였고. 가만히 바라보는 눈매는 어디서 본 듯도 하구 그랬소. 내가 선뜻 머리에 인 함지를 내주지 않고 당신 얼굴을 살피자 당신은 도로 자전거에 올라타려 했소.

— 별뜻 없소. 그저 너무 무거워 보여서 짐을 덜어주려던 것뿐이었재. 평양감사도 저 싫으면 못하는 게지.

당신은 짐자전거에 달린 튼튼해 보이는 페달에 다시 발을 올려놓았소. 나는 그제야 얼른 당신을 향해 고맙다고 했구만. 걸음을 멈추고 내 머리 위의 함지를 당신에게 내주었구만. 당신이 짐자전거 뒤칸에 매인 굵은 고무줄을 풀고 함지를 올려놓고 고무줄로 움직이지 않게 다시 고정하는 걸 물끄러미 보구 있었구만.

— 그럼 가겟집에 맡겨놓고 가리다!

내 자식들에게 먹일 양식을 싣고 처음 만난 당신이 먼지 나는 신작로를 앞서서 달렸구만. 나는 머리에 쓴 수건을 풀어 내 몸뻬에 달라붙는 먼지를 탁탁 털어내며 그렇게 앞서서 사라지는 당신과 자전거를 뒤에서 보았네. 자꾸만 먼지가 풀썩여 당신과 짐자전거를 가리는 것을 손으로 눈을 비벼가며 보았네. 머리가 가벼워지자 살 것 같았지요. 팔을 살랑살랑 흔들어보며 신작로를 걸었소. 기분좋은 바람이 옷섶으로 파고들었재. 손에 아무것도 들지 않고, 머리에 아무것도 이지 않고, 등에 아무것도 업지 않고, 그렇게 홀로되어 길을 걸어본 지가 언젯적이었나. 하늘을 날아다니는 저녁 새도 보고, 어릴 적에 어머니랑 함께 부르던 노래를 흥얼거려도 보며 가겟집에 이르렀소. 내 눈은 멀리서부터 함지를 찾았소. 가까이 다가가며 가겟집 문 쪽을 바라보는데 문간에 놓여 있어야 마땅할 함지가 보이지 않았소이. 한순간 가슴이 콩닥콩닥 뛰었네. 내 걸음이 빨라졌재요. 가겟집 여자에게 누가 함지를 맡겨놓지 않았느냐? 묻기가 겁이 났었소. 맡겨놓았다면 내 눈에 벌써 들어올 텐데, 보이지 않았소이. 가겟집 여자는 수건을 쥔 채 허겁지겁 달려오는 나를 뭔 일인가? 싶어 바라보기만 했소. 그때야 깨달았고만. 당신이 내게서 자식들의 저녁밥을 빼앗아가버렸다는 것을. 눈물이 핑 돌았소오. 내가 처음 보는 당신을 어째 믿고 다름도 아닌 자식들 밥이 담긴 함지를 건네줬을까. 무엇에 홀렸단 말인가. 왜 그랬을까. 내 눈 속에서 당신의 짐자전거가 멀어져 보이지 않게 되었을 때 잠깐 스치고 지나가던 불안이 현실이 되어 다가왔을 때 그 아득해지던 마음이 지금도 되살아나네. 그대로 빈손으로 집으로 돌아갈 수가 없었구만.

어쨌든 밀가루가 담긴 그 함지를 찾아서 가야만 했소. 그날 아침밥
을 지으려고 양식을 푸러 광에 갔다가 바가지에 빈 독이 싹 긁히는
소리가 떠올랐소. 그 함지 속의 밀가루면 너끈히 열흘 양식은 되었
을걸, 생각하니 더더욱 체념이 안되었소이. 그 가겟집을 지나 내처
달렸을 당신과 짐자전거를 찾아 그냥 걸어갔네. 만나는 사람마다
이러이러한 사람 보았느냐고 물어보며 앞으로 앞으로 나아갔네.
당신의 정체는 금방 들통이 났재요. 그만큼 당신은 허술했소이. 멀
리 살지도 않았구만. 당신이 우리 마을에서 오리를 지나 읍내로 들
어가기 전 초입, 기와집이 있는 마을에서 외떨어진 집에 사는 사람
이란 것을 알아내자 나는 달리기선수처럼 당신을 향해 달려갔소
이. 그 함지 속의 밀가루를 당신이 써버리기 전에 당신을 만나야 고
스란히 되가져올 수 있을 테니까. 마을로 들어가는 길 초입에서 갈
라져 다랑논 사이의 언덕바지에 있는 낡은 집 앞에서 당신의 짐자
전거를 발견했을 때 나는 아아아 — 소리를 내지르며 곧장 당신 집
으로 내질러갔소이. 그러곤 봐버렸소. 낡은 마루에 퀭한 눈을 하고
앉아 있는 당신의 노모와 손가락을 쭉쭉 빨고 있는 세살배기 어린
애와 난산중인 당신의 아내를. 도둑맞은 함지를 찾으러 왔다가 나
는 그 어둡고 좁은 부엌에서 벽에 걸린 솥을 내려 물을 붓고 데웠
소. 출산중인 아내 곁에서 발만 동동 구르고 있는 당신을 밀치고 생
전 처음 보는 당신 아내의 손을 잡고 힘내오! 힘을 내오!라고 외쳤
소. 어린애 울음소리가 들릴 때까지 얼마나 시간이 흘렀는지 모리

오. 미역 한가닥도 마련되어 있지 않은 집. 당신의 노모는 앞을 못 보는 사람이었재요. 게다가 이미 저세상 사람인 듯했소. 아이를 받아놓고 함지에서 밀가루를 퍼내 반죽을 만들어 수제비를 끓여서는 몇그릇 퍼놓고 국물을 산모가 있는 방에 디밀어놓고…… 함지를 다시 머리에 이고 집으로 돌아오던 그때가 몇십년 전인지. 그때 태어난 그 아이가 저이인가? 당신의 손을 닦아주고 있네. 당신을 엎드리게 하고 등을 닦아주기도 하네. 세월이 흘렀구려. 당신의 반듯하던 목덜미가 쭈글쭈글하네. 숱 많던 눈썹이 다 빠지고 단정하던 입매도 알아볼 수가 없네. 이제 의사 대신 당신 자식이 당신에게 아버지! 이름 대봐요! 이름이 뭔지 알아요? 묻고 있네.

— 박소녀.

글쎄, 그 이름은 내 이름이래두요.

— 박소녀가 누구예요? 아버지?

그건 나도 궁금하네. 나는 당신에게 뭣이요이? 어떤 사람이요이?

칠팔일 지나 아무래도 마음에 걸려 미역가닥을 마련해 당신 집에 들렀을 땐 산모는 없고 갓난쟁이만 있었소이. 당신 아낸 아이를 낳고 사흘 동안 고열에 시달리다 종내는 세상을 떠났다고 했소. 극심한 영양실조라 출산을 감당하지 못했을 거라 했소. 그 상황을 아는지 모르는지 당신의 눈먼 노모는 그때도 낡은 마루에 퀭한 눈을 하고 앉아 있었소. 세살배기랑 같이. 어쩌면 당신 병상의 저이는 그때 태어난 아이가 아니라 그 세살배기일 수도 있겠네.

내가 당신에게 어떤 사람인지는 모르겠으나 당신은 내 인생의 동무였네. 내 자식들에게 먹일 밀가루가 담긴 함지를 훔쳐가 눈앞을 캄캄하게 하던 이가 이리 오랜 동무가 될 줄이야. 우리 자식들은 우리를 이해 못 할 거요. 당신과 나를 이해하느니 전쟁통에 수십만 명의 사람이 죽은 일을 더 잘 이해할 거요. 이미 산모가 이 세상에 없는 사람이란 걸 알았으나 그냥 나올 수가 없어 가져간 미역가닥을 물에 불렸소. 전날 내 함지에서 퍼서 남겨놓은 밀가루를 또 반죽해서 미역을 넣어 수제비를 끓여 한 그릇씩 퍼서 상에 올려주고 돌아서 나오려다가 방 안의 갓난쟁이에게 내 젖을 물렸소. 내 딸애에게 먹일 젖도 모자라던 때였네. 당신은 갓난아이를 안고 마을로 내려가 동냥젖을 얻어먹이고 있었소. 목숨은 때로 연약하기 짝이 없지만두 어떤 목숨은 무서울 만큼 질기요. 큰딸이 그러는데 트랙터로 잡초를 베어내면 말이우, 베어지는 그 순간에도 잡초는 트랙터 바퀴에 매달려 번식하려고 씨앗을 흩뿌린다 합디다. 당신의 아이는 무섭게 젖을 빨았소. 어찌나 세차게 빨던지 내가 딸려들어갈 것 같아 아직 태열이 가시지 않아 붉은 아이의 엉덩이를 손바닥으로 때리기까지 했소이. 그래도 안되어 억지로 떼어놓았소. 태어나자마자 어미를 잃은 아이는 본능적으로 젖만 물면 젖꼭지를 내놓으려고 하질 않았소. 아이를 내려놓고 돌아서려는데 그때 당신이 내게 물었소. 이름이 무엇이냐고. 결혼하고 그때까지 내 이름을 물어본 사람은 당신이 처음이었네. 갑자기 수줍어져서 고개를 반쯤 숙였소.

— 박소녀.

그때 당신이 웃었네. 왜 그런 마음이 들었는지 모르겠소. 나는 당신을 한번 더 웃게 해주고 싶었네. 그래, 당신이 묻지도 않았는데 언니 이름은 대녀라고 알려주었네. 당신은 한번 더 웃었소. 그러더니 자신의 이름은 은규, 형 이름은 금규라고 했소. 부친이 이름을 지을 때 제발 돈 많이 벌어서 부자로 살라는 뜻을 담은 이름이라고. 당신 형제들을 부를 때 금궤야, 은궤야,라고 불렀다고. 그 덕분인지 금궤인 형이 은궤인 자신보다 쬐끔 더 잘산다고. 이번엔 내가 웃었소. 내가 웃는 걸 보고 당신도 웃었재. 그제나 지금이나 당신은 웃는 모습이 젤 낫소. 그러니 의사 앞에서 그리 찡그리고 있지 말고 웃어보시오. 웃는 데 돈이 드는 것도 아닌데.

아이가 삼칠일이 될 때까지 하루에 한번은 당신 집으로 건너가 갓난아이에게 젖을 물려주고 왔소. 새벽일 때도 있었고, 한밤중일 때도 있었네. 그 일이 당신에게 족쇄가 되었으려나. 내가 당신에게 해준 건 그게 다인데 이후 나는 삼십년을 힘겨울 때마다 당신을 찾아갔으니. 자식들 삼촌이 그리된 것이 내가 당신을 찾기 시작한 일의 시작이었던 거 같네. 그만 죽고 싶었으니까. 죽는 게 낫다 싶었으니까. 모두들 나를 힘들게 할 때 당신만은 나에게 아무 말도 묻지 않았소이. 견디라 했지요. 시간이 지나면 그 어떤 상처도 지나간다고 했소. 아무것도 생각하지 말고 닥친 일을 차분히 하라 했소. 당신이 없었으면 그때 나는 어찌 되었을지 모르요. 정신이 혼미했었으니께. 내 뱃속에서 죽어나온 넷째아이를 산에 묻어준 것도 당신이었네. 그러고 보니 당신이 곰소로 이사를 간 게 혹시 그런 내가 힘겨워서였소이? 당신은 바닷가라든지 어부라든지 하는 것과는 어울리지 않는 사람이었소. 땅을 일구고 씨를 뿌리는 사람이 당신이었네. 당신은 땅이 없어 남의 땅을 일구는 사람이었네. 그런 당신이 곰소로 갔을 때 그 생각을 해야 했는가보네. 진짜로 내가 힘겨워 곰소로 달아난 거였다는 생각이 이제야 드네. 그러고 보면 난 당신에겐 참 나쁜 사람이었소.

그래, 처음 만남이 중요한가보오.

나는 당신이 내게 빚이 있다고 생각하며 살아온 게 틀림없소이. 당신에게 그토록 내 마음대로 해버린 걸 보면 말이요이. 짐자전거에 내 함지를 싣고 도망을 쳤어도 내가 찾아내버렸듯이 말도 하지 않고 당신이 곰소로 이사를 가버렸어도 난 당신을 찾아내버렸네. 당신은 곰소하고는 어울리지 않았소. 논이 아니라 바다 앞에 서 있는 당신은 참 어색하고 낯설었네. 해안가 소금밭에서 당신이 짓던 표정이 지금도 생생하요. 그 표정이 늘 잊혀지지 않더니, 지금 생각해보니 여기까지 날 찾아내버렸나? 하는 거였나.

곰소는 당신 때문에 내게 잊지 못할 곳이 되었재요. 나는 늘 내가 감당하기 벅찬 일이 생겨야 당신을 찾았재. 그리고 내가 그만그만 평화로워졌을 땐 당신을 잊었소. 잊은 줄 알았소. 곰소로 찾아간 나를 보고 당신이 내게 한 말도 무슨 일이요?였재. 이제야 말하지만 그때 당신을 찾아간 건 내게 무슨 일이 생겨서가 아니라 처음으로 오로지 당신을 찾기 위해 간 길이었네.

그때 한번 곰소로 도망친 거 빼놓고는 당신은 내가 당신을 찾지 않을 때까지 그 자리에 있어주었네. 거기 있어줘서 고마웠소이. 그래서 내가 살아갈 수 있었는지도 모르오. 마음이 불안할 때마다 당신을 찾아가는 일을 반복하면서도 손도 잡지 못하게 해 미안했소. 나는 그렇게 당신에게 다가갔으면서 당신이 내게 다가오는 것 같으면 몰인정하게 굴었네. 생각해보면 참 나쁜 일이었네. 미안하구 미안허요. 처음에는 어색해서 그랬고, 얼마 후엔 그래선 안될 것 같아 그랬고, 나중엔 내가 늙어 있었소이. 당신은 내게 죄였고 행복이었네. 난 당신 앞에선 기품있어 보이고 싶었네.

내가 가끔 당신에게 책에서 읽었다며 해준 이야기들은 내가 읽어서 해준 이야기들이 아니요이. 사실은 내 딸한테 물어서 해준 것들이오. 스페인인가 하는 나라에는 산티아고라는 곳이 있다 했던 거. 당신은 그 이름을 외우는 것도 힘들어해서 거기 어디라고 했소? 자꾸 물었소이. 거기에 순례자의 길이 있는데 삼십삼일 동안 걸어가는 길이라 합디다. 내 딸아인 거길 가고 싶어했소이. 그래서 가끔 내게 그곳 얘기를 해주곤 했는데 마치 그곳을 내가 가고 싶은 것처럼 당신에게 말한 적도 있었네. 그랬더니 당신이 그랬지라오. 그리 가고 싶으면 언젠가 함께 가보자고 말이오. 어딘가를 함께 가보자고 하는 말을 당신에게서 듣고 나니 가슴이 철렁 내려앉았소이. 내가 당신을 다시 찾아가지 않은 게 그날 이후부턴가보오. 사실은 나는 그곳이 어딘 줄도 모르고 가고 싶지도 않으요. 지나간 시간에 함께한 일들은 어찌 되는 건지 당신은 알고 있소이?

당신한테 묻고 싶은 말을 내 딸애한테 물었더니 내 딸은 엄마가 그런 말을 하니 너무 이상해, 하면서도, 사라지는 게 아니라 스며드는 거 아닐까, 엄마! 합디다. 무슨 말이 그리 어려운지. 당신은 알아듣겠소? 이젠 지나가버렸다고 생각하는 일들이 사실은 모두 여기에 스며들어 있다는데, 느끼지 못할 뿐 옛날 일은 지금 일과 지금 일은 앞의 일과 또 거꾸로 앞의 일은 옛날 일과 다 섞여 있다는데 이제 이어갈 수 없네.

우리가 느끼지 못할 뿐 지금 일어나는 일은 지난 일들과 앞으로 일어날 일들과 다 연결되어 있는 것 같다고 당신은 생각하오? 글쎄, 그럴까? 나는 가끔 내 손자들을 보면 우리하고는 아무 상관 없이 어딘가에서 그냥 뚝 떨어져나온 아이들 같은디. 나하고는 아무런 상관 없이 말이요.

처음 만났던 날 본 그 짐자전거도 훔친 거라는 것도. 머리에 밀가루가 담긴 함지를 이고 신작로를 걸어가는 나를 만나기 전까지는 그 훔친 짐자전거를 팔아 미역가닥이라도 사려던 당신 계획들도 어딘가에 스며 있을까? 당신이 결국 그 짐자전거를 팔지 못하고 다시 그 자전거가 있던 근처에 가져다놓다가 주인한테 들켜 혼이 난 그 일들도. 어쩌면 그 일들이 지나온 세월의 어느 갈피에 스며 있다가 우리를 여기까지 데려온 것일까?

내가 실종된 뒤 당신이 나를 찾아헤매다닌 거 알고 있네. 서울에는 단 한번도 와본 적 없는 사람이 서울역에 내려 지하철을 타고 다니며 나와 비슷한 사람을 만나면 붙잡아세웠던 것도 알고 있네. 혹여 내 소식을 들을 수 있을까 싶어 내 집 근처를 수없이 왔다갔다 한 것두요. 내 자식들을 만나 얘기를 들어보고 싶어했던 것두요. 그러다가 당신이 이리 아픈 것인가.

당신 이름은 이은규요. 의사가 다시 이름을 물으면 박소녀,라 말고 이은규라고 말해요. 이젠 당신을 놔줄 테요. 당신은 내 비밀이었네. 누구라도 나를 생각할 때 짐작조차 못할 당신이 내 인생에 있었네. 아무도 당신이 내 인생에 있었다고 알지 못해도 당신은 급물살 때마다 뗏목을 가져와 내가 그 물을 무사히 건너게 해주는 이였재. 나는 당신이 있어 좋았소. 행복할 때보다 불안할 때 당신을 찾아갈 수 있어서 나는 내 인생을 건너올 수 있었다는 그 말을 하려고 왔소.

……나는 이제 갈라요.

집이 꽁꽁 얼어 있네.

문은 왜 잠가놨을꼬. 동네 아이들이 들어와 놀기라도 하게 열어
두지. 온기라곤 일절 없네. 얼음덩어리 같아. 눈이 이리 내렸는데
아무도 눈을 쓸어주지 않았구나. 마당 가득 흰눈이네. 고드름이 매
달릴 수 있는 곳엔 죄다 매달려 있네. 자식들이 자랄 때는 저 고드
름들을 따서 칼싸움을 하곤 했재. 내가 없다고 누구도 이 집을 들여
다보지 않는 모양이네. 인기척이 끊긴 지 오래되었군. 형철 아버지
가 타고 다니던 오토바이가 헛간에 세워져 있네. 이런, 꽝꽝 얼었네.
제발 오토바이 좀 타지 말았으면 하요. 어디, 그 나이에 오토바이를
타고 다니는 사람이 있는지 살펴보시우. 아직도 젊은 줄 아시우?
습관적인 나의 잔소리. 하긴, 오토바이를 타고 있는 형철 아버진 시
골 사람 같지 않은 멋이 있긴 하지. 젊은날에, 머리에 포마드를 바
르고 가죽점퍼를 입고 오토바이를 몰고 형철 아버지가 마을에 들
어서면 죄다들 쳐다보았재. 어디 그때 사진이 있을 것인디…… 안
방문 위 사진틀 속 어디…… 아, 저기 있네. 서른살도 안되었을 때
모습이지. 지금은 찾아볼 길이 없는 열기가 퍼져 있는 얼굴.

이 집을 지금처럼 새로 짓기 전에 살던 집이 환히 떠오르네. 나는
그 집을 무던히도 사랑한 것 같소. 사랑이라고 말해놓고 보니 딱히

사랑만은 아닌 것 같기도 하고. 이제는 이 지상에 없는 그 집에서 우린 사십여년을 살았네. 나는 언제나 그 집에 있었소. 언제나 있었재요. 형철 아버진 있기도 허고 없기도 했네. 영 오지 않을 사람처럼 소식이 끊겼다가 그래도 돌아오곤 했소. 그래서인가보오. 나는 이 집을 새로 짓기 전의 그 집이 늘 눈앞에 환하네. 다 기억하고 있소이. 그 집서 생긴 일들은 다. 아이들이 태어나던 해의 일들, 형철 아버지를 기다리다가 잊었다가 미워하다가 다시 기다리다가 한 일들 다. 지금은 집 혼자 남았네. 인기척은 없고 흰눈만 마당을 지키고 있네.

집이란 참 이상하지. 모든 것은 사람 손을 타면 닳게 되어 있는데 때로 사람 곁에 너무 가까이 가면 사람 독이 전달되어오는 것 같기조차 한데 집은 그러지 않어. 좋은 집도 인기척이 끊기면 빠른 속도로 허물어져내려. 사람이 비비고 눙치고 뭉개야 집은 살아 있는 것 같어. 이 좀 봐. 눈이 쌓여 지붕 한쪽이 내려앉았네. 봄이 되면 지붕 고치는 이를 불러얄 틴디. 거실 텔레비전이 놓인 서랍장 안쪽에 해마다 봄이면 지붕 손봐주던 집 스티커가 붙어 있을 것인디 그걸 형철 아버지가 알고 있기나 한지 몰라. 거기다 전화하면 와서 봐줄 것인디. 겨우내 이리 집을 비워두면 안되는디. 사람이 안 살어도 가끔씩 보일러도 틀어주고 해야 하는디.

서울에 갔소? 거기서 나를 찾고 있소?

238

큰딸애가 일본에 가면서 내려보낸 책들이 쌓여 있는 방도 냉방이구려. 책들도 꽁꽁 얼어 있는 것 같소. 딸애가 이 책들을 이 집으로 보낸 뒤로 나는 이 방이 이 집에서 제일 좋았소. 머리가 아프려고 하면 이 방에 들어와 드러누워 있곤 했소. 처음 얼마 동안은 낫는 것 같았는디. 나는 내가 아픈 것을 형철 아버지 당신에게 알리기 싫었네. 종내는 눈을 뜨는 순간부터 고통이 몰리기 시작하면서 밥도 제대로 못해주었으면서도 당신 앞에선 환자로 있기 싫었소. 그것 때문에 외로운 적이 많았네. 그때도 딸이 보낸 책이 있는 방에 들어가 움직이지도 않고 드러누워 있었네. 어느날 아픈 머리를 감싸며 다짐을 하기도 했네. 딸이 일본에서 돌아왔을 때는 딸이 쓴 책을 한권쯤은 읽어놔야겠다구 말이오. 그러려고 아픈 머리를 싸안고 글을 배우러 다니기도 했소이. 계속할 수가 없었네. 글을 배우러 다니면서 상태가 급속도로 더 나빠졌으니. 글을 배우러 다닌다고 당신한테 말할 수 없어 외롭기도 했네. 그런 말을 하는 게 자존심이 상했소. 글을 배우게 되면 딸이 쓴 책을 내 눈으로 읽는 거 말고 한 가지 더 하고 싶은 일이 있었네. 내가 이리되기 전에 식구들 모두에게 각각 작별편지를 쓰는 것.

바람이 엄청 부네. 마당의 눈이 바람에 돌돌 말려 쓸려다니네.

이 마당에서 가장 좋았을 때는 여름밤에 화덕을 내놓고 찐빵을 찔 때였네. 형철이가 퇴비를 걷어다가 모깃불을 피워놓으면 아우들은 평상에 아무렇게나들 뻗대고 앉아서 화덕에 얹어놓은 솥에서 찐빵이 쪄지기를 기다렸재. 한솥을 쪄 채반에 내놓으면 이 손 저 손이 금세 하나씩 집어가 없어지곤 했재. 솥에서 찐빵이 쪄지는 시간보다 자식들이 먹는 속도가 빨랐구만. 또 한솥 쪄질 때까지 화덕에 불쏘시개를 넣고 평상에 서로 포개지듯 드러누워 있는 자식들을 바라보면 좀 무섭기도 했네. 어찌나 먹성들이 좋은지. 모깃불을 피워놓았어도 모기들은 끈덕지게 내 팔이며 허벅지에 침을 박고 피를 빨아대고 밤이 깊도록 찐빵을 쪄내도 쪄내도 다 먹어버리고 자식들은 또 기다리고 있으니. 찐빵이 또 쪄지기를 기다리다 한놈 두놈 포개져 잠이 들던 그런 여름밤이 있었네. 잠든 틈에 나머지 찐빵을 쪄내 밥바구니에 담아 뚜껑을 덮어 평상에 두고 자면 새벽이슬이 내려 밥바구니 속 찐빵 껍질만 살짝 굳었재. 눈뜨자마자 찐빵이든 밥바구니를 앞에 놓고 또 한바탕씩 먹어들 댔재. 그래서 내 자식들은 아직도 껍질이 살짝 굳은 차가운 찐빵을 좋아하재. 그런 여름밤이 있었네. 하늘에서 별이 쏟아지던 그런 여름밤이. 길을 떠도는 동안 아무것도 생각나지 않고 머릿속이 뿌연데도 나는 여기를 무척 그리워하곤 했재. 여기, 이 집의 마당이며 마루 밑이며 꽃밭이며 우물 따위가 얼마나 그리웠는지 몰라. 헤매다가 길가에 주저앉아서 생각나는 대로 흙바닥에 그림을 그려보던 곳이 이 집이었네. 대문을 그렸다오, 꽃밭을 그렸다오, 장 항아리를 그렸다오, 마루를 그렸다오. 아무것도 생각이 안 나는데 이 집이, 이 집 이전의 집이, 이 지상에서 사라진 지 오래인 그 집이, 재래식 부엌과 머위잎이 자라던 뒤란과 돼지막 옆의 헛간이 있던 그 집만이 선명히 떠올랐네. 페인트칠이 벗겨진 채 두짝으로 된 그 파란 양철대문. 왼쪽엔 샛문이 달려 있고 오른쪽엔 우편함이 달린 그 집의 대문. 두짝의 문을 다 열어야 하는 일은 일년에 서너 번 있을까말까였지만 나무 손잡이가 달린 샛문은 고샅 쪽을 향해 항상 열려 있었재. 문단속을 하는 일은 거의 없었네. 우리 식구가 없어도 마을 아이들은 그 파란 대문의 샛문으로 쑥 들어와서는 해가 저물도록 놀다 가곤 했네. 농번기 때면 학교에서 일찍 돌아온 딸애가 모두 들에 나가고 비어 있는 집 감나무 밑에 세워진 자전거에 올라가 페달을 굴리곤 했네. 들에서 돌아오면 딸애가 마루 끝에 걸터앉아 있다가 엄마! 하고 내 품으로 푹, 뛰어들었재. 둘째놈이 가출을 했을 땐 아랫목에 밥을 묻어놓고 대문 두짝도 활짝 열어놓았네. 발끝에 차여 밥그릇이 넘어지면 다시 일으켜놓곤 했네. 한밤중에 바람소리에 잠이 깨면 그 바람에 문이 닫힐까봐 방문을 열고 나가서 묵직한 돌을 괴어놓곤 하던 대문. 대문이 흔들리면 내 눈과 귀는 온통 그 기척을 살피곤 했재.

장롱도 꽁꽁 얼어 있군.
문조차 열리지 않네. 장롱은 비어 있을 것이네. 머리가 깨지게 아프기 시작하면서 오랫동안 찾지 않은 그 사람에게 또 가고 싶었어. 그러면 나을 것도 같았재. 그러나 가지 않았어. 가고 싶은 마음을 누르며 내 물건들을 정리했네. 내가 무감각해져 그 무엇도 알아보지 못할 날이 다가오고 있다는 것이 느껴졌네. 내 손에 익은 것들을 내가 알아볼 수 있을 때 치워놓고 싶었재. 버리지 못하고 걸어두었던 옷가지들을 보자기에 싸 들에 가지고 나가 불태웠어. 형철이가 첫월급을 받아 사준 내의는 상표도 뜯지 않은 채 그대로 몇십년을 장롱 안에 있었재. 그것을 태울 때조차 내 머리는 으깨지는 것같았네. 태울 수 있는 것은 다 태웠재. 자식들이 명절 때 이 집으로내려와 자고 갈 적에 덮을 수 있는 이불과 베개만 남기고. 결혼할때 어머니가 목화솜을 타서 만들어준 이불도 불태웠네. 오래오래나와 함께 지낸 세간들도 죄다 꺼내어 다시 봤네. 아끼느라 한번도사용하지 않은 것들, 큰딸애가 결혼할 때 주려고 사모은 그릇들. 그런데 그애는 아직도 결혼을 하지 않다니. 작은딸애가 결혼해서 아이를 셋이나 낳을 때까지 안할 줄 알았으면 작은딸애에게라도 줄것을. 바보같이 큰딸애 주려고 한 것이니 큰딸애에게 줘야 한다고생각했재. 망설이다가 그것들도 들고 나가 깨부쉈재. 나는 알고 있었재. 내가 어느날인가는 아무것도 기억하지 못하리라는 것을. 그러기 전에 내가 쓰던 것들을 내가 처리하고 싶었재. 남기고 가기도싫었고. 찬장 아래칸들도 텅 비어 있을 것이네. 깨지는 것은 모두깨뜨려 땅에 묻었으니.

저 얼어붙은 장롱을 열어봐도 겨울옷이라곤 언젠가 딸애가 사준 검은 밍크코트만 걸려 있을 것이네. 쉰다섯살이 되던 해 밥을 먹기도 싫고 바깥에 나가기도 싫었재. 얼굴이 뜯기는 것같이 불쾌한 감정 속에 빠져 지냈재. 입을 열면 나한테서 냄새가 나는 것 같았재. 열흘도 넘게 단 한마디도 하지 않았네. 비관적인 생각을 쫓아내버리려고 애를 썼지만 날마다 슬픈 생각이 하나씩 더 따라붙곤 했재. 추운 겨울날인데 찬물에다 손을 담그고 닦고 닦기를 반복했어. 그러다 성당엘 나간 날이 있었네. 성당 뜰을 지나다가 걸음을 멈췄네. 죽은 아들을 안고 있는 성모의 발치에 엎드렸네. 더는 견딜 수가 없다고 나를 비관 속에서 끌어내달라고 기도하려고, 불쌍히 여겨달라고. 그러다가 그것도 멈췄어. 죽은 아들을 안고 있는 분에게 무엇을 더 원할 수 있겠나 싶어서. 미사를 보는 중에 앞에 앉은 여자가 입고 있는 검은 밍크코트를 보았재. 나도 모르게 그 보드라움에 이끌려 밍크코트에 슬며시 얼굴을 대어보았네. 봄바람결 같은 밍크가 내 늙은 얼굴을 포근히 감싸주었재. 참고 있던 눈물이 쏟아져나왔어. 내가 자꾸 머리를 밍크코트에 갖다대려고 하자 그 여자가 슬며시 옆으로 비켜났재. 집으로 돌아와 작은딸애에게 전화를 걸어 밍크코트를 사달라고 했어. 열흘 만에 처음 입을 여는 것이었재.

— 밍크코트라고 했어, 엄마?

— 그려, 밍크코트.

작은딸애가 침묵을 지켰재.

— 사줄 테여? 말 테여?

— 날씨 따뜻하잖어요. 밍크코트 입을 일이 있어요?

— 있어.

— 어디 가세요?

— 안 가.

내 무뚝뚝한 대답에 딸이 와하하, 웃었재.

— 서울에 오세요, 그럼. 함께 사러 가게.

백화점에 들어서면서도 밍크코트 전문매장 앞에서도 딸은 나를 물끄러미 보곤 했재. 나는 내가 얼굴을 물어보았던, 그 여자가 입고 있던 것보다 약간 짧은 밍크코트가 그렇게 비싼 옷인 줄은 몰랐재. 딸도 말을 하지 않았으니까. 밍크코트를 사가지고 가니 며늘애의 눈이 휘둥그레졌재.

— 밍크코트네, 어머니!

— ………

— 좋으시겠다, 어머니는. 이렇게 비싼 옷을 척척 사주는 딸이 있구. 난 우리 어머니 여우목도리도 한장 못 사드렸는데. 밍크는 대물림하는 거래요. 돌아가실 때 제게 물려주세요.

— 엄마가 처음으로 내게 뭐 사달라고 한 것이에요! 왜 그러세요!

작은딸이 화내듯이 며늘애에게 퉁박을 줬을 때야 알았재. 딸이 자꾸 가격표를 보고 또 보고 했던 이유를. 그리고 자꾸만 나를 물끄

244

러미 바라봤던 이유를. 그애는 그때 겨우 대학을 졸업하고 병원 약사실에 취직해 있을 때였네. 서울에서 돌아와 밍크코트를 들고 시내의 백화점에 들어가 비슷한 밍크코트 매장 아가씨에게 그게 얼마쯤이나 하는 것인지 물어보고서는 그 자리에서 얼어붙는 것 같았재. 세상에나 옷 한벌 값이 그리 셀 줄이야! 전화를 걸어 코트를 무르자 하니 딸이 그랬재. 엄마, 엄마는 그 옷 입을 자격 있어요. 그러니 입으세요.

이 고장은 겨울이 되어도 날이 따뜻해 밍크코트를 입을 일이 거의 없었재. 삼년 동안 한번도 입지 않은 적도 있으니까. 비관적인 생각이 들면 장롱을 열고 밍크코트에 얼굴을 묻어보곤 했재. 그러면서 생각했재. 죽을 땐 작은딸애에게 돌려주고 가야겠다고.

지금은 이리 얼어 있어도 봄이 되면 담장 쪽으로 밀어붙여진 꽃밭 근처가 다시 소란스러워지겠재. 옆집 배나무에서 배꽃들이 피었다가 또 분분히 날리겠재. 살색 꽃이 피는 장미넝쿨들은 환호를 내지르며 가시를 돋우겠재. 담장 밑의 잡초들도 봄비 한번에 대번에 키를 키워 무성해지겠재. 읍내의 다리 밑에서 새끼오리들을 서른 마리쯤 사다가 마당에 풀어놓으면 새끼오리들이 꽃밭으로 몰려가 꽃을 짓이겨버리곤 했재. 어미닭이 알을 품어 내놓은 병아리들과 함께 종종종 떼지어다닐 때는 오리인지 병아리인지. 하여간 봄날 마당은 그것들로 인해 소란스러웠네. 꽃나무 밑에 거름을 주면 꽃이 많이 핀다며 장미나무 밑을 파헤치던 딸애가 흙속에서 꿈틀대는 지렁이를 보고는 호미를 내던지고 방으로 뛰어가는 통에 그호미에 병아리가 맞아죽은 일도 이 마당에서 있었네. 여름날 갑자기 비가 쏟아져 마당에서 왔다갔다 하던 개와 닭과 오리들이 각각 닭장으로 담장 밑으로 마루 밑으로 기어들고 나면 싸아하니 맡아지던 이 마당의 흙냄새. 갑자기 쏟아져내린 빗방울에 돌돌돌 말리던 흙방울들. 바람 부는 늦가을 밤이면 옆마당의 감나무 잎새들이 수수수 떨어져 이 마당을 휘저으며 날아다녔네. 밤새 마당에 낙엽들 쓸려다니는 소리를 듣기도 했네. 눈 내리는 겨울밤에 바람이 불면 마당에 쌓인 눈이 마루까지 들이치기도 했네.

누가 대문을 열고 있네. 아! 고모!

자식들에게나 고모지 내게는 형님인데 난 한번도 형님이라 부르지를 못했소이. 형님이 아니라 시어머니 같아서요. 눈 오고 바람이 몰아치니 집을 살피러 왔구먼요. 난, 또 아무도 이 집을 건사하는 사람이 없는 줄 알았네. 고모가 있다는 것을 깜박하구선. 그런디 다리를 왜 저시요이? 그리 짱짱하던 분이. 고모도 나이를 먹는갑네. 눈길이오. 조심해야겠네.

— 누구 있는가?

목소리는 똑같이 짱짱하시네.

— 아무도 없재?

사람이 없는 줄 알면서 불러보는 것인가보네. 대답도 기다리지
않고 마루 끝에 걸터앉으시네. 옷을 왜 그리 춥게 입고 오셨소? 감
기 들겠네. 무슨 생각을 그리 깊이 허시오? 넋이 나간 듯 마당의 눈
을 보고만 있네.

— 어째 꼭 누가 온 것만 같은디……

반은 귀신이오.

— 이 추운 날 어디를 헤매고 다니는가 모리겠네.

나를 두고 하는 소리요?

— 여름이 가고 가을이 가고 겨울이네…… 자네가 이리 무정한
사람인 줄 몰랐네. 이 집에 자네가 없으믄 어찌라고…… 빈껍데기
재. 여름옷 입고 나간 사람이 겨울이 되도락 오질 않으니…… 이미
저쪽 세상 사람인가?

아직은 아니요. 이렇게 떠돌고 있소.

— 세상에 젤로 불쌍한 사람이 집 바깥에서 죽는 인간인디……
정신을 바짝 차리고 돌아오소.

우는 것이오?

옆으로 길게 찢어진 눈으로 잿빛 하늘을 올려다보는 고모의 눈
가가 젖어드네. 고모가 이리 나오니 그 눈도 안 무섭네. 어찌나 늘
매섭게만 느껴지는지 솔직히 말하자면 고모의 그 눈과 마주치지
않으려고 얼굴을 바로 보지 않는 때가 많았네. 그런디 고모는 그냥

짱짱할 때가 나은 거 같네. 그리 어깨를 축 늘어뜨리고 앉아 있으니 고모 안 같으요. 살아생전 고모한테 좋은 소리 한번 못 듣고 살았는 디 이제사 내가 왜 고모의 그 축 처진 모습을 봐야 한단 말이요이. 고모의 나약한 모습을 보니 내 맘이 안 좋네. 나는 고모를 오로지 무서워한 것만은 아니요. 나 혼자 감당하기 어려운 일이 생기면 고모라면 어쨌을까? 생각하고 고모라면 이리했겠지, 생각되는 쪽으로 택할 때가 많았어라오. 그렇게 고모는 내 본이 되기도 했어라오. 나도 성격이 있잖으요. 세상의 모든 관계는 쌍방이지 한쪽서 결정하는 것만도 아니지요. 인자 어차피 고모는 혼자 남은 형철 아버지를 자주 살펴야 할 것 아니요. 내 맘도 좋지 않소이. 그래도 고모가 형철 아버지 곁에 있으니 나로서는 좀 낫네. 사는 동안도 고모가 혼자 몸으로 형철 아버지를 얼마나 의지하고 사는 줄 빤히 아는 처지로 매사를 다 비틀어 생각하고 서운해하고 그러지는 않았소. 집안의 무서운 어른으로 그리 생각했소. 어머니같이 느껴져 형님이라고 부르지도 못할 만큼. 그런디 고모. 나는 몇해 전에 세워놓은 선산의 가묘로는 안 갈라요. 그리론 안 가고 싶네. 이 집서 살 때 혼미한 정신에서 깨어나게 되면 혼자서 걸어걸어 가묘를 찾아가보았소. 죽어서 갈 곳인데 정붙여놔야지 싶어서. 햇볕도 잘 들고 거기 휘어진 채로 또 우뚝 서 있는 소나무도 맘에 들기는 하는디 죽어서도 이 집 사람으로 있는 것은 벅차고 힘에 겹네. 마음을 달래보려 노래를 부르며 풀도 뽑아주고 자리를 펴고 해가 저물 때까지 앉아 있어보기도 하고 그랬는디 마음이 안 붙어라오. 오십년도 넘게 이 집서 살았웅게 인자는 날 쫌 놔주시오. 그때 가묘 세울 때 고모가 내 아래에 자리잡으라 했을 때 내가 눈을 흘기며 아이구 죽어서도 고모 심부름 하게요, 했던 거, 지금 그 말이 생각나네. 서운케 생각 마오, 고모. 오래 생각했지만 복잡한 마음으로 그런 건 아니요. 그 냥 나는 내 집으로 갈라네요. 가서 쉬겄소.

헛간문이 열려 있네.

바람이 헛간문을 부술 듯이 몰아치네. 내가 즐겨 앉던 나무평상 에 살얼음이 끼어 있네. 모르고 앉았다간 쭉 미끄러지겄네. 이 헛 간에서 큰딸애는 책을 읽곤 했지. 벼룩에 물려가며. 양편에 돼지막 과 잿간을 사이에 둔 헛간에 딸애가 책을 들고 숨어드는 것을 나는 알고 있었네. 그애를 찾지 않았네. 지 오빠가 동생이 어디 갔는지 아느냐 물으면 모른다고 했재. 나는 딸애가 책을 읽고 있는 모습이 좋았으니까. 방해하고 싶지 않았으니까. 돼지막을 덮어놓은 널판 자 위엔 짚더미가 수북했네. 그 한쪽을 차지하고 닭이 밑알을 품고 알을 낳고 있었을 테지. 그 사이에 끼여 짚더미 위에 앉아 벼룩에 물린 자리에 침을 발라가며 책을 읽고 있는 애를 무슨 수로 찾아낼 까? 오빠가 저를 찾느라고 방문을 열어젖히고, 부엌문을 밀어붙이 는 소리를 다 들으며 거기 숨어 책 읽는 재미는 어떤 것이었을까나. 닭은 또 얼마나 까탈스러웠나. 돼지막 위의 짚더미에서 밑알을 품은 닭이 딸애가 책장 넘기는 소리에 신경질을 내곤 했재. 밑알을 안 놓아주면 알도 안 낳는 닭이 헛간에서 부시럭거리는 딸애의 기척에 예민해져서는 꼬꼬거리는 통에 딸애가 지 오빠한테 들킨 적도 있었네. 옆에서는 돼지가 꿀꿀거리고 그 위에서는 알 낳는 닭이 꼬꼬거리고 괭이며 쇠스랑이며 삽이며 온갖 농기구와 짚더미가 놓여 있는 헛간에서 숨죽이고 숨어서 큰딸애가 읽던 책은 무슨 책이었을까나. 봄이 오면 우리 식구의 겨울 신이 멋대로 흩어져 있던 마루 밑엔 새끼를 낳은 어미개가 늘 으르렁거리고 누워 있었네. 처마에서 낙숫물 떨어지는 소리 따위를 듣곤 했네. 그 순한 개는 왜 새끼만 낳으면 그렇게 사나워졌는고. 식구가 아니면 누구도 근처에 얼씬도 못했재. 그래, 이 집의 개가 새끼 낳고 나면 그 파란 대문에 늘상 씌어 있는 개조심이란 글자를 형철이가 다시 진하게 색칠하곤 했재. 어미개가 저녁밥을 먹고 잠든 사이에 마루 밑에서 강아지 한 마리를 꺼내 바구니에 담고 보자기로 덮고도 눈이라고 여겨지는 곳을 손바닥으로 가린 채 고모네로 데려다준 적도 있었네.

— 이렇게 깜깜한데 왜 눈까지 가려서 데려가, 엄마?

작은딸애가 뒤를 졸졸 따라오며 물었재. 그리 데려가지 않으면 집으로 도로 찾아온다고 해도 이해가 되지 않는 표정이곤 했었재.

— 이렇게 깜깜한데?

— 그래, 이렇게 칠흑이라두!

새끼가 없어진 걸 안 어미개가 끙끙 몸을 앓으며 밥을 먹지 않았재. 밥을 먹어야 젖이 생기고 젖을 먹어야 새끼가 자라는데. 그대로 뒀다간 죽게 생겼다고, 눈을 가려 데려간 새끼를 다시 데려다 젖 밑에 밀어넣어주니 그때야 어미개가 밥을 먹었재. 그런 어미개가 그 마루 밑에 살았네.

아, 봄날 새싹들처럼 정신없이 솟아나는 이 기억들을 어디서 멈춰야 할지를 모르겠네. 잊혀진 온갖 것들이 다 몰려오네. 부엌 살강에 엎어진 밥그릇이며 장꽝의 크고작은 항아리들이며 다락방으로 올라가는 좁다란 나무계단이며, 흙담 밑에서 태어나 담장을 타고 무성히 뻗어나가던 호박넝쿨들까지.

집을 이렇게 꽁꽁 얼게 두지 말아요.
힘겨우면 작은며늘애에게 도움을 청해보든지라. 갸는 제집도 아니고 세 얻은 집도 항상 정성스럽게 고쳐놓지 않습디까. 눈썰미가 있고 꼼꼼하고 따뜻한 사람이오. 출근하는 사람인데도 남의 손도 빌리지 않고 하는 살림살이가 항상 반짝반짝 윤이 났재요. 집관리하기 힘이 들면 작은며늘애와 말을 터보시요이. 갸의 손길을 타면 낡은것이 새것으로 바뀐다니께요. 언젠가도 보시요. 재개발지구의 주인 마음이 다 떠난 벽돌집을 세 얻어 살면서도 시멘트까지 제 손으로 이겨가며 손을 보아놓는 이가 작은며늘애요. 집이란 인기척에 따라서 살고 있는 사람의 손길이 어떠한가에 따라서 참 좋은 집이 되었다가 참 이상한 집이 되었다가 그러는 것 같습디다. 봄이 오면 마당에 꽃도 심어주고 마룻장도 어루만져주고 눈 때문에 무너진 지붕도 고쳐주고 그래요.

형철 아버지 당신은 몇해 전 취해 있을 때 누군가 집이 어디냐 물으니 역촌동 그럽디다. 형철네가 그 역촌동에서 떠난 지 이십년이 지났는데요. 내 머릿속에서조차 역촌동이란 동네가 가물가물해졌는디. 기쁜 일이나 슬픈 일이나 별로 내색을 안하는 당신이긴 했소. 형철이가 서울에서 역촌동에 첫집을 가졌을 때도 그저 묵묵히 있더니 당신 마음에도 무척이나 대견했던 게지라오. 그래서 취중에 이 집은 잊어버리고 기껏 일년에 많아야 서너번 손님처럼 들러서 하루나 길어야 이틀 자고 오던 그 집을 댔겠재요. 이 집을 그리여겨주면 좋겠네. 이 집의 마당 귀퉁이나 뒤란 쪽은 새로 씨를 뿌리지 않아도 자잘한 꽃들이 매년 그냥저냥 피어나 어여쁘게 제 시절을 살다가 지곤 했소이. 마당은 마당대로 마루 밑은 마루 밑대로 헛간은 헛간대로 뒤란은 뒤란대로 뭣인가가 모이고 가고 나고 죽고 했소이. 빨랫줄에도 새들이 날아앉아 지가 무슨 말하는 빨래인 것처럼 지지배배 떠들며 놀았재요. 아무래도 집은 그 집에 사는 사람이랑 닮아지는 것 같습디다. 그러지 않고서야 그 집에 살던 오리가 그저 마당을 떼지어다니다가 아무데나 알을 퐁퐁 낳았을까나. 그러지 않고서야 햇볕 좋은 날이면 자연스레 무말랭이나 삶은 토란

대를 채반에 담아 흙담에 올리곤 하던 정경이 이리도 선명히 떠오를까. 딸애가 깨끗하게 닦아놓은 하얀 운동화짝 같은 것이 햇볕 아래 말라가는 풍경이 이리 아른아른거릴까나. 큰딸애는 저 우물에 담긴 하늘을 보길 좋아했네. 물을 긷다가 우물가에 턱을 고이고 있는 모습이 저기 서 있는 것만 같네.

잘 있어요…… 난 이제 이 집에서 나갈라요.

지난여름 지하철 서울역에 혼자 남겨졌을 때 내겐 세살 적 일만 기억났네. 모든 것을 잊어버린 나는 걸을 수밖에 없었네. 내가 누구인지도 몰랐으니까. 걷고 또 걸었어. 모든 게 다 뿌옜네. 세살 때 내가 뛰어놀던 그 마당이 선명히 떠올랐네. 금 캐러도 다니고 석탄을 캐러도 다녔다는 아버지가 집으로 돌아온 그 세살 때. 나는 걸을 수 있는껏 걸었네. 아파트 사이를, 풀숲 언덕길을, 축구장을 걷고 또 걸었네. 그렇게 걸어서 내가 가고 싶은 곳은 어디였나. 세살 때에 뛰어놀던 그 마당이었을까. 아버지는 돌아와 아침마다 십리를 걸어 새로 짓는 역사로 일을 나갔네. 아버지가 당한 사고는 무슨 사고였을까나. 무슨 사고였기에 그리 목숨을 놔버렸을까나. 동네 사람들이 엄마에게 아버지 사고를 알리러 왔을 때 세살이던 나는 마당에서 뛰어다니며 놀고 있었다네. 엄마가 누렇게 뜬 얼굴로 비칠거리며 이웃들의 부축을 받으며 사고난 곳으로 가는 것을 보면서도 나는 놀았어. 내가 웃으며 놀고 있으니 지나가던 누군가가 아비가 죽은 줄도 모르고 웃는구나, 철때기 없는 것아, 하며 내 엉덩이를 때렸네. 그 기억만을 품고 나는 지쳐서 주저앉을 때까지 걷고 또 걸었네.

저기,
내가 태어난 어두운 집 마루에 엄마가 앉아 있네.
엄마가 얼굴을 들고 나를 보네. 내가 이 집에서 태어날 때 할머니가 꿈을 꾸었다네. 누런 털이 빛나는 암소가 막 무릎을 펴고 기지개를 켜고 있었다네. 소가 힘을 쓰며 막 일어서려는 참에 태어난 아이이니 얼마나 기운이 넘치겠느냐며 이 아이 때문에 웃을 일이 많을 것이니 잘 거두라 했다네. 엄마가 파란 슬리퍼에 움푹 파인 내 발등을 들여다보네. 내 발등은 푹 파인 상처 속으로 뼈가 드러나 보이네. 엄마의 얼굴이 슬픔으로 일그러지네. 저 얼굴은 내가 죽은 아이를 낳았을 때 장롱 거울에 비친 내 얼굴이네. 내 새끼. 엄마가 양팔을 벌리네. 엄마가 방금 죽은 아이를 품에 안듯이 나의 겨드랑이에 팔을 집어넣네. 내 발에서 파란 슬리퍼를 벗기고 나의 두발을 엄마의 무릎으로 끌어올리네. 엄마는 웃지 않네. 울지도 않네. 엄마는 알고 있었을까. 나에게도 일평생 엄마가 필요했다는 것을.

에필로그

장미 묵주

엄마를 잃어버린 지 구개월째다.

너는 지금 이탈리아에 와 있다. 바티칸 시국의 성 베드로 광장이
내다보이는 대리석 계단에 앉아서 이집트에서 운반해왔다는 오벨
리스크를 바라보고 있다. 이마에 땀방울이 맺힌 가이드가 이쪽으
로 모이세요, 외치며 커다란 솔방울이 있는 쪽 그늘진 계단 아래로
사람들을 안내했다. 이곳은 박물관이나 성당 안에 들어가서 소리
를 내 안내할 수 없게 되어 있습니다. 그러니 박물관에 들어가기 전
에 중요하다고 여겨지는 부분들을 먼저 안내하겠습니다. 이어폰을
한개씩 나눠줄테니 귀에 꽂고 들으세요. 너는 이어폰을 받기만 하
고 귀에 꽂지 않았다. 이어폰에서 소리가 들리지 않는다는 것은 저
와 여러분이 너무 먼 거리에 있다는 걸 뜻합니다. 사람들이 많아서
제가 개개인을 다 챙길 수가 없습니다. 늘 제 목소리가 들리는 반경

에 있어주셔야 제가 안내를 제대로 할 수 있습니다. 너는 이어폰을 목에 건 채로 손을 씻기 위해 화장실로 향했다. 거칠 것 없이 벌떡 일어나 화장실로 걸어가는 너의 뒷모습을 일행들이 바라봤다. 화장실 세면대에서 손을 씻고 물기를 닦기 위해 가방을 열고 손수건을 꺼내려다가 너는 가방 안에 구겨져 있는 여동생의 편지를 가만 보았다. 그를 따라 서울을 떠나오던 사흘 전에 네 오피스텔 우편함에서 꺼낸 편지다. 발신인란에 적힌 여동생의 이름을 너는 바퀴가 달린 여행가방을 한손으로 붙잡은 채 읽었다. 예전이나 지금이나 여동생으로부터 편지를 받은 건 처음이었다. 더구나 이메일도 아니고 손으로 쓴 편지였다. 뜯어볼까 하다가 너는 그냥 손가방 안에 편지를 넣어두었다. 그 편지를 읽으면 그를 따라 비행기를 탈 수 없을지도 모른다는 생각이 들었던 것 같다. 너는 화장실에서 나와 다시 일행 속에 끼여앉았다. 이어폰을 귀에 꽂는 대신 너는 여동생의 편지를 꺼내 잠시 들고 있다가 봉투를 뜯었다.

언니.

미국에서 돌아와 엄마 집에 갔을 때 엄마가 내 무릎에 겨우 닿을까 한 어린 감나무 한 그루를 주셨어. 엄마 집에 맡겨놓은 내 살림들을 찾으러 간 길이었지. 엄마는 그때 내가 맡겨놓은 가스레인지며 냉장고며 식탁이 쌓여 있는 헛간 옆의 창고에 쓰러져 있었지. 사지를 늘어뜨린 채 누워 있었어. 엄마가 밥을 챙겨주는 동네 고양이들이 엄마 곁에 둘러앉아들 있더군. 내가 황급히 엄마를 흔들자 엄마는 정신이 돌아온 듯 겨우 눈을 뜨더니 나를 보고 웃으셨어. 우리 작은딸 왔구나! 하면서. 엄마는 괜찮다고 했지. 지금 생각해보니 정신을 놓고 쓰러진 것인데 엄마는 한사코 아니라고 했지. 고양이 밥 주려고 창고에 들어와 있었던 거라고. 엄마는 내가 맡겨놓은 살림들을 고스란히 간직하고 있었어. 미국으로 떠나면서 엄마 쓰라고 내놓고 간 고무장갑까지 그대로. 제사가 있었을 때 휴대용 가스레인지를 쓸 일이 있어 잠시 망설였으나 쓰지 않았다고 하셨어. 왜요? 물었더니 네가 돌아오면 그대로 다 전해주고 싶었다, 하시더라.

트럭에 살림들을 다 실었을 때 엄마가 미안한 듯이 장독대에서 감나무 한 그루를 가지고 오셔서 내밀었어. 뿌리가 흙덩이와 함께 비닐에 돌돌 말려 있었어. 이사한 내 집 마당을 보고 구해놓은 것이었어. 너무 어려서 언제 감이 열리나 싶은 것이었지. 솔직히 가져오기 싫었어. 마당이 있는 집이라고 했지만 내 집도 아니고 그 나무를 누가 건사하나 싶은 게 귀찮은 생각까지 들었어. 내 마음을 간파한 엄마가 그러더라.

 ─ 감은 금방 열린다, 칠십년도 금방 가버리더라.

그래도 가져가지 않으려는 나에게 엄마가 또 그랬지.

 ─ 나 죽고 없으면 감 따먹으며 내 생각하라는 뜻이여.

엄마는 부쩍 나, 죽으면……을 입에 달고 지내셨지. 오래전부터 그 말이 엄마의 무기였잖아. 마음대로 안되는 자식 앞에서의 엄마의 유일한 무기. 언제부턴가 엄만 뭐가 석연찮으면 그랬잖아. 그거 나 죽으면 해라. 살지 죽을지 모르는 어린 감나무를 자동차에 싣고 와서 엄마가 일러준 대로 엄마가 표시해준 만큼 나무뿌리를 흙속에 파묻었어. 나중에 엄마가 서울에 들렀을 때 보더니 담벼락에 너무 바짝 심어놓았다고 봄이 오면 딴데로 옮겨 심으라 하셨어. 봄이 되자 옮겨심었느냐고 물으셨어. 나는 하지도 않았으면서 대답은 예, 했어. 가을에 와서 보시더니 게으르다고 야단을 치면서 봄이 되면 저기로 꼭 옮겨심으라고 하셨지. 엄마가 가리킨 저기란 내가 나중에 돈이 생겨 이 집을 사게 되면 그때는 큰 나무를 한 그루 심어도 되겠다, 싶은 빈자리였어. 줄기도 서넛밖에 안되고 내 허리에 닿지도 않는 어린 나무를 거기에 옮겨심을 생각은 눈곱만큼도 없으면서도 대답은 또 네, 했지. 올봄이 되자 하루건너 옮겨심었냐? 전화를 하셨지. 좀 따뜻해지면요, 하고 말았어. 언니. 나는 어제야 등에 아이를 업고 택시를 타고 서오릉 어디께로 가서 계분을 사왔어. 엄마가 저기라고 한 곳에 구덩이를 파고 감나무를 옮겨심었어. 엄마에게 받아놓은 어린 감나무를 담벼락에 붙여 심어놓고도 일절 반성이 없었는데 옮겨심다가 깜짝 놀랐네. 나무를 가져왔을 때 뿌리가 어찌나 시원찮던지, 이게 땅속에다 뿌리를 뻗기나 할까 미심쩍어 자꾸만 들여다봤는데 옮겨심으려고 보니 벌써 땅속 깊이 뿌리를 쫙 뻗은 채 엉켜붙어 있었지. 척박한 땅인데도 살아보려고 기를 쓰고 자리를 잡은 생명력이 놀랍기만 했어. 그렇게나 어린 감나무를 주신 것은 줄기가 번성하고 둥치가 굵어지는 걸 보라는 뜻이셨나. 열매를 보려면 잘 보살피기도 해야 한다는 뜻이셨나. 어쩌면 단지 큰 나무 살 돈이 없으셨는지도 모르지. 처음으로 감나무에 애착이 갔어. 이 나무에서 진짜 감이 풍성하게 열리기는 할까? 의심한 것이 뒤로 물러났어. 나 죽고 없으면 감 따먹으며 내 생각하라는 뜻이라고 하던 엄마의 말이 되살아났어. 언니가 저번에 그랬지. 나만 아는 엄마 얘기를 해달라고. 나는 엄마를 모르겠다고 했지. 엄마를 잃어버린 것밖에는 모르겠다구. 지금도 그건 마찬가지야. 특히 엄마의 힘이 어디서 나왔는지 나는 그걸 모르겠어. 생각해봐. 엄마는 상식적으로 한 사람이 할 수 있는 일을 하면서 살아온 인생이 아니야. 엄마는 엄마가 할 수 없는 일까지도 다 해내며 살았던 것 같아. 그러느라 엄마는 텅텅 비어갔던 거야. 종내엔 자식들의 집 하나도 찾을 수 없는 그런 사람이 된 거야. 엄마를 잃어버리고도 이렇게 내 아이들 밥을 챙겨먹이고 머리 빗기고 학교 보내고 있느라 제대로 엄마를 찾아나서지도 못하는 내가 아주 낯설어. 언니는 나보고 요즘 젊은 엄마 같지 않게 특이하다고 했지만, 내게 조금은 그런 면이 없지 않지만, 언니, 아무리 그래도 나는 엄마처럼 할 수 없어. 엄마를 잃어버리고 자주 생각했어. 나는 엄마에게 좋은 딸이었나? 나는 내 아이들에게 엄마가 내게 해준 것처럼 할 수 있나. 한 가지는 알아. 나는 엄마같이 못해. 할 수도 없어. 나는 내 아이들 밥 먹이면서도 자주자주 귀찮아. 아이들이 내 발목을 붙잡고 있는 거같이 느껴져서 부담스러울 때도 있어. 내 아이들을 사랑하고 이 아이들을 진짜 내가 낳았나? 싶어 감격하지만 나는 엄마처럼 인생을 통째로 아이들에게 내맡길 순 없어. 나는 상황에 따라 내 눈이라도 빼줄 수 있을 것처럼 굴지만 그렇다고 엄마처럼은 아니야. 셋째가 어서 크기를 바라고 있지. 아이들 때문에 내 인생이 정체되고 있다고 생각할 때도 많아. 나는 셋째가 조금만 더 자라면 놀이방에 보내거나 사람을 구해 아이를 맡기고 내 일을 할 거야. 그럴 거야. 내 인생도 있으니까. 이런 나를 깨달을 때마다 엄마는 어떻게 그리할 수 있었는지 엄마를 모르겠다는 생각이 들었어. 엄마가 우리만 생각할 수밖에 없었던 건 엄마 상황에서 그렇다고 쳐. 그런데 우리까지도 어떻게 엄마를 처음부터 엄마인 사람으로 여기며 지냈을까. 내가 엄마로 살면서도 이렇게 내 꿈이 많은데 내가 이렇게 나의 어린 시절을, 나의 소녀시절을, 나의 처녀시절을 하나도 잊지 않고 기억하고 있는데 왜 엄마는 처음부터 엄마인 것으로만 알고 있었을까. 엄마는 꿈을 펼쳐볼 기회도 없이 시대가 엄마 손에 쥐여준 가난하고 슬프고 혼자서 모든 것과 맞서고, 그리고 꼭 이겨나갈밖에 다른 길이 없는 아주 나쁜 패를 들고서도 어떻게든 최선을 다해서 몸과 마음을 바친 일생이었는데. 난 어떻게 엄마의 꿈에 대해서는 아무런 생각도 해본 적이 없었을까.

언니.

감나무를 옮겨심느라 파놓은 구덩이 속에 그만 얼굴을 처박고 싶었어. 나는 엄마처럼 못 사는데 엄마라고 그렇게 살고 싶었을까? 엄마가 옆에 있을 때 왜 나는 이런 생각을 한번도 하지 않았을까. 딸인 내가 이 지경이었는데 엄마는 다른 사람들 앞에서 얼마나 고독했을까. 누구에게도 이해받지 못한 채로 오로지 희생만 해야 했다니 그런 부당한 일이 어떻게 있을 수 있어.

언니. 단 하루만이라도 엄마와 같이 있을 수 있는 날이 우리들에게 올까? 엄마를 이해하며 엄마의 얘기를 들으며 세월의 갈피 어딘가에 파묻혀버렸을 엄마의 꿈을 위로하며 엄마와 함께 보낼 수 있는 시간이 내게 올까? 하루가 아니라 단 몇시간만이라도 그런 시간이 주어진다면 나는 엄마에게 말할 테야. 엄마가 한 모든 일들을, 그걸 해낼 수 있었던 엄마를, 아무도 기억해주지 않는 엄마의 일생을 사랑한다고. 존경한다고.

언니, 언니는 엄마를 포기하지 말아줘, 엄마를 찾아줘.

여동생은 끝인사도 날짜도 쓸 수가 없었나보았다. 편지를 쓰다가 울었는지 편지지에 동그란 얼룩들이 져 있었다. 너는 누런 얼룩을 물끄러미 보다가 편지를 접어 다시 가방에 넣었다. 여동생이 편지를 쓸 때 어쩌면 식탁 밑에서 뭔가 주워먹고 있던 아이가 다가와 여동생의 엉덩이를 잡고 그 서툰 발음으로 엄마 곰은… 하고 매달렸을지도 모른다. 여동생은 어두운 얼굴로 그러나 아이와 눈을 맞추며 날씬해! 맞장구를 쳐주었겠지. 엄마의 마음을 알 리 없는 아이는 입을 헤 벌리고 웃었을지도. 이제 갓 말을 배우기 시작한 아이가 다시 아빠 곰은… 하고 엄마가 다음 리듬을 이어주기를 기다렸을 것이다. 눈물을 머금고 뚱뚱해! 장단을 맞춰주느라 여동생은 작별인사를 쓸 수 없었는지도. 여동생의 다리를 붙잡고 기어오르려던 아이가 이마를 바닥에 쿵 부딪히며 바닥에 나동그라졌을지도. 아이가 곧 숨이 넘어갈 듯 울음을 터뜨렸을지도. 파란 멍이 아이의 얇은 피부를 뚫고 올라오는 걸 보고 참았던 눈물을 왈칵 쏟아냈을지도.

편지를 접어 가방에 넣고 나자 기다렸다는 듯 가이드의 열정적인 목소리가 귓전에 메아리쳐왔다. 이 박물관에서 가장 하이라이트는 우리가 맨 마지막에 보게 될 시스티나 예배당 천장에 그려진 천지창조입니다. 미켈란젤로는 사년의 세월을 천장의 들보에 매달려 프레스코화 작업을 했으므로 나중에 그는 시력이 약해져 글씨를 읽을 수도 바깥에서가 아니면 그림을 볼 수도 없을 지경이 되었다고 합니다. 프레스코화의 기법은 석회를 부어서 하는 작업이기 때문에 석회가 마르기 전에 끝마쳐야 했지요. 한달 정도 걸리는 작업량을 단 하루 만에 해내지 않으면 나중엔 석회가 굳어버리기 때문에 다시 해야 했답니다. 사년 동안 천장에 매달려 그리고 있었으니 얼굴이 돌아가버린 건 당연한 것일지도 모르겠습니다.

　비행기를 타기 전에 네가 공항에서 마지막으로 한 일은 시골 아버지에게 전화를 건 일이었다. 엄마를 잃어버린 후 서울과 시골집을 오가다가 봄이 오자 아버지는 시골집으로 다시 내려갔다. 너는 매일 아침이거나 혹은 밤에 아버지에게 전화를 걸었다. 아버지는 벨소리가 한번 울리고 나면 기다리고나 있었던 듯 전화를 받았다. 네가 너임을 밝히기도 전에 아버지는 대뜸 네 이름을 댔다. 늘 엄마가 알아맞히던 일이었다. 엄마는 마당 화단에 풀을 뽑고 있다가 방에서 전화벨 소리가 울리면 아버지에게 전화 좀 받아요, 지헌이구만! 했다. 어떻게 벨소리를 듣고 누구 전화인지 맞히냐 물으니 엄마는 그저 고개를 갸웃하며 그냥…… 그냥 저절로 안다, 그랬다. 엄마가 없는 빈집에서 혼자 있는 동안 아버지도 너의 전화를 벨소리만 듣고도 알아냈다. 로마에서도 전화는 걸 수 있으나 시차가 달라 아버지가 깨어 있는 시간에 전화를 하려면 여간 신경을 써야 할 일이 아닌 것 같아 너는 당분간 전화를 할 수 없을지도 모른다는 말을 아버지에게 전했다. 너의 말을 듣는지 마는지 아버지는 갑자기 엄마에게 축농증수술을 해줬어야 했다고 말했다.
　─ 엄마가 코도 아팠어요?
　네가 가라앉은 목소리로 되묻자 아버지는 엄마가 환절기 때면 기침을 하느라 잠을 자지 못했다고 했다. 나, 때문이다,고 했다. 나 때문에 니 에미는 자기 몸을 살필 겨를이 없었잖여. 다른 날 같으면 너는 아버지, 그건 누구 탓도 아니에요, 했을 것인데 너의 입에서 그래요, 아버지 때문이에요,라는 말이 튀어나왔다. 수화기 저편의 아버지가 갑자기 숨을 죽였다. 아버지는 네가 공항에서 전화를 건다는 걸 모르고 있었다.

— 지헌아.

한참 만에 수화기 저편에서 아버지가 너를 불렀다.

— 네.

— 니 엄마는 꿈에조차 나타나질 않는구나.

— ………

잠시 숨을 죽이고 있던 아버지는 금세 옛날 일을 입에 담았다. 오빠가 보낸 갈치를 지져먹던 날이 있었다고 했다. 엄마가 청이 파란 무를 산밭에서 캐와 흙을 툭툭 털어내고 칼로 싹싹 껍질을 다듬은 뒤에 큼지막하게 싹둑싹둑 잘라 냄비 밑바닥에 깔고 갖은양념을 친 후 붉게 지져 내온 갈치찜을 해먹은 날이 있었다고. 살이 통통하게 찐 갈치살을 발라서 흰밥에 얹어주던 엄마. 아침에 지진 갈치찜을 점심에도 한 토막씩 나눠먹고 배가 불러서 엄마랑 둘이서 방 안에서 발 뻗고 낮잠에 든 그런 봄날이 있었다고 얘기하며 아버지는 슬그머니 흐느꼈다. 그때는 그것이 행복인 줄을 몰랐다면서. 니 엄마에게 미안하구나. 늘 내가 아프지 않았냐,고 했다. 그랬다. 아버지는 집에 없거나 있을 맨 늘 아팠다. 그것이 회한이 되는 모양이었다. 늙은 아버지의 흐느낌이 거세졌다.

　— 내가 아프기 시작할 때 니 엄마도 아프기 시작했는가보다.

　엄마는 아버지의 병에 치여 어디 아프다는 말을 꺼내보지도 못한 것일까. 식구들 때문에 엄마는 아파서는 안되는 사람이기도 했다. 쉰이 되면서 아버지는 혈압약을 복용했고 관절이 저렸고 백내장이 찾아왔다. 엄마를 잃어버리기 바로 전에 아버지는 한해 걸러 연속으로 무릎수술을 했고 소변을 볼 수 없어 전립선수술을 했다. 뇌경색으로 쓰러져 한해 세번씩 병원에 들어가 보름 만에 한달 만에 퇴원하기를 반복했다. 그때마다 엄마는 병원에서 잤다. 간병인을 두었으나 밤에는 엄마가 자야 했다. 간병인이 병원에서 자는 날 아버지는 깊은 밤중에 화장실로 들어가 문을 잠그고 안에서 나오려 들지 않았다. 아버지의 돌발적인 행동에 당황한 간병인의 전화를 받고 오빠네서 자고 있던 엄마가 그 한밤중에 병원을 찾아가 화장실에서 나오지 않는 아버지를 달랬다.

　— 형철 아버지, 나요. 문 열어보시요, 나라니까요.

　누가 뭐래도 문을 열지 않던 아버지는 엄마의 목소리를 듣고서야 문을 열었다. 아버지는 화장실 변기 옆에 쭈그리고 앉아 있었다. 엄마가 아버지를 부축해 나와서 다시 병상에 누이자 아버지는 물끄러미 엄마를 보다가 겨우 잠이 들었다. 아버지는 기억나지 않는 일이라고 했다. 다음날 네가 왜 그랬느냐고 물었을 때 아버지는 내가 그랬단 말이냐? 오히려 반문하기까지 했다. 그러면서 네가 다시 물을까봐 아버지는 얼른 눈을 감아버렸다.

— 엄마도 좀 쉬어야 해요, 아버지.

아버지는 몸을 돌려 누워버렸다. 너는 알고 있었다. 아버지가 잠든 척하며 너와 엄마가 나누는 얘기를 듣고 있다는 것을. 엄마는 아버지가 무서워서 그랬을 거라고 했다. 집도 아니고 병원에서 자다가 깨어보니 낯선 사람만 있고 식구들은 없으니 여기가 어딘가 싶고 무서워서 그랬을 거라고.

— 뭐가 무섭단 말이에요?

네가 퉁명스럽게 말하는 소리를 아버지도 들었을 터였다.

— 너는 무서운 적 없냐?

엄마는 아버지 쪽을 흘깃 훔쳐보며 나직하게 말했다.

— 네 아버지가 그러는데 나두 가끔 그런다더라. 자다가 내가 안 보여 찾아보면 내가 헛간이나 우물 뒤에 숨어 있을 때가 있디야. 손을 내저으면서 나한테 그러지 말라구…… 벌벌 떨고 있군 한다더라.

— 엄마가요?

— 난 기억이 안 나. 니 아버지가 나를 데려다 누이고 물 멕이구 그래야 다시 잠이 들곤 했다는구나. 나도 그런디 니 아버지도 무서울 테지.

— 뭐가 무섭냐니까?

엄마가 희미하게 웅얼거리듯이 말했다.

— 하루하루 사는 게 무서웠던 것 같네. 젤 무서운 건 쌀독에 양

식이 떨어졌을 때재. 니들 배를 곯릴 생각을 허든…… 입이 바짝바짝 탔던 거 같네. 그런 날들이 있었던 것 같네.

아버지는 엄마가 그렇기도 하다는 것을 너를 비롯한 가족들에게 전한 적이 없었다. 엄마를 잃어버리고 시골집에 혼자 기거하는 아버지에게 전화를 걸 적마다 아버지는 혹시 네가 먼저 전화를 끊을까봐 맥락도 닿지 않는 옛날이야기들을 불쑥불쑥 꺼내면서도 엄마가 잠을 자다가 어딘가로 숨기도 했다는 말은 하지 않았다.

너는 시계를 보았다. 오전 열시다. 그는 일어났을까? 아침은 먹었을까?

오늘 새벽 여섯시에 테르미닌 역 앞의 오래된 호텔에서 너는 잠을 깼다. 엄마를 잃어버린 뒤 네 몸과 마음속에 찾아든 것은 물속으로 가라앉는 듯한 절망감. 네가 침대에서 몸을 일으키려 하자 등을 보이고 잠들어 있던 그가 몸을 돌려 누우며 너를 껴안으려 했다. 너는 그의 팔을 침대에 가만히 내려놓았다. 거절당한 그가 팔을 이마에 옮겨놓으며 말했다.

— 조금 더 자둬.

— 잠이 오지 않아요.

그가 이마에서 손을 내리고 돌아누웠다. 완강해 보이는 그의 등을 너는 물끄러미 바라보았다. 그리고 손을 뻗어 쓸어주었다. 엄마를 잃어버리고 난 뒤 한번도 따뜻하게 안아주지 못한 남자의 등.

엄마를 찾다가 지친 너의 가족들은 모이면 돌연한 침묵 속에 빠지곤 했다. 그러다가 돌발적인 행동들을 했다. 문을 박차고 나가버리든지, 갑자기 맥주잔에 소주를 따라 마셨다. 어디서고 솟아나오는 엄마와 함께한 추억들을 밀어넣고 밀어넣으면서도 다들 한 가지 생각들을 했다. 이 자리에 엄마가 있었으면. 엄마가 다시 한번 수화기 저편에서 나다!라고 말해주었으면. 엄마는 항상 나다!라고 했다. 나다!라고 말하는 엄마를 잃어버린 뒤 너의 가족은 그 어떤 대화도 십분 이상 유지할 수가 없었다. 어떤 생각을 하든 그 생각들 사이로 엄마는 지금 어디 있을까? 싶은 의문이 불안스럽게 흘러들었다.

— 오늘은 혼자 있을래.

돌아누운 채로 그가 응수했다.

— 혼자 뭐 하려구?

— 베드로 성당에 가보려구요. 어제 호텔 로비에서 당신 기다릴 때 오늘 하루 일정으로 바티칸 시국 관광 프로그램이 있길래 신청해놨어. 지금 준비하고 가봐야 해. 로비에서 일곱시 이십분에 출발한댔어요. 아홉시까지 도착하지 않으면 줄이 길어져서 안으로 들어가는 데 두 시간도 더 걸린대.

— 내일 나랑 함께 가지.

— 여긴 로마야. 거기 말고도 당신과 함께 가볼 곳은 많아.

너는 그를 방해하지 않기 위해 조용조용 세수를 했다. 머리를 감고 싶었으나 물소리가 시끄러울 것 같아 거울을 보며 그냥 뒤로 묶었다. 옷을 갈아입고 객실을 나오다가 생각난 듯이 그에게 말했다.

— 여기 데려와줘서 고마워.

그는 끌어당긴 시트로 얼굴을 덮었다. 지금, 그로서는 최대한 참고 있는 것이라는 걸 너는 알았다. 그는 이곳에서 만난 이들에게 너를 아내로 소개했다. 엄마를 찾았으면 너는 지금쯤 그의 아내이기도 했을 것이다. 오늘 오전 세미나가 끝난 후에 다른 몇 커플들과 점심약속이 잡혀 있는 것도 너는 알고 있다. 아마도 점심자리에 혼자 나타난 그에게 그들은 아내는 어디 갔느냐고들 물을 것이었다. 시트를 끌어당겨 얼굴을 덮어버린 그를 물끄러미 바라보다가 너는 조용히 객실을 빠져나왔다. 엄마를 잃어버린 뒤 네게 생긴 충동적인 행동들. 너는 충동적으로 술을 마셨고, 길을 걷다가 충동적으로 시골집으로 내려가는 기차를 타기도 했다. 물끄러미 오피스텔 천장을 보고 누워 있다가 한밤중이건 첫새벽이건 충동적으로 서울의 거리로 뛰쳐나가 전단지를 붙이고 다녔다. 충동적으로 경찰서로 쳐들어가 엄마를 찾아내라고 소릴 지르기도 했다. 연락을 받고 경찰서로 온 오빠는 너를 물끄러미 바라보았다. 언제부턴가 엄마의 부재를 담담히 받아들이며 다시 골프장에 나가기까지 하는 오빠를 향해서도 너는 충동적으로 소리를 내질렀다.

— 엄마를 찾아내!

엄마를 아는 사람들에 대한 항의와 엄마를 잃어버린 너 자신에 대한 혐오가 밴 외침이었다. 오빠는 습격에 가까운 너의 외침이 반복되자 그것도 묵묵히 받아들였다.

— 어떻게 그럴 수 있어…… 왜 엄마를 찾지 않아. 왜애! 왜!

너와 함께 도시의 밤거리를 방황해주는 것이 너의 오빠가 할 수 있는 일의 다이기도 했다. 지난겨울 너는 시골집 엄마의 장롱에서 가져온 밍크코트를 입거나 팔에 걸친 채 도시의 밤 지하도를 헤매다녔다. 혹, 여름옷을 입고 사라진 엄마를 만나면 무조건 입혀주려고. 신문지나 라면박스를 이불 삼아 잠든 노숙자들 사이를 밍크코트를 들고 헤매다니는 너의 모습이 빌딩 대리석에 그림자로 비쳤을 뿐이다. 항상 전화기를 켜놓고 있지만 이젠 엄마와 비슷한 사람을 봤다고 전화를 걸어오는 사람도 없었다. 어느날 엄마를 잃어버린 지하철 서울역으로 나갔다가 거기 우두커니 서 있는 오빠를 만났다. 너희 남매는 지하철이 끊길 때까지 지하철이 오가는 것을 바라보며 거기 앉아 있었다. 오빠는 처음엔 여기 이러고 있으면 엄마가 형철아! 하고 부르면서 어깨를 툭 치며 나타날 것 같다고 말했다. 그러나 지금은 그런 생각이 들지 않는다고. 아무 생각도 하지 않는다고 머릿속이 하얘져버렸다고. 다만 퇴근을 하고 집으로 곧바로 들어가기가 싫은 날이면 여기를 찾아오게 된다고. 너는 어느 휴일날 오빠네를 찾아갔다가 골프채를 들고 차에서 내리는 오빠를 향해 나쁜 놈! — 고함치며 한바탕 소란을 피웠다. 오빠마저 엄마의 실종을 받아들이면 대체 누가 엄마를 찾는단 말인가. 너는 오빠의 골프채를 빼앗아 바닥에 내팽개쳤다. 모두들 서서히 엄마를 잃어버린 아들과 딸 그리고 남편이 되어가고 있었다. 엄마가 없이도 일상은 이어지고 있었다. 어느날 첫새벽에 엄마를 잃어버린 그 자리에 가봤다가 오빠를 다시 만났다. 너는 새벽빛 속에 서 있는 오빠를 뒤에서 끌어안았다. 오빠는 엄마의 일생을 고통과 희생으로만 기억하는 건 우리 생각인지도 모른다고 했다. 엄마를 슬프게만 기억하는 건 우리 죄의식 때문일지 모른다고. 그것이 오히려 엄마의 일생을 보잘것없는 것으로 간주하는 일일 수도 있다고. 오빠는 용케도 엄마가 항상 입에 달고 지내던 말을 생각해냈다. 엄마는 조금만 기쁜 일이 생겨도 감사허구나! 감사헌 일이야!라고 말했다. 엄마는 누구나 누리는 사소한 기쁨들을 모두 감사함으로 대신 표현했다. 오빠는 엄마의 감사함들은 진심이었다고 했다. 엄마는 모든 것에 감사해했다고. 감사함을 아는 분의 일생이 불행하기만 했을 리 없다고. 헤어지면서 오빠는 엄마가 돌아와도 자신의 얼굴을 알아보지 못할까봐 겁이 난다고 했다. 너는 엄마에겐 이 세상에서 가장 소중한 사람이 오빠였다고 말해주었다. 엄마는 오빠가 어디에 있든 어떻게 변하든 오빠를 알아볼 것이다. 언젠가 오빠가 군에 입대해 훈련소에 입소했을 때, 부모들을 훈련소로 초대한 적이 있었다. 엄마는 떡을 쪄서 머리에 이고 너를 데리고 오빠를 찾아갔다. 수백명이 똑같은 옷을 입고 태권도 시범을 보이는데도 엄마는 그 속에서도 오빠를 알아보았다. 네 눈엔 모두 똑같아 보이는데도 엄

마는 단박에 얼굴에 함빡 웃음을 지으며 니 오빠 저겼다!라고 지목
했다. 오랜만에 오빠와 엄마 얘기를 평화롭게 나누다가 너는 또 오
빠를 향해 왜 엄마를 더는 찾지 않느냐고 목소리를 높였다. 왜 엄마
가 다시는 못 돌아올 사람처럼 말하는 거야! 오빠에게 대들었다. 오
빠는 어떻게, 대체 어떻게 찾아야 하느냐고! 양복 속에 입은 흰 와
이셔츠를 풀어헤치다가 종내는 네 앞에서 눈물을 보였다. 그뒤로
오빠는 너의 전화를 받지 않았다.

엄마를 잃어버린 다음에야 너는 엄마의 이야기가 너의 내부에
무진장 쌓여 있음을 새삼스럽게 실감했다. 끊임없이 반복되던 엄
마의 일상. 엄마가 곁에 있었을 땐 깊이 생각하지 않은 엄마의 사소
하고 어느 땐 보잘것없는 것같이 여기기도 한 엄마의 말들이 너의
마음속으로 해일을 일으키며 되살아났다. 너는 깨달았다. 전쟁이
지나간 뒤에도, 밥을 먹고 살 만해진 후에도 엄마의 지위는 달라지
지 않았다는 것을. 오랜만에 만난 가족들이 아버지와 밥상 앞에 둘
러앉아 대통령선거 얘기를 나눌 때도 엄마는 음식을 만들어 내오
고 접시를 닦고 행주를 빨아 널었다. 엄마는 대문과 지붕과 마루를
고치는 일까지도 도맡아 했다. 엄마가 끊임없이 되풀이해내야 했
던 일들을 거들어주기는커녕 너조차도 관습으로 받아들이며 아예
엄마 몫으로 돌려놓고도 당연하게 여기고 있었다는 것을. 때로 오
빠의 말처럼 엄마의 삶을 실망스러운 것으로 간주하기까지 했다는

것을. 인생에 단 한번도 좋은 상황에 놓인 적이 없던 엄마가 너에게 언제나 최상의 것을 주려고 그리 노력했는데도. 외로울 때 등을 토닥여준 사람 또한 엄마였는데도.

　시청 앞 은행나무에 손톱만한 새잎이 돋기 시작했을 때 너는 삼청동으로 빠지는 큰길의 아름드리나무 밑에 쭈그리고 앉아 있었다. 엄마가 없는데도 봄이 오고 있다니. 언땅이 녹고 세상의 모든 나무엔 물이 오르고 있다니. 그동안 너를 버티게 하던 마음, 엄마를 찾아낼 수 있으리란 믿음이 뭉개졌다. 엄마를 잃어버렸는데도 이렇게 여름이 오고 가을이 또 오고 또 겨울은 찾아오겠지. 나도 그 속에서 살고 있겠지. 텅 빈 폐허가 네 눈앞에 펼쳐졌다. 그 길을 터벅터벅 걷고 있는 파란 슬리퍼를 신은 실종된 여인.

　너는 가족 누구에게도 알리지 않고 로마에서 열리는 세미나에 참석하기 위해 떠나는 그를 따라나섰다. 함께 가자고 청하긴 했지만 그는 네가 응하리라고는 기대하지 않았던 것 같다. 막상 네가 따라나서자 약간 당황하긴 했으나 네가 동행함으로써 변동된 몇가지 일정들을 차분히 알아봐주었다. 출발하기 전날까지도 전화를 해서 변한 거 없지? 묻기도 했다. 그와 함께 로마행 비행기를 타면서 어쩌면 엄마의 꿈은 여행가였을지도 모른다는 생각을 너는 처음 했다. 엄마는 항상 염려스런 얼굴로 너에게 비행기를 타지 말라고 하였으나 어딘가에서 네가 돌아오면 네가 머문 곳에 대해 참 세밀하게도 물었다는 생각. 중국 사람들은 어떤 옷을 입는지? 인디오는 아이들을 어떻게 업고 다니는지? 일본에서 가장 맛있는 음식은 무엇인지? 네게 쏟아지던 엄마의 질문들. 중국 남자들은 여름에 웃옷을 훌러덩 벗고 다니더라, 페루에서 본 인디오 여인은 아이를 망태기에 담아 옆구리에 끼고 있었어. 일본 음식은 너무 달아, 너는 늘 짧게 대답하곤 했다. 엄마가 더 물으면 귀찮아져서 나중에 얘기해줄게, 엄마! 그랬다. 너희 모녀에게 나중에 다시 그런 얘기를 나눌 기회는 없었다. 네 앞에는 늘 다른 일이 놓여 있었으므로. 너는 비행기 좌석에 몸을 누이며 깊은 숨을 내쉬었다. 너에게 아주 먼 곳에 나가 살라고 한 사람은 엄마였다. 너를 태생지에서 가장 먼 도시로 내보내준 이도 엄마였다. 그때의 엄마. 너를 도시에 데려다주고 다시 시골집으로 돌아가는 밤기차를 탔던 그때의 엄마의 나이가 지금의 네 나이와 같다는 것을 너는 아프게 깨달았다. 한 여자. 태어난 기쁨도 어린 시절도 소녀시절도 꿈도 잊은 채 초경이 시작되기도 전에 결혼을 해 다섯 아이를 낳고 그 자식들이 성장하는 동안 점점 사라진 여인. 자식을 위해서는 그 무엇에 놀라지도 흔들리지도 않은 여인. 일생이 희생으로 점철되다 실종당한 여인. 너는 엄마와 너를 견주어보았다. 그럼에도 불구하고 엄마는 한 세계 자체였다. 엄마라면 지금의 너처럼 두려움을 피해 이렇게 달아나고 있지 않을 것이다.

로마는 말 그대로 도시 전체가 유적지였다. 네가 들어온 숱한 로마에 대한 악명들. 걸핏 하면 철도파업을 하면서 승객에게 미안해하지도 않고, 보고 있는데도 팔을 잡아당겨 시계를 풀어간다고 했다. 낙서와 쓰레기로 밤거리는 얼룩져 있다고도 했다. 너는 아무려나 상관없는 사람 같았다. 택시요금을 바가지 씌우고 누군가의 손이 네가 벗어놓은 선글라스를 집어가는데도 너는 보고만 있었다. 그러면서도 너는 지난 사흘 동안 그가 세미나에 참석하는 시간이면 홀로 로마 거리의 어디서나 만날 수 있는 폐허들을 찾아다녔다. 포로 로마노를, 콜로세움을, 카라칼라 욕장을, 카타콤베를. 대도시 안의 광활한 폐허들 속에 너는 우두커니 서 있었다. 로마는 문명의 상징이 되는 공간이었다. 어느 곳이나 지난 세월의 흔적이 유장하게 펼쳐지는데도 너는 아무것도 마음에 담지 않았다. 지금도 너는 무언가에 푹 싸여 있는 듯한 원형광장에 늘어선 성상들에 눈길을 주지만 너의 눈은 어디에도 머물지 않는다. 가이드가 바티칸 시국은 세속의 한 국가이면서도 신의 나라라고 설명했다. 영토가 44헥타르밖에 되지 않지만 독립국이며 독자적인 통화와 우표를 발행하고 있다고도. 너는 가이드의 설명도 듣고 있지 않다. 너의 두눈은 사람들 사이를 헤매다니고 있을 뿐이다. 사람이 몇만 모여 있어도 그 사이에 혹시 엄마가 있나? 그들 사이를 헤매고 다니는 너의 눈빛은 불안정하게 흔들리고 있다. 서양인 관광객들 틈에 잃어버린 엄마가 있을 리 만무하건만 지금도 너의 눈은 한곳에 정지할 줄을 모른다. 성악을 하기 위해 이곳에 온 지 칠년이 되었다는 가이드의 눈과 너의 눈이 마주쳤다. 이어폰을 꽂지도 않고 있는 너는 민망해서 그제야 이어폰을 잡아당겨 귀에 꽂았다. 바티칸 시국은 세계에서 가장 작은 나라입니다. 그러나 하루에 삼만명 가량이 이곳을 찾아오지요. 귀에 꽂자마자 전파되는 가이드의 설명을 듣는 순간 너는 그만 입술 안쪽을 깨물어버렸다. 섬광같이 떠오르는 엄마의 말. 그때가 언제였나. 엄마는 세상에서 가장 작은 나라가 어디냐고 물었다. 너에게 언젠가 그 나라에 가게 되거든 장미나무로 만든 묵주를 구해다달라고 했다. 이 세상에서 가장 작은 나라. 너는 정신이 번쩍 들었다. 여기 말인가. 이 바티칸 시국.

너는 이어폰을 꽂은 채 햇볕을 피해 대리석 계단 아래 앉아 있는 일행들 사이를 빠져나와 홀로 박물관으로 들어갔다. 장미나무로 만든 묵주라고 했다. 너는 눈앞에 끝도 없이 펼쳐지는 박물관의 웅장한 천장화와 조각 들을 스치듯이 지나쳐갔다. 어딘가에 기념품을 파는 숍이 있을 것이다. 거기에 가면 장미 묵주가 있을지도. 장미 묵주를 찾아 사람들 사이를 바삐 빠져나가던 너는 시스티나 예배당에서 걸음을 멈췄다. 사년이 넘는 나날을 저 높은 천장의 들보에 매달려 작업을 했단 말인가. 거대한 벽화는 그동안 책 속에서 봐오던 것과는 달리 그 크기부터 압도해왔다. 이 작업을 마쳤을 때 얼굴이 돌아가지 않았다면 오히려 이상한 일이었을 것이다. 천지창

조 아래 서 있는 너의 얼굴 위로 작업자의 고통과 열정이 물처럼 쏟아져내렸다. 너의 예측은 틀리지 않았다. 시스티나 예배당을 빠져나오자 서점을 겸한 기념품 숍이 바로 눈에 띄었다. 하얀 옷을 입은 수녀들이 진열대 건너편에 서 있었다. 그중의 한 수녀와 너의 눈이 마주쳤다.

— 한국인이세요?

수녀의 입에서 한국말이 새나왔다.

— 네.

— 저도 한국에서 왔어요. 이곳으로 파견나와 처음 만난 한국 사람이네요. 나흘 전에 여기 도착했거든요.

수녀가 또 웃었다.

— 장미 묵주가 있어요?

— 장미 묵주?

— 장미나무로 만든 묵주.

— 아.

수녀가 진열대 한켠으로 너를 데리고 갔다.

— 이거 말인가요?

수녀가 내미는 묵주함을 받아든 너는 뚜껑을 열어보았다. 밀폐된 묵주함 안에서 장미향이 훅 끼쳤다. 이 냄새를 엄마는 알고 있었던가.

— 아침에 신부님이 축성하신 겁니다.

278

언젠가 엄마가 말한 장미 묵주가 이것일까.

— 이 장미 묵주는 여기서만 구할 수 있는 건가요?

— 아니요, 어디서든 구할 수 있어요. 다만 여기는 바티칸이니까…… 여기 장미 묵주라면 의미가 크지요.

너는 묵주함에 씌어 있는 15유로라는 글씨를 물끄러미 바라보았다. 수녀에게 묵주값을 건네는 너의 손이 떨렸다. 묵주함을 너에게 내밀다가 수녀는 선물이냐고 물었다. 선물? 이걸 엄마에게 전해줄 수 있을까? 그럴 수 있을까. 네가 고갤 끄덕이자 수녀가 진열대 안쪽에서 피에타상이 인쇄된 흰 봉투를 꺼내 묵주함을 담고 스티커로 봉해주었다.

너는 장미 묵주를 손에 든 채 성 베드로 성당을 향해 걸었다. 입구에서 안을 들여다보았다. 저 멀리 청동으로 만들어진 웅장한 닫집 위의 둥근 천장에서 빛이 쏟아져내렸다. 천장 벽화의 흰구름 속에는 천사들이 무리지어 떠다녔다. 너는 성 베드로 성당 안으로 한 발짝 들어서며 저 멀리 옻칠된 큰 광배 너머를 휘둘러보았다. 그곳으로 가보기 위해 중앙 홀을 걸어가던 너의 걸음이 주춤거렸다. 안으로 들어가기도 전에 무엇인가가 강하게 너를 끌어당겼다. 무엇일까? 너는 사람들을 헤치고 자석처럼 끌어당기는 것을 향해 다가갔다. 사람들이 무엇을 보고 있는지 고개를 쳐들고 살펴보았다. 피에타상이다. 죽은 아들을 품에 안은 성모가 방탄유리 안에 갇혀 있었다. 너는 이끌리듯이 사람들 사이를 헤치고 피에타상 앞으로 나아갔다. 막 숨을 거둔 아들의 시신을 안고 있는 성모의 단아한 모습을 보는 순간 너는 얼어붙는 것만 같았다. 저것이 대리석이 맞나? 죽은 아들은 아직도 체온을 유지하고 있는 듯했다. 아들의 시신을 무릎에 누이고 내려다보고 있는 성모의 눈은 고통에 잠겨 있다. 죽음이 지나갔을 것이나 모자의 몸은 손가락이 물컹거리며 들어갈 것같이 육감적이었다. 어미됨을 부정당하고도 아들의 주검에 무릎을 내준 여인. 그들은 살아 있는 듯 생생했다. 누군가 등을 쓸어내리는 것 같아 너는 얼른 뒤를 돌아다보았다. 너의 등뒤에 엄마가 서 있는 것만 같았다. 너는 깨달았다. 뭔가 잘못되어가고 있다는 생각이 들 때면 습관적으로 엄마를 생각하며 살아왔다는 것을. 엄마를 생각하면 무엇인가 조금 바로잡히고 내부로부터 뭔가 다시 힘이 솟구쳐올라오는 것 같았으니까. 너의 습관은 엄마를 잃어버린 뒤에도 엄마에게 전화를 걸려고 했다. 엄마에게 전화를 걸려다가 멍하니 서 있던 날들. 너는 피에타상 앞에 장미 묵주를 내려놓고 무릎을 꿇었다. 무릎에 누인 죽은 아들의 겨드랑이에 끼여 있는 성모의 손이 움직이는 것만 같았다. 너는 고통을 감당하다가 죽음에 이른 아들을 안고 있는 성모의 비탄을 바로 볼 수가 없었다. 너의 귓속을 메우고 있던 모든 소리가 끊기고 천장에서 쏟아져내리던 빛도 사라졌다. 이 세상의 가장 작은 나라의 성당 안은 깊은 침묵에 잠겼다. 상처를 입은 입술 안쪽 연한 살갗에서 계속 피가 배어나왔다. 너는 자꾸만 고이는 피를 꿀꺽 삼키며 겨우 얼굴을 들어 성모를 올려다보았다. 너의 손바닥이 저절로 방탄유리를 짚었다. 닿기만 한다면 성모의 슬픔에 잠긴 눈을 감겨주고 싶었다. 어젯밤에 한이불을 덮고 잠들었다가 오늘 아침에 그 이불 속에서 깨어나 엄마를 안아본 것처럼 생생하게 엄마의 체취가 되살아났다.

어느 해 겨울, 바깥에서 꽁꽁 얼어서 집에 돌아온 너의 어린 손을 그 투박한 두손으로 감싸고 부엌 아궁이불 앞으로 데려가던 엄마. 이런, 손이 얼음장이구나! 아궁이불 앞에서 너를 품어안고도 어서 따뜻해지라고 네 두손을 감싸고 비벼주고 비벼주던 엄마에게서 맡아지던 냄새.

숨을 거둔 아들의 겨드랑이를 감싸고 있는 성모의 손가락들이 길게 뻗어나와 너의 뺨을 어루만지는 것 같았다. 성당 안에 인적이 끊길 때까지 너는 못자국이 선명한 아들의 팔을 간신히 들어올리고 있는 성모 앞에 무릎을 꿇은 채 앉아 있었다. 한순간 너는 눈을 반짝 떴다. 슬픔에 잠겨 있는 눈 아래 자리잡은 성모의 입술을 뚫어져라 바라보았다. 누구도 침범할 수 없는 단아함을 품은 채 굳게 다문 입술. 너의 입에서 깊은 숨이 새어나왔다. 성모의 단아한 입술은 눈의 슬픔을 지나 연민에 닿아 있었다. 너는 죽은 아들을 다시 보았다. 아들의 팔과 다리가 어미의 무릎에서 평화롭게 늘어져 있었다. 아들은 죽어서도 위로받고 있었다. 네가 여행을 간다고 하면 가족들은 네가 엄마를 찾는 것을 체념한 것으로 받아들일 것이었다. 그 의구심을 풀어줄 길이 없어 누구에게도 로마행을 알리지 않고 여기를 찾아온 것은 이 피에타상을 보기 위해서였을까. 세미나 참석을 겸해서 함께 가지 않겠느냐고 그가 이탈리아행을 권했던 그 순간부터 너는 무의식적으로 아들의 시신을 안고 고즈넉이 연민에 잠겨 있는 이 어머니상을 떠올리고 있었는지도. 여기 이 자리에 서게 되면 네가 기도하려 한 간절한 소망은 이역만리 아시아 대륙 저 끝에 붙은 조그만 나라에서 살다 간 한 이름없는 여인을 한번만 다시 보게 해달라는, 찾게 해달라는 것이었다. 아니다. 어쩌면 그게 아니었는지도. 엄마가 더이상 지상에 존재하지 않는다는 것을 너는 알고 있는지도. 너는 엄마를 잊지 말아달라고, 엄마를 가엾이 여겨달라고 말하고 싶어 여기에 온 것인지도. 그러나 막상 투명한 유리 저편 대좌에 앉아 창세기 이래 인류의 모든 슬픔을 연약한 두팔로 끌어안고 있는 여인상을 보고 아무런 말을 할 수가 없었는지도. 너는 넋을 잃고 성모의 입술을 바라보았다. 눈물이 한방울 너의 감은 눈 아래로 흘러내렸다. 너는 비틀거리며 뒷걸음치듯 그 자리에서 물러났다. 미사를 보려는지 사제들이 줄을 지어 네 곁을 지나갔다. 너는 성당 입구까지 걸어나와 긴 회랑과 눈부신 빛에 둘러싸인 광장을 망연히 내려다보았다. 그제야 여인상 앞에서 차마 하지 못한 한마디가 너의 입술 사이에서 흘러나왔다.

엄마를, 엄마를 부탁해—

피에타, 그 영원한 귀환

정홍수

1

신경숙의 장편소설 『엄마를 부탁해』는 글을 향해 서서히 몸을 기울일 시간을 주지 않는다. 소설 속 '너'의 가슴 치는 후회와 자책은 곧장 소설을 읽는 '나'의 그것이 된다. 그 누구도 숨을 곳이 없다. 지하철 서울역 구내에서 동행하던 남편을 놓친 뒤, 길을 잃고 사라져버린 칠순의 늙은 엄마. 텅 빈 고향집으로 내려가 아내를 기다리고 있는 무력한 늙은 아비에게 전단지를 들고 서울 거리를 헤매고 다니는 큰딸이 첫새벽에 전화를 건다. 그리고 마침내 터져나오는 울음. "어—어어어." 소설은 이어서 적어놓았다. "딸의 울음소리가 점점 더 커졌다. 당신이 붙잡고 있는 수화기 줄을 타고 딸의 눈물이 흐르는 것 같았다. 당신의 얼굴도 눈물범벅이 되었다."(198면) 수화기 줄을 타고 흐르는 눈물은 그리고 우리에게도 온다. 그런 게 있다면, 그 눈물은 인간이라는 생명의 골짜기를 하염없이 적셔온 누대의 그것일 터이다.

그러니까 사정은 생일상을 받으러 상경한 노모의 실종이라는 충격적이고 참담한 사건과 무관한 것인지도 모른다. 소설이 진행되면서 조금씩 드러나지만, 가족들은 엄마를 잃어버리기 이전에 이미 엄마를 거의 '잊고' 있었다. 그리고 그들은 엄마의 실종을 계기로 '잃다'와 '잊다'가 같은 말이었음을 뼈아프게 깨닫는다. "엄마를 잃어버린 지 일주일째다"라는 문장은 소설의 처음에 놓여 있지만 실상 그 문장은 뜯어고쳐지기 위해, 아니 가혹하게 고발당하고 심문받기 위해 거기 그렇게 놓여 있어야 했던 것이다. '엄마를 잃어버린 지 오래였다' 혹은 '엄마를 잊은 지 오래였다'가 맞는 말이어야 했다. 『엄마를 부탁해』는 그 잘못에 대한 처절한 고해성사다. 여기서 '처절한'은 전혀 흔한 수사가 아니다. 어느 정도인가 하면, 신경숙이 들려주는 한 가족의 고해성사는 첫 문장의 잘못을 '너는, 그는, 당신은, 엄마를 한번도 그이가 지닌 인간의 존엄 위에서 대하고 생각한 적이 없다'는 지경까지 몰아간다. 어떻게 그럴 수가 있는가. 평생을 가족에 대한 헌신과 배려의 고단하고 고단한 노동으로 채워온 엄마를. 그러나 정말 그렇지 않은가. 나도, 당신도. 우리는 한없이 자책하며 우리의 죄를 고해할 수밖에 없다.

그리고 보면 소설 속 '너'가 마침내 미켈란젤로의 피에타상과 만나고 그 앞에 무릎 꿇는 게 어찌 우연일 수 있으랴. 이것은 죄와 구원을 둘러싼 아득한 심연, 그 심연을 사이에 둔 인류의 오랜 탄식의 이야기다. 그러면서 이것은 「감자 먹는 사람들」과 『외딴방』의 작가 신경숙만이 들려줄 수 있는 지금 이곳의 간절하고 간곡한 이야기다.

2

소설은 모두 네 개의 장과 에필로그로 구성되어 있다. 앞의 세 장은 큰딸, 큰아들, 그리고 아버지가 고해의 주체다. 그런데 그 고해는 '나는'으로 진행되지 않는다. 그들은 '너' '그' 그리고 '당신'으로 호명되며 엄마의 실종, 그 부재의 자리에서 간단없이 솟구치는 엄마의 기억과 고통스럽게 대면한다. '너'가 호명되는 1장이 더 그러한데, 여기에는 심문의 분위기마저 있다. 그렇다면 누가 그들을 그렇게 호명하며 고해의 장으로 불러낸 것일까. 원리적으로 보면 엄마여야 한다. 실제, 마지막 4장은 사라진 엄마가 일인칭 화자로 등장하여 둘째딸의 집, 평생 숨겨온 마음의 의지처인 곰소의 그 남자 집, 남편과 아이들 고모가 있는 고향집, 그리고 마침내 자신이 태어나 자랐던 '엄마'의 집을 차례로 돌며 세상과의 마지막 작별인사를 나누는 것으로 되어 있다. 그리고 여기에서 엄마는, 비록 중음

신처럼 육신을 허공에 띄운 채로이긴 해도, 평생 처음 온전한 한 개인의 자리로 다가가서 '나는'을 발화하고 가족과 숨겨둔 마음의 사랑에게 말을 건넨다. 그녀는 이제, 처음부터 엄마로 태어난 사람이 아니다. 그녀는 가족노동의 무한대리인도 아니며 가족을 향한 마르지 않는 사랑의 화수분도 아니다. 그러나 거기에 자신의 고독과 수고를 몰라준 가족들을 향한 문책은 없다. "나는 몇해 전에 세워놓은 선산의 가묘로는 안 갈라요. (…) 오십년도 넘게 이 집서 살았응게 인자는 날 쫌 놔주시오."(248~49면) 한 가족의 엄마로만 살아온 세월에 대한 착잡한 회한을 토로하는 대목에서 그 문책의 기미를 우회적으로 느낄 수 없는 것은 아니지만, 그 정도가 다다. 그러니까 엄마에겐 가족들을 불러내 그이들의 무심함을 질책할 마음이 처음부터 없다. 오히려 장남의 이야기가 전개되는 2장의 제목이 '미안하다, 형철아'인 것처럼, 엄마는 그저 미안할 뿐이다. 작가는 이 점에 자각적이었다. 그러므로 엄마의 음성이 그 문책의 시선으로 소설의 표면에 노출되지 않은 것은 단지 형식적인 소설적 장치의 문제일 수 없다. 그 호명과 문책의 시선은 엄마의 몫이되, 엄마가 그 몫을 거절함으로써 텅 비어버린 자리였던 것이다. 그 호명이 생성되는 빈자리를 두고 전지적 작가시점이라거나 신(神)의 시선이라 쉽게 말하기 힘든 것도 그 때문이다.

작가는 이 작품의 연재를 시작하면서, 6년 전부터 묵혀왔지만 좀처럼 글쓰기의 진전을 보지 못하던 이번 소설이 실마리를 찾게 된 과정을 밝힌 바 있다. "어느날 '어머니'를 '엄마'로 고쳐보았다. 신기한 일이었다. 어머니를 엄마로 고치고 나니 바로 첫 문장이 이루어졌다"(『창작과비평』 2007년 겨울호, 348면)고. 신경숙 소설이 늘 그 전체에서 뿜어내는 친밀성의 자장에 감싸여본 독자라면 깊이 고개가 끄덕여지는 대목이 아닐 수 없다. 여기에 더해, 『엄마를 부탁해』는 그 두번째 문장을 "오빠 집에 모여 있던 너의 가족들은"으로 시작하면서 지금과 같은 소설적 견고성을 획득했다고 볼 수는 없을까. 그러니까 작가의 분신이기도 한 큰딸 '나'는 '너'여야 했던 것이다. 감상성과 주관성을 견제하는 소설 기술적 장치 이상으로 이 '너'의 자리는 중요하다. '너'를 부르는 자리가 비어 있고, 그 비어 있음이 소설의 윤리를 생성시키는 힘이기에 그러하다. 다시 말해, '너'를 부르는 자리는 엄마의 몫이기도 하고 신의 시선이기도 하겠지만, 동시에 '나'가 가닿으려는 불가능한 고해의 기원이 아니겠는가. 사정이 이렇다면, 그 비어 있는 자리는 하나의 시선으로 고정되기를 거부하며 차라리 들끓고 있다고 해도 좋겠다. 실제 우리는 소설을 읽어가며 그 세 시선의 단속(斷續)이 만들어내는 뜨거운 스파크를 '너'의 자리에서 아프게 겪게 된다. 큰아들이 '그'가 되고 아버지가 '당신'이 되는 호명의 질서도 여기에서 비롯했다. 흥미로운 것은 '그'와 '당신'이 호명된 2장과 3장이 엄마의 이야기를 더 절실하고 더 풍성하게 받아내는 것처럼 보인다는 점일 텐데, 여기서 장남과 남편의 자리가 이야기의 구체성에 기여하는 측면을 지적하기는 쉽다. 그러나 작가의 분신이자 '내포작가'이기도 한 '너'의 자리가 '그'와 '당신' 속에 매개되고 간접화되면서 소설의 숨은 층위로 버티고 있다는 점을 놓쳐서는 안되리라. 우리가 결국 이 소설에서 읽고 견뎌내야 하는 것은 '너'다.

엄마의 실종으로 '너'의 가족들이 겪는 일차적 시련은 잊고 있던 엄마에 대한 기억의 분출이다. 엄마 자신 떠도는 영혼으로 찾아온 고향집에서 "아, 봄날 새싹들처럼 (…) 솟아나는 이 기억들을 어디서 멈춰야 할지를 모르겠네"(251면)라고 말하고 있기도 하지만, 여기서 아련한 행복의 표현 '봄날 새싹들처럼'을 지운다면 그것은 그대로 제어할 수 없는 기억의 습격 앞에서 '너'의 가족들이 토해내는 고통스런 탄식이 아니고 무엇이겠는가. 그러니까 엄마에게 솟아나는 기억들은 시동생 '균'의 죽음이나 평생 숨겨야 했던 남자의 존재처럼 고통과 회한의 순간이 없는 것은 아니지만, 전체적으로는 온갖 생명을 기르고 받아낸 고향집 마당의 그 충일한 햇살 아래 있는 것이며, 그러한 한 지워지고 망각된 존재성을 회복하는 쪽으로 열려 있다고 할 수 있다. 그러나 '너'와 '그' 그리고 '당신'에게는 어떠한가. 엄마가 실종된 뒤, 시도 때도 없이 솟구치는 기억들은 상실의 환기며, 자책과 후회로 점철되는 통절한 시간이다. 그것은 돌이킬 수 없다는 의미에서 진정 가혹한 시련이며, 엄마의 귀환으로만 중단될 수 있는 지극히 물리적인 곤경이다. 그동안 신경숙 소설에서 고향집을 둘러싼 모성의 세계는, 그 훼손의 가능성을 이야기하고 현대인의 실존적 정황에 대한 마땅한 탐색을 수반하면서도, 전체적으로는 가족적 인륜성의 온기로 충만한 기억의 행복한 처소가 아니었던가. 그런데 『엄마를 부탁해』는 엄마의 실종을 가운데 놓고 그 기억의 행복이 엄마라는 온전한 한 개인의 '존재적 실종'을 조장하고 은폐하고 있었던 것은 아닌지, 근본에서 되묻는 자리로 간다. 이것은 고통스런 질문의 자리다. '너'의 가족들을 무시로 급습하는 기억들은 엄마의 실존에 대한 자의적인 삭제와 이기적인 전유(專有)의 구체적인 증거로 제출되면서 인간 윤리의 허술한 바탕, 그 자기기만을 고발한다.

그러나 『엄마를 부탁해』는 자칫 엄숙하고 우울한 잿빛 단색으로 뒤덮이기 쉬웠을 이 기억의 법정으로부터 착잡하면 착잡한 대로, 나날의 인간사에 의연한 삶의 리듬과 결을 현전시키는 소설적 인내와 경이를 보여준다. 작품을 읽는 처음부터 우리는 달리 상상하기 힘든 생생한 사실감과 핍진성에 거듭 빠져들게 되거니와, 하염없이 열어둔 듯한 마음의 자리에서 세계의 구체와 정화(精華)를 포착하는 신경숙 소설언어의 연금술이 정말 놀랍다. 그리고 이것은 특정한 문장, 단락의 문제가 아니다. 하나하나의 단어와 문장은 오히려 무명옷처럼 소박하다 해도 좋다. 알려진 대로, 신경숙 소설은 단어와 문장의 축조가 아니라 흐름이다. 사실감과 핍진성은 일물일어(一物一語)의 숨가쁜 대응에서 오는 것이 아니라 그 흐름에서 온다. 그리고 그 흐름은 머뭇거리고 주저하는 가운데 조금씩 소설적 진실을 이룬다. 우리는 하나의 유동하는 덩어리로, 흐름의 전체에서 그것을 느낄 수밖에 없다. 『엄마를 부탁해』에서 그 흐름은 더없이 간곡하고 순정한 평명(平明)의 질서에 이르고 있다.

그리고 그 흐름은 『엄마를 부탁해』의 텍스트 안에 국한되어 있는 것도 아니다. 신경숙 문학의 오랜 독자라면 누구라도 금방 느꼈겠지만, 등단작인 「겨울우화」부터 저 「풍금이 있던 자리」의 세계를 거쳐 『외딴방』「감자 먹는 사람들」「모여 있는 불빛」「새야 새야」「종소리」『바이올렛』『리진』으로 이어져온 신경숙 소설의 거의 모든 텍스트가 이번 장편 『엄마를 부탁해』에 흐르고 있다. 가령, 신경숙 글쓰기의 기원적 풍경으로 자주 이야기되는 고향집 마당의 헛간. 숨어서 오빠가 빌려온 『인어공주』를 읽던 곳. 그 소녀는 헛간 두엄을 헤집던 쇠스랑으로 자신의 발등을 찍지 않았나. 지금 그곳 헛간 평상에 소녀의 늙은 엄마가 고단했던 세월의 무게를 이기지 못하고 고통스런 표정으로 누워 있다. 불쑥 고향집에 들른 성장한 소녀가 텅 빈 집에서 그 모습을 내려다보고 있다. 소녀는 쇠스랑을 마당 한쪽의 우물에 빠뜨리고 서울로 와 '외딴방'의 시간을 살았고, 이제는 소설가라는 '글씨 쓰는 사람'이 되어 P시의 점자도서관에서 점자로 된 자신의 소설책을 기증받고 막 엄마가 있는 J시의 고향집으로 온 참이었다. 『엄마를 부탁해』는 이렇게 작가가 자신의 이전 텍스트를, 그러니까 자신의 삶을 필사(筆寫)하며 다시 한줄 한줄 써내려간 소설이다. 어떤 작가를 두고 평생 한 작품만을 쓰고 또 고쳐

쓴다고 말하는 것이 더없는 경의의 표현이 될 수 있다면, 이 경우가
그렇지 않을까. 그런 의미에서 『엄마를 부탁해』는 신경숙 문학의
오랜 흐름을 한곳으로 모아낸 빼어난 소설적 결정(結晶)이면서, 언
젠가는 다시 고쳐씌어질 신경숙 소설의 운명적 표정을 가장 강하
게 드러내고 있는 작품은 아닐 것인가.

3

"엄마를 잃어버린 지 구개월째다"로 시작하는 소설의 에필로그
에서 '너'가 벼락처럼 만나게 되는 성 베드로 성당의 피에타상은 어
디에 있다 나타나 마치 엄마가 돌아온 듯한 깊은 위로와 "엄마를,
엄마를 부탁해—"의 탄식어린 갈구를 우리 모두의 것으로 남기는
가. 물론 "어미됨을 부정당하고도 아들의 주검에 무릎을 내준 여
인"(280면) "창세기 이래 인류의 모든 슬픔을 연약한 두팔로 끌어안
고 있는 여인상"(282면)은 미켈란젤로가 스물네살의 젊은 나이에 조
각한, 예수의 주검을 안고 있는 성모 마리아의 모습이다. 그러나
『엄마를 부탁해』를 읽은 우리는 이 조상(彫像) 속의 인물이 1938년
한반도 J시의 진뫼라는 한 산골마을에서 태어나 세살 때 아버지를
잃었으며, 빨치산과 토벌대의 낮밤이 뒤바뀌던 휴전 직후의 혼란
기 열일곱의 나이에 십여리 떨어진 이웃마을로 시집갔던 '박소녀'
라는 여인임을 안다. 글을 배울 겨를이 없어 캄캄한 세상을 살았으

나 박소녀 그녀는 누구보다 큰 품으로 남편과 자식들을 챙기고 한 해 여섯 번의 제사를 지내며 부엌을 지켰다. 집 마당은 늘 온갖 생명 가진 것들을 기르고 받아내는 그녀의 노동으로 환했다. 남편의 무심과 출분을 견뎌야 했고, 사산한 어린 생명과 시동생 균의 죽음을 가슴에 묻었다. 늘 자랑이고 기쁨이기만 했던 장남에 대한 미안함 역시 평생 그녀의 가슴을 눌렀다. 비단 장남에게만 그러했으랴만, 실종 후 간간이 전해진 목격담 속에서 그녀의 모습은 한결같았는데, 소처럼 큰 눈에 상처투성이 발등이 다 보이는 파란 슬리퍼를 신고 있었다. 삼십여년 전 한겨울에 장남의 고등학교 졸업증명서를 들고 아들이 근무하는 서울 용산의 동사무소 숙직실을 찾았던 한밤중 그녀의 모습이 그렇지 않았던가. 자식들이 솔가하고 난 노년의 허허로움 속에서 고아원 아이들을 돌보고, 고아원에 갈 때면 그곳의 젊은 여인에게 소설가인 큰딸 '너'의 책을 읽어달라고 했다던 그녀. 그러니까 한반도 진뫼라는 산골에서 태어나 여사여사한 내력의 삶을 살아온 '너'의 엄마이자, 조선땅 어디에서나 만나는 우리의 엄마, 그리고 엄마라는 보편적 삶 그 자체. 어머니라는 자리. 여기에 무슨 설명이 필요할까.

소설의 1장에는 큰딸 '너'가 고향집에 들렀다가 헛간 평상에 고통에 짓눌린 처참한 표정으로 혼절하듯 누워 있는 엄마를 발견하는 장면이 나온다. "너는 너도 모르게 평상에 올라 엄마의 비참한 얼굴을 너의 무릎에 올려놓았다. (…) 어떻게 엄마를 이렇게 혼자

두는가."(31면) 3장에서 한 마리 새의 형상으로 둘째딸의 집을 찾은 엄마는 아이를 품에 안고 재우다 지쳐 잠든 딸을 바라보며 작별의 말을 읊조린다. "내가 신고 있는 굽이 다 닳아버린 파란 슬리퍼를 벗고 싶어. 내가 입고 있는 먼지투성이 여름옷도. 이제는 나도 이게 나인지 알아볼 수 없는 이 몰골에서도 벗어나고 싶어. 머리통이 깨지는 듯하고나. 자, 얘야. 머리를 들어보렴. 너를 안고 싶어. 나는 이제 갈 거란다. 잠시 내 무릎을 베고 누워라."(223면) 이 두 장면이 이미 피에타상이 아니라면 달리 무엇을 일러 피에타상이라고 불러야 하는 걸까. 미켈란젤로가 죽음 직전까지 조각하다 미완성으로 남긴 또 하나의 피에타상이 있다는 걸 우리는 안다. 론다니니의 피에타상. 기괴한 모습이다. 미완성의 흔적인지 예수의 한쪽 팔은 몸에서 떨어진 채 옆에 덩그러니 세워져 있다. 몸과의 비례도 전혀 맞지 않다. 성모가 예수의 주검을 뒤에서 안아 쓰러지지 않게 버티고 있는 것 같다. 죽은 예수가 슬픔에 빠진 성모를 자신의 몸으로 가까스로 버티고 있는 것처럼도 보인다. 어느 쪽일까. 아마도 둘 다가 아닐까. 론다니니의 피에타상에서 애도의 시선을 어느 한쪽으로 특정하기 어려운 것도 그 때문이다. 이 또다른 피에타상의 존재를 작가가 몰랐을 리 있겠는가. 헛간 평상에서 엄마의 고통스런 얼굴을 올려놓은 '너'의 무릎은 슬픔과 애도의 자리가 하나의 몸으로 묶여 있는 피에타의 진실을 조용히 웅변한다. 여기서 엄마는 딸이고, 딸은 엄마다. 4장에서 엄마의 발길이 마지막으로 향하는 곳은 어디인가. 그곳은 엄마가 태어난 산골마을 진뫼의 고향집이다. 거기서 엄마는 어두운 집 마루에 앉은 '엄마'를 본다. 이제 그녀는 딸이다.

엄마가 파란 슬리퍼에 움푹 파인 내 발등을 들여다보네. 내 발등은 푹 파인 상처 속으로 뼈가 드러나 보이네. 엄마의 얼굴이 슬픔으로 일그러지네. 저 얼굴은 내가 죽은 아이를 낳았을 때 장롱 거울에 비친 내 얼굴이네. 내 새끼. 엄마가 양팔을 벌리네. 엄마가 방금 죽은 아이를 품에 안듯이 나의 겨드랑이에 팔을 집어넣네. 내 발에서 파란 슬리퍼를 벗기고 나의 두발을 엄마의 무릎으로 끌어올리네. 엄마는 웃지 않네. 울지도 않네. 엄마는 알고 있었을까. 나에게도 일평생 엄마가 필요했다는 것을.(254면)

우리는 지금 또 하나의 압도적인 피에타상 앞에 서 있다. 여기에 무슨 말을 덧붙이랴. 엄마는 이처럼 스스로 피에타상이 됨으로써 영원한 귀환에 이른다. 그곳은 '너'와 '그' 그리고 우리가 마침내 돌아가 지친 얼굴을 뉘어야 할 곳이 아닌가. 하고보면 엄마는 언제나 그런 존재가 아니던가. 자신의 수난을 세상의 무릎과 품으로 돌려주는 존재. 그러므로 "엄마를, 엄마를 부탁해—"의 탄식어린 갈구는 기실 여기서 그 대답을 얻었다고 해도 좋을 것이다. 깊은 문학적 감동을 전해준 작가의 수고에 경의를 표한다.

鄭弘樹 | 문학평론가

지난겨울 거의 삼십년 만에 어머니와 내 집에서 보름쯤을 같이
지낸 적이 있다. 사춘기 때 어머니 곁을 떠나온 이후 그리 많은 날
을 어머니와 함께 지내긴 처음이었다. 새벽마다 어머니가 자고 있
는 방으로 건너가보았다. 내가 어느 시간에 방문을 열든 어머니는
벌써 깨어나 있었다. 내가 안으로 들어가면 어머니는 뭐하러? 하시
면서도 내가 어머니 옆에 누우면 너랑 이런 날도 있구나…… 참, 좋
구나, 하셨다. 우리는 천장을 보고 누워서 도란도란 옛이야기를 나
누었다. 까마득히 잊어버리고 있던 옛일들이 우리 모녀가 누워 있
는 방 안으로 가득 밀려오곤 했다. 그런 날들이 여러 날 흐르는 사
이 어머니의 마음속에 아직도 해결되지 않은 옛일들이 나무뿌리처
럼 고통스럽게 엉켜 있다는 것을 알게 되었다. 때때로 어머니는 아

주 작아져서 내 품속에서 울기도 했다. 그러다가 정신을 차리곤 내가 왜 이런다냐! 얼른 어머니의 자리로 돌아갔다. 어머니에겐 그 무엇이 아닌 그저 어머니의 얘기를 들어줄 사람이 필요하다는 것을 실감했다.

그렇다고 내가 온순하게 어머니의 얘기를 듣기만 한 건 아니다. 어떤 일을 두고는 그게 아니잖아! 왜 그렇게 생각하세요! 목소리를 높이며 싸우기도 했다. 같은 이불 속에서 서로 숨을 몰아쉬며 등을 돌리고 누워 있던 순간도 있었다. 마음이 다친 어머니가 집에 가겠다고 짐을 싸들던 순간들도. 그런데도 나는 그 새벽의 모든 순간에 분명 행복을 느꼈다. 그것도 완전한 행복을. 그 행복의 여운은 넓고 깊어서 대체 이 기운이 어디에서 흘러나온 것인지 오래 생각하게 만들었다. 어머니가 아직 내 곁에 있다는 것. 어머니 곁에 누워서 아침이 오기를 기다리며 어머니의 이야기를 들을 수 있는 행운을 내가 누리고 있다는 것. 그것이었다.

그때 느낀 행복감이 이 소설을 계속 쓰게 했다고 하면 믿겠는가. 소설 속 엄마를 그리 불행하게 만들어놓고 말이다. 그런데 사실이다. 그 새벽의 행복을 나만 누릴 수는 없다는 생각이 들었다. 표현하지 않고는 배길 수 없는 행복이었다. 누구에게도 아직 늦은 일이 아니라고 말해주고 싶은 내 식의 방법이 이 소설이다. 내 그런 마음이 엄마를 잃어버린 지 일주일째다,라는 첫 문장을 탄생시켰다. 연재를 마치고도 고심 끝에 엄마를 되살리기 위해 에필로그 '장미 묵주'편을 썼다. 그 첫 문장을 엄마를 잃어버린 지 구개월째다,로 선택한 이유도 우리가 어머니를 이해하고 사랑하고 돌볼 수 있는 시간이 아직 남아 있음을 말하고 싶어서다. 잃어버렸을 뿐 찾을 수 있다는 희망의 여지를 남겨놓고 싶었다. 오늘의 우리들 뒤에 빈껍데기가 되어 서 있는 우리 어머니들이 이루어낸 것들을 어찌 다 헤아릴 수 있을까. 그 가슴 아픈 사랑과 열정과 희생을 복원해보려고 애썼을 뿐이다. 이로 인해 묻혀 있는 어머니들의 인생이 어느 만큼이라도 사회적인 의미를 갖기를 바라는 것은 작가로서의 나의 소박한 희망이다.

　원고를 탈고하고 내가 맨 먼저 한 것은 시골집의 어머니에게 전화를 걸어본 일이다. 밤 열시가 지나 있었다. 아버지가 전화를 받았다. 어머니는 주무시는가 물으니 헛간에 있다고 하셨다. 헛간에요? 거기서 뭐 하세요? 이 시간에? 물으니 마늘을 깐다고 했다. 내가 어린 시절 책을 읽던 그 헛간에서 어머니가 이 시간에 마늘을 깐다고? 어머니의 핸드폰으로 다시 전화를 걸었다. 밤중에 무슨 마늘을 까고 있느냐고 내가 시끄럽게 굴어대니 어머니는 그저 담담한 목소리로 잠이 안와서…… 그런다, 하셨다. 곧 김장을 해야 하니 하루에 몇통씩이라도 미리 까두는 게 좋다면서. 다음날 원고를 보내고 다시 어머니에게 전화를 걸어보았더니 이번에는 콩밭에 계셨다. 날이 가물어 콩이 다 죽게 생겼다고 애석해하셨다.

칠순이 넘어서도 마늘을 까는, 비가 오지 않으니 애가 타서 콩밭에 나가 서 있는 분이 나의 어머니라는 생각은 글을 쓰며 살고 있는 나의 삶을 늘 환기시킨다. 언제부턴가 글이 씌어지지 않거나 내가 균형을 잃고 한쪽으로 쏠린다 싶을 때 어머니에게 전화를 걸고 있는 나를 발견했다. 그때면 어머니는 마치 노래를 부르듯 내가 이 세상에 오기 전부터 존재하던 사람들의 이야기를 끝도 없이 들려주셨다. 나는 가만히 어머니의 말을 받아적을 때도 있었다. 잘못도 없이 인생이 곤두박질치는데도 삶을 내려놓지 않고 꿈을 기르고 사랑을 번식시키는 것으로 매번 한 발짝씩 앞으로 나아갔던 사람들이 지닌 비밀들은 곧 나의 소설이 되기도 했다. 어머니는 내게 들려준 이야기가 당신의 이야기가 아니라고 했다. 어머니도 누군가로부터 전해들은 이야기라고. 나의 어머니가 내게 전해준 이야기들이 설령 이 우주에서 빈번히 발생했다 사라지는 그저 그런 숱한 일들 중 하나일 뿐이라 해도 이 글을 쓰는 동안 나는 문득문득 깨달았다. 그 이야기들이 나를 계속 꿈꾸게 할 거라는 것을. 어머니는 당신이 해준 이야기들이 나를 통해 세상의 다른 사람들에게 전해지기를 바란다는 것을.

글을 쓰는 것 외에는 그 무엇도 나에게 어울리지 않는다는 것을 알게 된 게 행복인지 불행인지 나는 모른다. 이 길을 내가 선택한 것도 같고 처음부터 정해진 길에 들어선 것도 같다. 어머니는 나에게 늘 당신처럼 살지 말라고 했으나 나는 이 길을 나의 어머니처럼 가고 싶다. 어머니는 우리들에게 다 파먹힌 몸으로도 잠이 오지 않는 밤이면 마늘을 까고 그 마늘로 김치를 담가 내게 부칠 것이다. 콩이 흉작이 되었으니 시장에 나가 콩을 사다가 청국장을 만들어 내게 보낼 것이다.

그 어머니의 딸이니 나도 이 길을 그렇게 갈 수 있으려니 생각한다.

2008년 가을

신경숙 씀

신경숙 장편소설
엄마를 부탁해

초판 1쇄 발행/2008년 11월 10일
초판 69쇄 발행/2009년 5월 20일

지은이/신경숙
펴낸이/고세현
책임편집/박신규
펴낸곳/(주)창비
등록/1986년 8월 5일 제85호
주소/413-756 경기도 파주시 교하읍 문발리 513-11
전화/031-955-3333
팩시밀리/영업 031-955-3399 · 편집 031-955-3400
홈페이지/www.changbi.com
전자우편/literat@changbi.com
인쇄/한교원색

ⓒ 신경숙 2008
ISBN 978-89-364-3367-3 03810